臺灣歷史與文化 研究輯刊

十　編

第 7 冊

淵源・傳承・發展：
臺東「嘉義派」釋教壇喪葬儀式之文化研究

吳 信 漢 著

屏東縣牡丹鄉排灣族
祭祀經文語言結構及文化意涵之研究

潘 君 瑜 著

花木蘭文化出版社

國家圖書館出版品預行編目資料

淵源・傳承・發展：臺東「嘉義派」釋教壇喪葬儀式之文化研
究　吳信漢 著／屏東縣牡丹鄉排灣族祭祀經文語言結構及文
化意涵之研究　潘君瑜 著 — 初版 — 新北市：花木蘭文化出
版社，2016〔民 105〕
目 2+148 面／目 2+118 面；19×26 公分
（臺灣歷史與文化研究輯刊十編；第 7 冊）
ISBN 978-986-404-787-1／978-986-404-788-8（精裝）
1. 喪葬習俗 2. 文化研究／1. 排灣族 2. 祭祀 3. 屏東縣牡丹鄉
733.08　　　　　　　　　　　　　105014936／105014937

ISBN-978-986-404-787-1

ISBN-978-986-404-788-8

臺灣歷史與文化研究輯刊
十 編 第 七 冊　　ISBN：978-986-404-787-1／978-986-404-788-8

淵源・傳承・發展：
臺東「嘉義派」釋教壇喪葬儀式之文化研究
屏東縣牡丹鄉排灣族
祭祀經文語言結構及文化意涵之研究

作　　　者　吳信漢／潘君瑜
總 編 輯　杜潔祥
副總編輯　楊嘉樂
編　　　輯　許郁翎、王筑　美術編輯　陳逸婷
出　　　版　花木蘭文化出版社
社　　　長　高小娟
聯絡地址　235 新北市中和區中安街七二號十三樓
　　　　　　電話：02-2923-1455／傳真：02-2923-1452
網　　　址　http://www.huamulan.tw 信箱 hml 810518@gmail.com
印　　　刷　普羅文化出版廣告事業
初　　　版　2016 年 9 月
全書字數　99762 字／76772 字
定　　　價　十編 18 冊（精裝）台幣 36,000 元

淵源・傳承・發展：
臺東「嘉義派」釋教壇喪葬儀式之文化研究

吳信漢　著

作者簡介

吳信漢，臺東縣人，私立高職國文科教師。學術發表如下：《臺灣閩南釋教師公之文化內涵形成析論——以臺東慧德壇為例》（彰化：國立彰化師範大學臺灣文學研究所碩士論文，2012 年）。〈角色立場及行動觀點——論丘逢甲的文化意識〉，收錄於國立彰化師範大學國文系《第六屆國文經緯》（彰化：國立彰化師範大學國文系，2010 年 10 月）。〈從哈布瓦赫集體記憶理論探討大甲鎮瀾宮的型塑〉，收錄於中華河洛文化研究會、中華僑聯總會編《河洛文化與臺灣文化》（鄭州：河南人民出版社，2011 年 4 月）。

提　　要

　　在臺灣傳統喪葬習俗中，為其家屬辦理喪葬拔渡法事科儀之宗教神職者，民間通常稱之為「師公」，「師公」一詞在民間認知上，沒有專屬於哪個宗教之稱謂，民間專為亡者進行法事科儀的釋教壇或靈寶道壇，民眾對其神職者多以此稱呼。本研究著重於對閩南釋教師公文化進行探討，作為泛佛信仰之一的民間宗教，和同是泛佛信仰的佛教及齋教龍華派對比上，其形成特色雖有差異，但亦有相似之處，民間因此常有將釋教和佛教、齋教龍華派混淆之現象，故而從地理關係及族群文化傳承上 說明釋教與其他宗教文化發展上之異同。同時探討民間宗教發展特色，對照釋教的道德價值提倡，進而說明儒家思想在民間宗教的重要性，以及釋教如何透過科儀法事之進行，將儒家思想體現於宗教科儀中，闡述宗教的美善價值。最後並透過地獄觀的警惕勸世作用，強化宗教道德真理之落實，使民眾從喪葬法事場合有所感受，進而達到善惡價值再教育之目的。其科儀法事之舉行亦多合乎人性情理，同時強化宗教地獄觀之民間化特色，進而分析釋教科儀之內涵與作用。

目

次

第一章　緒　論

第一節　研究動機

　　「釋教」此一名詞對臺灣多數人而言可能較爲陌生，透過以「釋」爲教名與釋迦牟尼佛之聯想，部分人會直接認定爲「佛教」，但由於釋教強調「入世修行」，這是與佛教「出世修行」最大之差別，所以部分人亦會直接將其聯想爲同是「入世修行」的「齋教龍華派」[註1]。其實在臺灣歷史文化進程中，釋教之發展對常民生活帶來非常深厚的影響，在臺灣喪葬儀節之法事活動呈現上，釋教神職者歷來扮演爲亡者處理後事的執行者，故閩南語所說之「師公」亦是形容這類人物。然而在文化認同的差異上，民間常常對釋教、佛教及齋教龍華派等相似宗教文化產生混淆，因爲他們都是以釋迦牟尼佛爲宗主之宗教信仰，但釋教師公之獨特文化面貌，和同是泛佛信仰的佛教及齋教龍華派確實有非常大之區隔。

　　釋教入世信仰不講求和出家僧眾一樣受教規戒律，大多數被民間需要之功能亦多著重於喪葬後事辦理，釋教神職者並以此爲謀生的職業。釋教進行喪葬科儀法事時，往往帶有大量武科動作，這和泛道信仰群體在儀式呈現上，亦多有動作表演有相似之處，不過最重要之關鍵，則在於其武科動作之進行，大部分以戲劇方式呈現。雖然達到科儀超渡亡者之實質作用，但是藉由戲劇效果呈現，往往讓佛教和齋教龍華派有所詬病，並認爲釋教科儀之進行過於花俏。或許釋教師公文化較爲花俏，但其中摻雜大量儒家思想，同時透過戲

〔註 1〕釋教、齋教與佛教之基本定義，詳見附錄四。

劇展現，更能讓民眾感受到儒家提倡之孝道精神，這和其他泛佛信仰相較之下，較少有相同情況。其戲劇展現不僅極富教化勸世功用，同時也讓服喪民眾的悲傷情緒得以宣洩。

就宗教本質而言，本應背負發揚美善、教育勸化及提倡道德之宗教義務，而就各不同宗教之間，地獄觀之建構往往是宗教學說宣揚之最佳素材。透過地獄觀之建構，就生死議題的面對及歸屬上，亦能帶給世人對於彼岸空間之想像；就道德美善之實踐與態度上，亦能帶給社會對於正向價值之建立。就釋教之地獄觀而言，其地獄觀雖然不否認佛教之建構空間，卻更偏向民間系統建構之地獄觀，尤其以十王信仰為例，不僅大力強化其存在和功能論之外，文化色彩更是兼雜儒釋道之場景和神祇，以釋教之地獄觀偏向民間系統發展為例，亦得以看到與民間互動之強烈呼應與認同。

就目前學術界在釋教的議題研究上，以楊士賢之研究成果最為豐富，並說明臺灣閩南釋教系統分布上，有北部派、宜蘭派、中部派、西螺派、嘉義派及永定派六大系統，其中以嘉義派釋教壇為例，民雄鄉郭氏家族、嘉義市林氏家族、中埔鄉李氏家族為三大家族。〔註2〕以嘉義派的林氏家族為例，其家族學承與釋教之淵源，最先由三兄弟的長兄林鑑彬形式拜師嘉義市陳慶忠〔註3〕學習「弄鐃」，但在專業技巧的學習上，皆由更早入門的師兄吳慶木〔註4〕（1946～）所傳授教導，至此才啟蒙林鑑彬在釋教領域的學習，吳慶木名義上雖為師兄，但專業技能學習上可謂林鑑彬之師父。林鑑彬之後帶領兩位弟弟的加入，形成林氏家族日後在嘉義派釋教壇的勢力，因此吳慶木在林氏家族釋教視野的開啟上，亦有重要影響及價值。另外在吳慶木十八歲（1963）期間，嘉義地區尚無人會撥彈三弦，及至吳慶木傳授教導後，嘉義地區的釋教壇在喪葬法事上，才開始將此樂器和科儀搭配使用。〔註5〕故而就嘉義派釋教壇三大勢力之一的林氏家族，以及嘉義地區早期之釋教發展而言，吳慶木都具有重要影響力量。

〔註2〕楊士賢：《臺灣閩南喪禮文化與民間文學》（臺北：博揚文化，2011年8月），頁59。

〔註3〕陳慶忠為吳慶木正式拜師老師，詳見附錄一。

〔註4〕吳慶木（1946年～，嘉義市人）相關經歷：臺東市慧德壇負責人（1971年～）、臺灣釋教會會員（2007～2009年）、臺東縣禮儀公會理事（2008～2010年）、臺東縣葬儀公會監事（2011年～），學藝師承圖表詳見附錄一。

〔註5〕2012年5月13日21:00～22:00，於臺東市慧德壇，訪談吳慶木先生。

　　在楊士賢《釋教喪葬拔渡法事及其民間文學研究——以閩南釋教系統爲例》博士論文中，提到民國 48 年臺灣中部發生八七水災事件，眾多居民多流離失所，許多人爲了另闢安居之處，紛紛轉往東部尋求發展，因此花蓮及臺東兩地亦成爲光復後最大的移墾之處。〔註6〕花蓮及臺東兩地之閩南釋教系統分布上，其發展多由外縣市所輸入，系統來源有宜蘭派、西螺派及嘉義派，在楊士賢的《釋教喪葬拔渡法事及其儀式戲劇研究——以花蓮縣閩南釋教系統之冥路法事爲例》碩士論文中，亦針對花蓮地區之閩南釋教作深入探討。就閩南釋教在東部發展的獨特現象，筆者自幼成長背景即爲臺東的閩南釋教家庭，家父吳慶木爲光復後首批自西部移墾至臺東的嘉義派釋教神職者，1965 年開始往返嘉義、臺東兩地，及至 1968 年於臺東市定居，並於 1971 年正式立壇，現由長子兼筆者長兄吳信和〔註7〕（1974～）繼承，爲臺東地區唯一堅持傳統釋教科儀之釋教壇。臺東釋教壇有臺東市瑞靉壇（西螺派）、臺東市慈濟壇（嘉義派，現已停業）、臺東市慈明壇（嘉義派，後轉型爲靈寶道壇〔註8〕）及臺東市慧德壇（嘉義派），據吳慶木之說法，臺東市慈濟壇壇主楊坤元與其子楊再成，皆師承自吳慶木之教導，臺東市慈明壇與慈濟壇則是家族關係〔註9〕，以及花蓮縣壽豐鄉慈明壇壇主魏福慶，則師承自楊再成，與吳慶木更有傳承淵源；另外臺東地區靈寶道壇或釋教壇，約 50 歲這一輩的喪葬法事神職者，其吹嗩吶之技藝皆出自吳慶木之教導。〔註10〕故釋教嘉義派在臺東、花蓮的發展歷史上，

〔註6〕 楊士賢：《臺灣釋教喪葬拔渡法事及其民間文學研究——以閩南釋教系統爲例》（花蓮：國立東華大學民間文學研究所博士論文，2010 年），頁 58。

〔註7〕 吳信和（1974 年～，臺東縣臺東市人）相關經歷：臺東市慧德壇員工（1989年～）、臺東縣青年商會會員（2001 年～）、臺東縣葬儀公會總幹事（2006 年～）、臺灣釋教會會員（2007～2009 年），學藝師承圖表詳見附錄一。

〔註8〕 楊士賢：「臺灣的道士分成『正一派』（道法二門）和「靈寶派」兩大團體，前者只負責紅事（即喜慶法事，例如廟宇醮典、祈安禮斗、中元普渡等）或做獅（即醫療法事），後者則是紅事和白事（即喪拔渡法事兼做）。因正一派向來不做白事，故其流行區域內之喪拔渡法事轉由釋教負責。基於臺灣島內這種特殊的宗教生態，所以迄今民間的做功德法事，仍慣聘釋教神職者或靈寶派道士主持，由這些神職人員陪伴常民百姓走完人生的最後一段路。收錄於楊士賢：《慎終追遠——圖說臺灣喪禮》（臺北：博揚文化，2008 年 11 月），頁 66～67。

〔註9〕 慈明壇壇主楊文德，爲慈濟壇壇主楊坤元次子，楊再成之弟弟，楊文德之釋教技藝習自此二人，與吳慶木亦有師承淵源。慈明壇最先爲釋教壇型態經營，其後才轉型爲靈寶道壇型態。

〔註10〕 同註5。

吳慶木具有相當重要的地位。

家父吳慶木在釋教領域的資深學養，不論在臺東地區的喪葬行業圈，或原生地嘉義地區的釋教行業圈皆享有盛名，也由於時常與宜蘭、花蓮、台中、雲林、嘉義及臺南等地之釋教同業有交流往來，其長子吳信和則曾經先後至嘉義新港、雲林大埤短期居住，分別向慈德壇簡茂烟及慈興壇劉朝雄拜師學藝，因此父子在釋教領域的學養內涵上，皆有一定程度的水平。筆者自幼耳濡目染的成長環境，長久和父親、長兄及其他同業父執輩接觸，瞭解釋教與其他泛佛信仰的殊異及價值，同時亦感受到長兄對家父技藝的崇拜，以及同業之間對家父功夫底蘊的讚許，因此就釋教議題不僅具有研究的概念，在資料素材的取得更便利。選擇聚焦臺東慧德壇，除了其為臺東地區唯一堅持傳統釋教科儀之釋教壇外，另一原因為臺灣自從八七水災的移墾潮後，亦有一部分的靈寶道壇在臺東發展，其勢力亦遠比釋教壇廣大，臺東地區的釋教壇與靈寶道壇互存競爭現象，亦較其他縣市明顯，因此在民間釋道交流的議題，更有助於說明宗教發展的現象。

第二節　研究目的

釋教在現今社會被重視之程度，雖然較早期已大幅提升許多，但是在民間宗教相互融攝的文化特色中，進而要辨識各自的異同實屬不易，故而民間亦有將釋教與其他宗教混淆之現象，透過本文亦想突顯其中值得關注之問題，提供民間或後續研究者參考之方向，藉以深入說明相關議題。

一、釋教、佛教及齋教龍華派──泛佛信仰文化之間的彼此差異

釋教、佛教及齋教龍華派，三者皆是以釋迦牟尼佛為宗主之泛佛信仰，民間亦時常將釋教與另外兩者混淆，就信仰進路而言，釋教強調入世生活與佛教大不相同。同時釋教神職者以辦理喪葬法事為謀生技能，這和佛教及齋教龍華派更是有所差異，因為釋教大多在於為民眾提供喪葬活動之服務，並以此為職業來收授酬金，就三者背景在民間社會的形成差異，以及細部文化內涵的異同進行探討。

二、釋教與師公文化之關係探討及界定

在臺灣喪葬風俗的傳統上，民間大多將喪葬法事科儀之宗教神職者統稱

「師公」，但是師公一詞在臺灣之使用，其實沒有明確之宗教區分，除了釋教神職者可被民間稱爲師公之外，民間靈寶道壇神職者亦可如此稱呼。同時對照齋教龍華派之「齋工」〔註11〕說法來釐清「師公」定義，並針對其書寫用字探討師公文化在其他部分之形成，說明釋教和師公文化之連結關係。

三、釋教民間化對儒家思想之詮釋

釋教沒有像佛教講求出家、斷慾、剃度及茹素，亦不像齋教龍華派有某種程度之生活戒律，以其泛佛色彩活躍於民間，同時強調與民間的互動呼應，故在臺灣歷史發展上，民眾對釋教亦有一定接受程度。但宗教之存在本應有其社會責任，既強調與佛、齋兩家戒律生活之不同，純粹宗教教義在不如佛、齋兩家嚴謹之下，儒家思想即是最好運用的素材，同時儒家思想亦是漢人的文化共性，民眾從儒家思想做爲連結，進而達到對佛理的吸收則更簡易，從釋教之文化形成及科儀呈現，進一步探討分析釋教民間化對儒家思想之詮釋。

四、釋教民間化對地獄觀之詮釋

釋教雖然和佛教有所差異，但在基本思想上亦多有相似之處，其中以地獄觀爲例，雖然釋教普遍不排斥佛教之地獄思想，卻更偏向於民間系統之十王信仰地獄觀。因爲民間發展之十王信仰系統兼融儒釋道色彩，同時官僚組織亦強調審判之功能性，故而科儀發展亦多從其角度出發，藉由科儀進行及動作呈現之象徵意涵，以此解析釋教之地獄觀形成，從地獄觀說明釋教與民間文化的呼應。

第三節　文獻回顧

一、釋教相關研究

以釋教爲相關研究之學位論文中，楊士賢《釋教喪葬拔渡法事及其儀式

〔註11〕林美容在齋教研究的田野調查中，提到彰化朝天堂信徒認爲：「緇門的『司公』最初的確是齋門中人，原來是在齋堂學法，後來被人家請去作功德。另外有一個故事：緇門與齋門，還有沙門，同屬於佛教。但是緇門的始祖是一位替齋教始祖挑行李的『齋工』。後來他跑出去『賺食』，即爲人誦經謀生，從此就發展出緇門一派的儀式專家。可是，他們原來只是齋工，後來才衍稱司公。」收錄於林美容：《臺灣的齋堂與巖仔：民間佛教的視角》（臺北：臺灣書房，2008年12月），頁109。

戲劇研究——以花蓮縣閩南釋教系統之冥路法事爲例》（2005）碩士論文，在釋教學術研究成果中爲較有系統整理者，其中針對釋教冥路法事做細部探討及解說，並進一步站在社會觀察角度剖析釋教科儀戲劇之教化寓意，雖僅限於花蓮地區釋教壇做單一探討，但將全臺灣閩南系統釋教壇之分布及派別定義區分，提供後續學者可進一步深入探討之方向。而後更在其《釋教喪葬拔渡法事及其民間文學研究——以閩南釋教系統爲例》（2010）博士論文中，將廣度擴大至全臺灣的釋教壇，以其碩士論文研究爲立基點，擴大談論全臺灣閩南系統釋教壇的分布及派別之異，並將釋教喪葬科儀之整體呈現集結於此，可謂釋教研究領域中最具有成果及系統者。楊士賢兩本學術論文中雖有提到釋教之殊異性，但因臺灣泛佛教信仰之宗教較爲廣泛，文中較少深入針對釋教與其他宗教之間，彼此文化形成及定名來由探討，實爲遺憾之處。邱宜玲《臺灣北部釋教的儀式與音樂》（1996）碩士論文，可謂釋教研究領域之中，最早以「釋教」爲題做研究討論，其探討方向爲儀式與音樂兩部分。文中雖然有對釋教來由進行論述，但多爲概念性說法，釋教文化形成探討尚可再深入，尤其在釋教文化與其他宗教之重疊性部分，亦可以進行釐清及比較。林怡吟《臺灣北部釋教儀式之南曲研究》（2004）碩士論文，其探討主軸以音樂爲切入點，並集中在釋教科儀法事上所使用之南曲做研究。但由於研究方向以音樂爲主力，文中對釋教文化形成並無太多著墨，其來由亦只從現行釋教神職者說法做統整，信仰上溯部分較無深入論述，在文獻蒐集部分亦較少相關呈現。

　　以釋教爲相關研究之專著書籍中，楊士賢《愼終追遠——圖說臺灣喪禮》（2008）一書，爲其就讀碩士班期間，田野調查臺灣喪葬文化之風俗儀節，並以圖片佐證文字敘述。書中大部分著重於釋教科儀之呈現，雖然敘述上較爲簡單，卻爲其日後碩士論文之撰寫奠基，同時亦爲釋教學術資料不足之部分，進行實質的文獻補充。楊士賢《臺灣閩南喪禮文化與民間文學》（2011）一書，累積碩士班及博士班期間對於釋教田野調查之成果，並針對學術論文不足之部分進行補充，將釋教之現況、派別、科儀及象徵意義等，做一龐大且系統性之整理，可謂釋教相關文獻中最有力之學術巨作。馬西沙《中國民間宗教簡史》（2005）一書，爲探討中國民間宗教發展之現象，雖和釋教研究無直接相關，但其中提及羅祖信仰之發展和齋教龍華派法脈之對照，提供釋教和齋教龍華派兩者發展同異之分析，同時亦將兩者做一概念上之釐清。林美容、連運輝〈在

家佛教：臺灣彰化朝天堂所傳的龍華派齋教現況〉一文，就齋教龍華派在臺灣的現況，得以將釋教與齋教龍華派之混淆關係，做進一步區分。在中國大陸部分，羅薇〈香花佛事的宗教文化意義和族群標識——以粵東客家地區為中心的考察〉一文，則說明香花佛事在中國社會發展之現況，進而對照釋教在臺灣社會的發展。王馗〈梅州佛教香花的結構、文本與變體〉、〈粵東梅州「香花佛事」中的「目連救母」〉及〈香花佛事——廣東省梅州市的民間超度儀式〉等文，對廣東地區之香花佛事儀式有深入敘述，同時亦得以對照釋教之發展，即客家系統較早於閩南系統的說法，在此亦得到進一步的推論。

二、師公文化相關研究

以師公文化為相關研究之學位論文中，吳升元《臺灣龍華教派司公壇之研究——以苗栗苑裡地區為中心》（2007）碩士論文，雖然以龍華派之司公為探討方向，但文中所提及之法事及科儀均和釋教雷同，題目上卻以龍華派司公定名則有兩個待商榷之處，其一為採訪對象自我定位問題，其二為研究者認知差異問題。釋教雖和齋教龍華派有重疊關係，作者本身應就其面向做釐清，以免誤導讀者及後續研究者認知，而其中優點即有針對「司公」一詞來由深入探究，並進而考察「司公」與「司功」的定名，本文深入進一步推論，並說明「師公」一詞與其他兩者用字的差異。

臺灣較少學者對師公文化進行論述，中國大陸對於師公文化之議題研究則相對較多，其中楊樹喆為中國大陸研究師公文化之大家，其〈試論壯族師公的「師」是壯語 sae 的音譯——壯族師公文化研究之二〉、〈桂中上林縣西燕鎮壯族民間師公教基本要素的田野考察〉及〈壯族民間師公教：巫儺道釋儒的交融與整合〉等文，就中國大陸對於師公之定義與功能，並透過當地語言考察，說明臺灣釋教師公的文化屬性，推論「師公」書寫確定的可能性。郭秀芝〈廣西師公戲及與中原儺文化的關係〉一文，就中原古儺文化的神鬼色彩，以及中國大陸師公戲的信仰特色，將兩者的連結關係深入敘述，進而說明臺灣釋教師公在科儀進行時，亦時常有戲劇效果的成分，以及穿戴面具及特殊裝扮的呈現，確立師公為宗教神職者之功能及特徵。

三、儒家思想與宗教相關研究

在研究儒家思想與相關宗教的學位論文方面，王怡仁《中國先民敬天宗教觀與先秦儒家敬天文化之探討——兼論當代社會天心之失落》（2004）碩士

論文，從先民敬天宗教觀與先秦儒家敬天文化之對應，進而探討社會發展之脈絡及現象，並提點出儒家思想中之天道觀及宗教價值，以此突顯其中的宗教功能性與文化模式，對應此論文發展主軸，從儒家宗教功能對漢人文化之影響發揮，以及儒家思想在宗教實踐的探討上，提供更多的思考方向。而在專書部分，陳來《古代宗教與原理：儒家思想的根源》（2005）一書中，亦說明人類從小型聚落之原始崇拜，進而將要發展成大型社會之正式宗教時，必然會產生宗教思維與倫理原則之結合，因此就民間宗教的發展而言，由小地方的形成到大區域的拓展，民間宗教與儒家倫理的結合，更是社會現象發展的必然，儒家思想在釋教之表現，倡導五倫倫常則是最好實例。

在單篇論文部分，徐朝旭〈論儒學對民間神明信仰的影響——以閩臺民間神明信仰爲例〉一文，談到民間社會以儒家道德價值爲標準，進而去推崇聖人來造神，神祇本體得以看到儒家思想實踐之例子，故而使得儒家思想滲透民間信仰文化，這和本文強調儒家之倫常、禮孝價值觀，在釋教文化體現多有相似之處，同時亦呼應儒家思想對民間宗教影響之重要性。李晴〈被世俗理性利用的神靈們——淺析儒家文化對中國民眾宗教信仰的影響〉一文，說明儒家之形上精神層次，亦非人人皆可輕易達到，故而尋求宗教寄託以彌補心理遺憾，但也由於信仰民間化，達到儒家道德標準而成爲聖人的民間諸神，得以隨時隨地滿足民眾之要求。就民眾期待心理層面而言，釋教科儀的功用在傳統喪葬活動上，背後的象徵意涵亦值得進一步分析。

四、民間宗教地獄觀相關研究

以民間宗教地獄觀爲研究之學位論文中，林淑琴《有關地獄之歌仔冊的語言研究及其反映的宗教觀》（2009）碩士論文，爲專門探討歌仔冊語言之學位論文，雖然語言探討和本研究較無直接相關，但其中大量談論曾二娘故事之歌仔冊，和本文關注民間故事與科儀之連結性，釋教「過橋」科儀之曾二娘故事典故，其文本對照亦提供諸多研究方向，同時目前關於曾二娘故事之文獻探討較少，該論文亦開啓就曾二娘故事議題上之視野，亦爲目前臺灣研究釋教相關學術論文中，對曾二娘典故較少提及部分進行文獻補充。林清芬《《長阿含世記經》〈地獄品〉的地獄思想研究》（2011）碩士論文，爲專門探討佛教經典中之地獄觀，雖僅聚焦於單本經典，但其鎖定主題並深入探討佛教之地獄思想、源起和定位，同時亦將佛教地獄之分類、名稱及位置做一清

楚概述，就泛佛信仰之地獄觀對照上，突顯與佛教之不同，並對釋教地獄觀進行深入分析及敘述。王育仁《十殿閻王〔註12〕之研究——以臺南縣道壇彩繪為例》（2007）碩士論文，該論文為研究臺灣十王信仰文化，並聚焦於臺南道壇為例，雖然和釋教之泛佛信仰探討上，有其信仰立足點之差異，但卻對同是十王信仰議題之發展上，提供諸多空間及方向，尤其在民間習俗對於十王信仰之認定差異上，亦開啟不少信仰對話空間，以此強化釋教對於十王信仰之審判功能。陳錦霞《地藏菩薩感應故事研究》（2009）碩士論文，該論文以地藏菩薩為中心人物探討，同時鎖定在感應故事主題上發揮，其中值得肯定之處在於該論文針對地藏菩薩之說法及演進，統整歷代之變化及差異，提供本文就釋教地獄觀探討上，釐清目連和地藏菩薩身分上的混淆，同時對照釋教科儀，得以更深入說明其科儀之實質作用與意義。

　　在專書部分，蕭登福《漢魏六朝佛道兩教之天堂地獄說》（1989）一書，說明佛道兩教在中國萌生及地獄觀之發展變化，為地獄概念初生進行有系統之建構，釋教摻雜民間概念及佛教思想，就地獄觀之探討得以有明確概念。莊明興《中國中古的地藏信仰》（1999）一書，就中國歷來地藏王信仰之流變，其敘述脈絡詳細清楚，同時陳芳英《目連救母故事之演進及其有關文學之研究》（1983）一書，為研究目連救母故事之流變文化較有系統者，兩書就地藏王菩薩救贖亡魂之形象，以及目連破獄救贖母親之故事，地藏王菩薩和目連身分相似的混淆，皆加以明確釐清，同時對照釋教破獄科儀之呈現，說明在釋教之地獄觀中，科儀進行的功能及過程。另外在盧秀滿〈地獄「十王信仰」研究——以宋代文言小說為探討中心〉一文，以十王信仰結合宋代文言小說為發展，就釋教之地獄觀探討上，其民間系統之十王信仰走向，亦突顯其民間宗教之特色，以民間重視的庫銀習俗為例，釋教即重視並有燒庫錢科儀，相對佛教即不重視，這亦是作為民間宗教的釋教，和同是泛佛信仰的正信佛教的最大不同，因此就釋教文化探討上，即有結合庫銀風俗之論述。

第四節　研究方法及架構

　　在釋教文化之交流部分，從「時間」、「空間」和「認知」三個面向切入。

〔註12〕「十殿閻王」為民間模糊之說法，因為閻王為十殿中第五殿之明王，故筆者
　　　　文中皆一律採用「十殿明王」之詞。

在時間面向，從民間宗教發展時間之先後關係，探討彼此之間交流、相融現象，同時對照文獻資料之蒐集統整，溯及宗教源流及發展合理性，確立宗教發展的完整脈絡。在空間面向，首先從族群聚落、遷徙地區，探討宗教在該地區之萌生原形，同時在族群遷徙至他地，或者他族遷入至該地現象中，探究各族群之間民間宗教相互融合現象，進而對應不同族群之間特有民間宗教面貌，論證地理環境對民間宗教發展之影響性。在認知面向，將各民間宗教間相似背景集結，試圖從異中求同之方法論中，集結民間宗教相融之普世價值，進而再從中探索各宗教之間，文化內涵形成的殊異性，辨別認知上之錯誤混淆，確立其民間宗教之文化獨特性。

在釋教文化與儒家思想之融攝部分，從「爭議釐清」、「聚焦推論」和「具體論證」三個面向切入。在爭議釐清面向，現今學術界對儒家思想之研究成果頗為豐碩，並將歷來學者對儒家哲學性及宗教性功能爭論進行梳理，跳脫意識型態的定論，說明儒家思想對於宗教文化之發揮及影響。在聚焦推論面向，將儒家思想之哲學性和宗教性功能，帶入對整體泛佛信仰之影響進行探討，由原始佛教和儒家兩者之相互融攝，進而聚焦以釋教舉例論述，同時亦推論民間宗教發展之現象及趨勢。最後在具體論證部分，歸納儒家思想對民間宗教影響的特性，探討釋教師公文化對儒家禮孝思想的具體落實，同時並藉由釋教師公文化之戲劇呈現，將科儀的表達意涵做一突顯及說明。

在地獄思想之警惕勸世部分，從「寓言論」、「功能論」、「象徵論」及「組織論」四個論點切入。在寓言論方面，從釋教之科儀法事中，運用其相關之民間寓言故事進行對照和分析，探討透過科儀及戲劇呈現效果，將地獄觀傳達給世人及社會之教育意涵。在功能論方面，從陰間地府神祇之權力功能，以及釋教科儀進行之功能作用交叉探討分析，並試圖將其中之矛盾和衝突釐清，同時亦將審判和功德之權衡量刑，做一概念性之探討及統整。在象徵論方面，從釋教科儀運用目連下獄救母故事，並以武科動作呈現破獄動作上，探討其「破」之意象與地獄觀之連結，同時亦分析破獄和亡魂之間的象徵意涵。在組織論方面，透過民間系統發展之地獄觀，尤其以十王信仰之官僚組織強化，探討釋教地獄觀在文化色彩上之偏屬，同時就空間意象上，分析民間系統之十王信仰組織，與釋教科儀對應之互動關係。

故論文議題之章節設定上，在釋教文化之交流部分，從三個問題點深入探討，分別為：一、釋教發展脈絡與師公文化考辨；二、泛佛信仰中之釋佛

齋文化差異比較；三、閩南釋教之認同偏屬與泛道信仰交流。在釋教文化與儒家思想之融攝部分，從三個問題點做深入探討，分別為：一、儒家思想與宗教議題論述；二、泛佛信仰與儒家思想之會通；三、儒家禮孝思想在閩南釋教之表現。在地獄思想之警惕勸世部分，從四個問題點做深入探討，分別為：一、民間故事寓言教育之地獄觀；二、司法立場相異與權衡量刑之地獄觀；三、目連破獄法事科儀象徵之地獄觀；四、陰間地府官僚組織化之地獄觀。

第二章 釋教文化之交流

第一節 釋教發展脈絡與師公文化考辨

　　臺灣「釋教」此一名詞由來眾說紛紜，民間常將其誤認為佛教或齋教龍華派，早期文獻亦籠統將佛教或民間泛佛信仰誤稱為釋教，雖然這些說法都存在錯誤認知，但對現今臺灣從事釋教喪葬科儀之神職者而言，他們強調的共同信念即為「入世法」與「在家修行」。雖有其共同信念及意識，但並不執著於「釋教」之名稱歸屬，部分釋教神職者甚至認為自己只是「做事的」或「師公」，故並非所有入世泛佛信仰的喪葬法事科儀神職者，認為自己歸屬於「釋教」。然而 2006 年 12 月「臺灣釋教會」立案登記後，入會成員遍布臺灣各地，故入世泛佛信仰「做事的」、「師公」及「釋教神職者」們，漸漸能認同自我職業及信仰歸屬為「釋教」，因此「釋教」一名詞才漸漸專屬於這些信仰群體。在臺灣民間，對於從事主持喪葬法事科儀之宗教神職者，普遍有「Sai7 Kong1」[註1] 的稱呼，但在文字呈現上，通常有「司公」、「司功」與「師公」三種書寫。但究竟「Sai7 Kong1」一語之文字書寫上，其正確用字與臺灣喪葬文化是否有直接影響，亦是本文欲進一步探討之焦點。以下將從兩個面向探討，分別為「閩客族群與漳泉兩地之釋教發展」及「『司公』、『司功』與『師公』名稱考辨」，說明釋教與師公的發展脈絡及文化。

〔註 1〕「Sai7 Kong1」為臺灣閩南語口音，以下所有拼音詞彙皆以臺灣羅馬拼音系統標示。

一、閩客族群與漳泉兩地之釋教發展

（一）臺灣釋教會說法

釋教之說法產生，不論是民間認知或文獻記載，大多是籠統且概括性的說法，因此佛教及齋教龍華派亦常被誤認爲釋教，及至 2006 年 12 月「臺灣釋教會」的成立，「釋教」一名詞即有明確的定義，即專屬於民間泛佛入世信仰（在家修行）的群眾，並以「做事的」及「師公」爲職業的群眾爲主。因此現今在臺灣以此爲業的民間泛佛信仰群體，可以說到了臺灣釋教會的成立之後，才更強化他們自己的信仰歸屬，「釋教」的歸屬群體至此無庸置疑，首屆並時任臺灣釋教會理事長的洪清風 〔註2〕 在其會刊中，亦提出釋教發展的背景：

> 略說釋迦如來經過，來到羅姚殷三代祖師才有設立齋堂，在家自修，創立龍華教堂，在那時號齋門，到了正德皇帝時敕賜龍碑護正教，康熙皇帝賜聖旨爲護國正教，在歷史古有儒釋道三教之稱，到了現在釋教之稱被佛教掩沒，就沒有聽過釋教的教門，釋與佛教主同乙尊，釋教的弟子都是在家修持，佛教就是釋迦如來圓寂之後才稱釋迦牟尼佛，未成佛時都稱爲釋迦如來，佛教是出世法，釋教是入世法，有家庭、有父母、有子女、有眷屬，在家修持也可以從釋教修到得道成佛，沒有修持那來得道呢。〔註3〕

在上述說法中，雖說明釋教神職者並不排斥與齋教龍華派之關係，但若從馬西沙對中國民間宗教發展的研究成果深入探討，洪清風說法則有待商権。首先關於羅殷姚三代祖師 〔註4〕 之後才設有齋堂，並創立龍華教堂號齋門，及至正德皇帝敕賜龍碑護正教說法，明正德皇帝在位期間爲 1506 至 1521 年，根據馬西沙考察研究，三祖姚文宇出生於明萬曆六年（1578）〔註5〕，然

〔註 2〕 楊士賢：「洪清風習法自草屯吳氏一族，爾後於臺中市南屯區設壇行法，由於洪氏才學出眾，對釋教科儀用心研究，深獲行內人敬重及讚揚，因而登門拜師者眾，中部各縣市皆有其學生與分壇。」收錄於楊士賢：《臺灣釋教喪葬拔渡法事及其民間文學研究——以閩南釋教系統爲例》（花蓮：國立東華大學民間文學研究所博士論文，2010 年），頁 56～57。

〔註 3〕 洪清風：〈何爲釋教？〉，《臺灣釋教會訊》第 2 屆第 1 季（2010 年），頁 1。

〔註 4〕 三代祖師的傳承順序應爲初祖羅夢鴻、二祖殷繼南、三祖姚文宇。引文「羅姚殷」之順序應爲該作者筆誤，故筆者予以更正。

〔註 5〕 馬西沙：《中國民間宗教簡史》（上海：上海人民出版社，2005 年），頁 187。

齋教於二祖殷繼南時代立基，至三祖姚文宇時代小有成長，及至姚氏子孫掌教之後才算穩定發展，故先後發展順序之說法有矛盾；再者釋教會承認三代祖師法脈，又將整體入世修行之泛佛信仰稱爲「釋教」，然而在馬西沙研究中發現，初祖羅夢鴻〔註6〕（羅祖，1442～1527）最初創立無爲教，思想上融合道家「致清虛，守靜篤」與禪宗的頓悟明心〔註7〕，在二祖殷繼南（1540～1582）時代之齋教初期，更摻雜有道教內丹道，故脈絡上並非純正釋迦牟尼信仰思想；而二祖殷繼南繼承羅教（無爲教分支而後成爲傳承正宗者）教義而成爲老官齋教（齋教）締造者，但萬曆四年（1576）因教勢膨脹而對當局構成威脅，殷繼南四處奔走避禍，及至萬曆十年（1582）被捉捕斬首〔註8〕，論三代祖師傳承發展及明代當時政治氛圍，宗教是否得以被皇帝重視並敕封，亦是有待釐清；齋教在中國之發展，向來被定位爲「民間宗教」，擴展範圍亦僅只於東南部，尚未遍及全國，教徒信仰亦有分支衍生，及至三祖姚文宇（1578～1646）死後，其子姚繹掌教才將整個教門發展核心掌握住，齋教傳承發展方有穩定可言，一個地區性質之民間宗教，得以被康熙皇帝賜聖旨爲全國性質之護國正教，亦是需要進一步釐清部分。雖然上述引文對「釋教」解釋有諸多疑點，但亦不能否認釋教人員之普遍認知，第一、爲入世在家修行者，第二、奉釋迦牟尼佛爲教主，第三、與齋教龍華派有部分共同信仰淵源，這三部分亦是釋教發展上之共同信念。

（二）閩南釋教與客家釋教

　　論及釋教的起源及說法，楊士賢認爲可分成「唐太宗遊地府」（閩南系統）、「普通人仿傚出家僧侶」（客家系統）兩種，但此說法並無確切文獻根據，

〔註6〕馬西沙：「無爲教創始人爲誰，諸類史料說法各異。明末《混元弘陽佛如來無極飄高祖臨凡寶卷》、《佛說三皇初分天地嘆世寶卷》記載，其創教人爲羅清。明末密藏禪師之《藏逸經書》稱爲羅靜。清道光間問世的《衆喜粗言寶卷》認爲是羅因創教。清代官方檔案記錄了創教人九世孫羅德麟供詞稱：『伊始祖羅夢鴻曾拜一和尚爲師，於前明自山東即墨移住密云，人稱羅道，七傳而至羅明忠。』又稱其道號「無爲居士」。同時代，當局查辦江南齋教，教徒稱羅氏爲羅夢浩，應是羅夢鴻之訛音。總結諸類說法，無爲教創始人是羅夢鴻，道號「無爲居士」，俗稱羅祖。」收錄於馬西沙：《中國民間宗教簡史》（上海：上海人民出版社，2005 年），頁 80～81。因羅祖說法之分歧，在此之後皆沿用「羅夢鴻」之說法。

〔註7〕同註5，頁83。

〔註8〕同註5，頁187。

只能算是釋教行業圈中流傳的民間野史。閩南系統又可進一步分爲北部派、宜蘭派、中部派、西螺派、嘉義派、永定派。〔註9〕其區分只能算是臺灣閩南釋教分布現況，沒有進一步針對釋教文化形成之脈絡進程來推論，而單純從客家釋教與閩南釋教發展上，吳信和云：

> 如果就老一輩口述經驗或傳承，中國文化的發展，客家最早是從五胡亂華的時代開始遷徙下來，所以客家接觸的時間會比閩南的歷史早一點。如果在臺灣地區，依照大陸遷徙到臺灣是閩南最早過來，所以閩南的師公、道士發展的區域比較廣。客家師公是後來才移民到臺灣，然後也只限定他們的客家族群，所以他們發展的區域比較限縮。〔註10〕

據吳信和說法之可信度頗高，因爲現行中國大陸之廣東客家地區，還盛行所謂的「香花佛事」科儀，其科儀亦使用於當地喪葬活動上，並且由於客家人對於香花佛事傳統之堅持，在現今廣東梅州地區等皆能看到傳統的香花佛事。而這類香花佛事不僅只限於廣東地區，在福建地區亦可看到「香花佛事」之分布，因此有文獻指出至少在福建幾個不同地區由香花和尙所代表之一種佛教，很可能是客家族群所創造，在臺灣、惠州及香港也可以找到香花和尙的蹤跡。〔註11〕而在廣東梅州香花佛事中，目連救母故事亦被運用於「打蓮池」之儀式，文獻記載更有「打沙」、「斬畜」和「繳血碗」之敘述：

> 隆萬間，親喪七日，請鄉花僧祀佛設齋筵，賓朋咸集包辦，禮贈喪主，曰：看齋。甚至有「落六道」之説，曰：天道、地道、人道、佛道、鬼道、畜道，隨亡者生辰算之，落天、人、佛，則謂亡人有福，地與畜，則謂亡人有罪，由是落地道者「打地輪」，落畜道者「斬畜」，男婦皆然。更有「打沙」云者，專爲婦人而設。以釉擂水，孝子、孝女向沙墩跪飲，曰「繳血碗」，以報母恩。三事皆請一人爲赦官、一和尙敡天王、一和尙作目連，交相舞於庭求賞。〔註12〕

〔註9〕 楊士賢：《臺灣釋教喪葬拔渡法事及其民間文學研究——以閩南釋教系統爲例》（花蓮：國立東華大學民間文學研究所博士論文，2010年），頁411～412。

〔註10〕 2011年5月22日15:00～17:00，於臺東市慧德壇，訪談吳信和先生。

〔註11〕 羅薇：〈香花佛事的宗教文化意義和族群標識——以粵東客家地區爲中心的考察〉，《廣西民族大學學報》第32卷3期（2010年5月），頁20。

〔註12〕 [明]劉熙祚修、李永茂纂《興寧縣志》，崇禎十年（1637）刻本，嘉應學院客家研究所影印日本國會圖書館藏本《稀見中國地方志匯刊》，頁405～406。轉引自王馗：〈粵東梅州「香花佛事」中的「目連救母」〉，《戲曲研究》第2期

　　而若從釋教科儀上探討，「打沙」科儀在整場喪葬法事的後段進行，儀式亦是依照六道輪迴的觀念，只要亡者亡逝年歲推算落入地、畜、鬼道，不論男女皆要進行此儀式。而「打血盆」科儀為當中再細分之法事，亡者條件為生前生產過之女性，以目連救母的戲劇方式呈現，象徵救離亡魂出離血盆池，並以「吃血碗」喝母親血水（血水多以維士比或保力達 B 代替）之形式，代表感懷母親十月懷胎之辛苦，吳信和指出部分宜蘭地區一帶的漳州人，做此法事時還會斬雞〔註13〕。對照楊士賢之說法，臺灣北部、宜蘭縣及花蓮縣北部鄉鎮一帶，保有昔日「斬畜」的傳統儀式：

　　　　「斬畜」則起源於「六道輪迴」之俗，所謂的「六道輪迴」是指天、
　　　　地、人、佛、畜、鬼六道，若亡者享壽歲數經推算後不幸落入「畜
　　　　道」，相傳將會遭到十二生肖的糾纏侵擾，難有安寧之日。陽世孝眷
　　　　因不忍亡親在陰間受苦，遂利用啓建拔渡功德的時機，央請釋教法
　　　　師演行「斬畜」科儀，由法師扮演目連尊者來斬除十二生肖中糾擾
　　　　亡者的牲畜，並引領亡者出離「畜道」，擺脫苦難的煎熬。〔註14〕

　　吳信和認為「斬畜（或斬雞）」並不全然是獨立而出之科儀，因為六道輪迴的觀念在「打沙」科儀即有，而「打沙」科儀亦不僅限於楊士賢所述區域才有，以臺東慧德壇為例即有此一法事，而「斬畜（或斬雞）」之作法，則為「打沙」和「打血盆」科儀的結尾，依照亡者條件再附加的小程序，此一程序的使用多在楊士賢所述的區域。釋教科儀中所謂的「打沙」、「打血盆」和「斬畜」，在明代文獻中亦可發現，並且皆有目連救母、斬畜、吃血碗之相似意象，同時在香花佛事進行的儀式中，「起壇」、「發關」、「沐浴」、「走藥師」、「施食」及「蓮池」的儀式，其程序和文化內涵均相似於釋教科儀〔註15〕，更加說明釋教淵源與客家香花佛事之關係。而在中國大陸廣西壯族地區流傳之「師公戲」亦有類似形影，其作用亦是用於祭神慶典及喪葬活動法事，其共通處皆是以戲劇表演的呈現方式主持法事，不僅為亡者超渡亦同時帶給世人教化寓意，廣西師公戲據考察是從古中原儺戲文化發展而成，對於客家族群自五胡亂華後遷徙，並將其文化傳播輸入之說法，釋教文化和師公戲文化

　　　　（2005 年），頁 172～173。
〔註13〕2010 年 5 月 2 日 16:00～18:00，於臺東市慧德壇，訪談吳信和先生。
〔註14〕同註 9，頁 414。
〔註15〕臺灣釋教科儀對照，詳見附錄三。

皆有雷同之處。另外廣西壯族之師公文化，與臺灣師公文化之關連性，亦會
在下一小節深入探討。

（三）漳州釋教與泉州釋教

臺灣的釋教發展以閩南系統爲大宗，其發展規模必然與閩客族群遷臺之
比例有關，進而影響民間宗教發展勢力。而閩南釋教又以自漳州、泉州兩地
傳入爲主，就漳、泉兩地的師公文化分別上，吳信和云：

> 依照老祖先口述的經驗，早期在南少林快被滅的時候，他們逃出寺
> 廟之外進入到民間，民間家庭去收留他們，村莊裡面遇到有人往生，
> 他們就會去幫忙做超渡法會。因爲出家師父逃離寺廟後的人數不
> 多，就把這個技藝傳授給村莊有興趣的人。因爲大部分是逃往山區，
> 所以說漳州會比較多，泉州則屬於道教會比較多。〔註16〕

上述說法當中幾點有待商榷，首先火燒南少林屬於民間傳說，是否眞有
此歷史事件至今尚無定論，再者是否眞有南少林的存在至今亦有兩派說法，
但就目前考據南少林遺址座落，其說法有福建福州少林村、福建莆田林泉院
及福建泉州東禪寺〔註17〕，此三處就地理因素而言，其發展之先後應是先泉
州後漳州，故泉州釋教師公沒有理由比漳州少，亦無理由不興盛。雖說民間
野史有待考證，但就漳州釋教師公早於泉州之推論上，前面提及客家師公發
展先於閩南師公，中國客家族群之分布爲閩西（福建西部）、粵東（廣東東部）
及贛南（浙江南部）的交集處，故就地理位置而言，漳州較接近於客家族群
聚落之處，故漳州釋教師公早於泉州的可信度較高。

再者泉州古來即爲中國歷史文化大城，泉州港自古亦扮演著中西文化交
流之重要樞紐，以泉州宗教發展狀況來說，其多元文化之混雜更是中國少見，
自泉州港口運作以來，在當地發展宗教即有摩尼教、伊斯蘭教、基督教、佛
教、道教、印度教等。〔註18〕在多樣宗教盛行交流地區，較靠近山區的漳州

〔註16〕同註10。

〔註17〕劉登翰：《南少林之謎》（臺北：幼獅文化，2001年3月），頁6～8。

〔註18〕關於泉州的歷史發展，林再復：「宋元時成爲我國對外貿易的重要港埠，也是
中國最大的港口；它也是個文化城，宋朝時中國最有名的學者朱熹曾在泉州
講學，所以當時泉州人的讀書風氣很盛，有許多著名的理學家，都是在這種
風氣下培養出來的，因此泉州有『海濱鄒魯』的盛譽；元朝泉州的繁榮可以
說是說最高峰的時候，當時泉州的商業已超過廣州，而爲全國第一商港，也
是福建第一大城；外國遊歷家都在泉州登陸或出洋，意大利人馬可波羅週遊

反而更能保有傳統文化面貌，再次說明漳州與泉州的釋教師公比較上，漳州較早、較興盛及較傳統的可信度較高。雖說釋教師公文化以漳州開始發展的可信度較高，現行科儀亦難以明確區別漳、泉之異，但不能因此忽略兩地文化互通現象，例如泉州戲曲文化中極爲重要的「打城戲」，在臺灣現今戲曲傳承發展上，只有在釋教壇或道教壇之喪葬活動上可見，加上釋教科儀所唱誦之「南曲」，其發源地亦來自於泉州，因此不能忽視釋教師公文化與泉州文化上之關連。

　　對照邱宜玲的田野調查成果，就臺灣的釋教壇發展分布而言，神職者屬於漳州籍或泉州籍的自我認定上，亦可以看到以漳州籍釋教發展爲大宗的現象，以臺灣北部釋教壇發展爲例：

> 臺北地區原僅漳籍人氏和泉籍安溪人氏世居之地區有釋壇，前者含臺北縣士林、板橋、中和、安坑、金山、淡水等地和桃園地區；後者含今日臺北市松山、景美、木柵、新店等地，且自泉州安溪來之釋壇僅有傳自出家僧侶之雲門寺一派，餘皆屬漳籍人氏釋壇，至於今日泉州同安人氏集中之永和、大稻埕、蘆洲、三重、臺北市等地之釋壇，則多由道教靈寶派道壇轉變而來。〔註19〕

　　大臺北向來即爲漳泉人口遷臺以來開發較早區域，文化交流及重疊現象亦最爲混雜，故以北部地區爲例，即可清楚發現漳州籍釋教師公（士林、板橋、中和、安坑、金山、淡水、桃園等）的分布區域，其數量勝過泉州籍釋教師公（松山、景美、木柵、新店等），同時說明泉州籍釋教壇僅出自一派，其餘傳承皆出自漳州籍人士，並指出泉州人遷徙集中之處，可能因爲民眾對釋教壇的接受度不高，因而紛紛轉型爲靈寶道壇。再從邱宜玲的研究成果對照中部釋教壇，漳州籍釋教發展更是勝過泉州籍釋教：

> 以彰化地區爲例，釋壇多集中於漳籍居民爲主之彰化市、員林、永靖、社頭、田中、埔心等鄉鎮，餘之鹿港、二水、二林等地則以道教靈寶派爲主。〔註20〕

中國，是經由泉州出海回歐洲的，當時阿拉伯和波斯的商人，都說泉州是第一大商港。」收錄於林再復：《閩南人》（臺北：三民書局，1996年7月），頁41～43。

〔註19〕邱宜玲：《臺灣北部釋教的儀式與音樂》（臺北：國立臺灣師範大學音樂研究所碩士論文，1996年），頁7。

〔註20〕同註19，頁12。

　　從彰化地區釋教壇的發展現象，基本上可以說明漳州籍居民較接受釋教壇，泉州籍居民較接受靈寶道壇，因此在市場經營的分布亦可看到這樣的現象，所以漳州籍釋教師公較多、較興盛於泉州籍的說法，基本上應是合理的。另外就區域分布的數量來看，漳州籍居民的鄉鎮分布，數量亦是多過於泉州籍居民的鄉鎮分布，說明彰化地區的釋教壇較靈寶道壇活躍。另外泉州籍釋教師公部分是由靈寶道壇轉型而來說法，首先泉州自古即為中國重要通商貿易港口，中西文化傳播樞紐，多元文化交融對泉州人而言可謂稀鬆平常，也由於靈寶道壇與釋教壇之法事科儀上有雷同處，為現實謀生問題而轉型經營亦不足為奇。再者漳州人居住地區較靠山區，居民亦多以務農為主，性格上亦較為傳統保守，因此漳籍釋教師公更能保有傳統文化發展原貌，其說法及推論亦是合理。

　　本文以臺東慧德壇為例，就臺灣東部地區而言，因為到了清代末期才開始發展，日治後期至戰後初期漸漸有大量人口遷入，人口結構的分布廣泛複雜，因此不能就北部和中部釋教壇的發展現象，對等看待東部地區。因為東部為臺灣西部人口的再移民之處，人民對於漳泉分布的概念已逐漸薄弱，反而對於西部原生地的認同感更深，因此早期來到東部發展的釋教神職者，他們較強調傳承自西部哪一區域、派系。臺灣現今中生代及新生代的釋教神職者，亦多強調自己在法事科儀上是屬於臺灣哪一區域、派系的做法，幾乎較少有人提及自己是屬於漳州或泉州系統，所以現今在探討臺灣釋教的發展，大多以楊士賢提出的北部派、宜蘭派、中部派、西螺派、嘉義派及永定派六大系統來深入。

二、「司公」、「司功」與「師公」名稱考辨

（一）「司公」、「司功」與「師公」之差異

　　「Sai7 Kong1」一詞無疑是臺灣閩南語的語彙，其意義為喪葬活動的宗教神職者，但其語彙歷來並無詳細正確的書寫用字，因此在文獻或學術研究的書寫上，一直有不同的呈現及書寫爭議。在吳升元的學術成果中，針對「Sai7 Kong1」一詞進行深入考辨，並提出「司公」正確寫法應為「司功」的推論，認為「司功」這一名稱為古時候官名之稱謂，此官職掌管祭祀之類科儀行事，只因現在人們誤解，因而稱為「司公」或「師公」。〔註21〕其論述之依據為來

〔註21〕彰化縣田中鎮守元壇，主持蕭銘恩口述。轉引自吳升元：《臺灣龍華派司公壇

自《中國歷代官制大辭典》，並發現「司功」之名乃源自「司功參軍事」此一官名之簡稱，其官職任事功能如下：

> 司功參軍事：官名。隋文帝開皇三年（583）改諸衛、太子諸率、諸王府、諸州功曹參軍事而置，煬帝大業三年（607）均改為司功書佐。唐高祖武德（618～626）中諸王府、玄宗開元（713～741）初諸衛、太子諸率先後復置功曹參軍事；高祖武德中諸府、州改司功書佐為此，三都、六府各置一至二員，正七品下，掌考課、假使、祭祀、禮樂、學校、表疏、書啟、祿食、祥異、醫藥、卜筮、陳設、喪葬；諸州各置一員，上州從七品下，中州正八品下，下州從八品下。宋初存其名而罕除授。〔註22〕

其說法看似合理，但尚有需要再進一步釐清探討之處。第一、「司功」為官職名稱，主要應是負責處理喪葬相關事宜之審核、監督、管控、以及辦理行政業務，其功能類似於今日各地方縣市政府之殯葬課等單位，而非真正執行整體喪葬流程之宗教職事人員，雖「司」字本身有主導管控意涵，但並非第一線實做人員。第二、民間對於專業執事人員，通常有主從之間的尊稱，代表人民對於專業人員的尊敬，例如專門負責看風水、房屋裝潢、修理機械等的專業人員亦可稱為「師父（Sai7 Hu7）」，「師」字之意亦可從對老師尊敬模式衍生，在宗教、風水、命理等領域之專業人員，民間亦時常對他們稱呼「老師」。第三、從閩南語發音角度探討，「Sai7 Kong1」無疑是從閩南語發音而得出之詞彙，這亦是至今無法對其發音定義明確書寫之原因，但是單純探究「師」與「司」兩字的閩南語發音，「司」字完全沒有閩南語「Sai」的發音〔註23〕，故「師公」書寫比較合理。第四、臺灣「師公」文化源自中國大陸，在今日中國的廣西、廣東、福建，甚至於馬來西亞地區〔註24〕，都可以看到有「師公（戲）」文化流傳，在書寫上亦是採用「師公」兩字，他們和臺灣師公共同處，皆在於喪葬活動流程上，有相似法事戲表演呈現，且皆屬於在民

之研究——以苗栗苑裡地區為中心》（臺中：逢甲大學歷史與文物管理研究所碩士論文，2007年7月），頁91。

〔註22〕呂宗力：《中國歷代官制大辭典》（北京：北京出版社，1994年），頁308。

〔註23〕就「司」字在臺灣閩南語詞彙，例如「司（Su7）儀」和「公司（Si）」皆無「Sai」之發音。

〔註24〕就筆者整理之參考文獻，莫政幼、劉遠、羅薇、郭秀芝、朱恆夫、陳敬勝、胡鐵強、葉明生、楊樹喆、王馗、羅薇及吳秀玲等人，都有針對師公文化發展現象清楚說明。

間活動之宗教儀式，由此可論證以「師公」稱呼及書寫較符合臺灣民間的認知現況。

（二）「師公」用字及詞義分析

在臺灣民間，對協助超渡亡靈或主持喪葬法事之宗教神職者，通常泛稱「師公」（或司公），正確文字書寫至今尚無人可以提出明確定論。師公所扮演之角色和寺院僧侶通常有很大的不同，因爲僧侶是出世修行，和民間社會互動性薄弱，但師公和民間社會互動性非常密切，文化內涵的形成也多汲取自民間（例如法事戲表演題材）。就文獻資料的呈現中，發現在中國大陸的廣西壯族地區，亦流傳有所謂的師公文化，壯族師公之法事儀式主要有：渡戒、齋醮、喪葬、贖魂、求符、驅邪、禳災、治墓、撿骨、架橋求花、還願等〔註25〕，和釋教在喪葬拔渡法事內涵上，壯族師公和釋教師公皆是爲民眾服務的宗教神職者。廣西師公戲和釋教共通特點皆是法事帶有大量戲劇表演成分，廣西師公戲的特點如下：

> 一、師公戲是從宗教祭祀活動中脫胎出來的。最早的師公戲演出與師公的宗教祭祀活動是合二爲一的。……劇目也都是贊頌神的威力和功德的小戲。故早期的師公戲應該說是師公宗教活動的組成部分，既娛神，也娛人，是爲其宗教祭祀活動服務的。

> 二、劇目的內容由搬演神相故事到搬演人物傳奇的演進。……太平天國運動以後，師公團的演出逐漸與宗教活動脫離，轉向專業性的演戲活動，所以劇目迅速擴大，相繼出現了一批唱人的故事，如《二十四孝》……。

> 三、變面具演出是各地、各民族早期師公戲的特點。面具亦稱木面、木相或儺面。稱謂雖不同，但均爲神相面具。〔註26〕

透過上述研究資料發現，廣西師公戲表演特點，和現今釋教喪葬活動儀式（如過橋、挑經、打血盆、打枉死城等）皆有雷同之處。例如在釋教的「挑經」科儀中，亦同廣西師公戲會講述二十四孝的故事，作用爲警惕世人要及時行孝，「打血盆」科儀法事表演中，穿插之對白人物亦同廣西師公戲會戴面

〔註25〕 莫幼政：〈壯族師公教開喪儀式及其文化思考〉，《河池學院學報》第 29 卷 1 期（2009 年 2 月），頁80。

〔註26〕 郭秀芝：〈廣西師公戲及與中原儺文化的關係〉，《民俗曲藝》第 70 期（1991 年 3 月），頁99～103。

具（如黃衣使者、大鬼小鬼等）。〔註27〕或許我們無法直接證實廣西「師公」和臺灣「師公」名稱及文化上的直接關連，更無法清楚說明何者發展較早，但廣西師公戲發展上，前期吸收了中國兩千餘年的古巫儺文化，後期又融入了道教、佛教及儒家思想〔註28〕，對照現今釋教文化發展上，兩者之間的對應關係，亦有值得深入探討之處。

　　而廣西壯族師公文化，據康熙乙酉年（1705）廣西省的《上林縣志》載：「或遇疾病，不服醫藥，輒延鬼師歌舞祈禱，謂之跳鬼。」民國《上林縣志》亦載：「父母棄世，即延僧、道、尸亦日巫師者，誦經超薦。或遇疾病，不服醫藥，輒延鬼師歌舞祈禱，謂之跳鬼。鬼師即俗所稱之尸公。」〔註29〕就「尸公（或師公）」一詞定義及功能，在三百多年前之廣西地方志已有記載，楊樹喆更立足此觀點，進一步說明「師公」文字書寫之合理性：

> 有人認為其來源於漢族古代祭祀中的「尸」。通過運用地方志上的種種記載與壯語語音相結合的方法進行考察，認為師公之「師」乃壯語 sae 的音譯詞，與「尸」毫無關係，其本意是「能說會道的人」或「聰明的人」。在某些地方甚至還用 sae 來指稱漢語中的「老師」、「師傅」之類的人；而做為專稱，sae 是指民間師教的宗教職能者師公。此外，從讀音上看，sae 與漢語「篩」的粵語方言讀音最為接近，要說音譯的準確性的話，「篩」作為 sae 的音譯詞，應當是比較準確的。〔註30〕

　　進一步求證粵語「篩」發音為「Sai1」〔註31〕，亦近似國語發音的「篩」。若依推論「sae」用字在壯語本身沒有意義，只為取其擬音字做代表，故不必再針對其字義做深入探討。但其中值得關注之處，在於壯語發音的「sae」，和「師」、「尸」、「司」和「篩」四字閩南語發音做對比，只有「師」字之閩南語發音最為吻合，亦較符合民間認知的宗教神職者意義。因此閩南釋教師公

〔註27〕同註 13。

〔註28〕楊樹喆：〈壯族民間師公教：巫儺道釋儒的交融與整合〉，《中央民族大學學報》第 28 卷 4 期（2001 年），頁 101。

〔註29〕《上林縣志》（康熙乙酉年），《上林縣志》（民國）。轉引自楊樹喆：〈桂中上林縣西燕鎮壯族民間師公教基本要素的田野考察〉，《文化遺產》第 4 期（2008年），頁 120。

〔註30〕楊樹喆：〈試論壯族師公的「師」是壯語 sae 的音譯——壯族師公文化研究之二〉，《廣西民族研究》第 2 期（2001 年），頁 64～65。

〔註31〕「篩」單一字的粵語發音為「Sai1」。

文化，若與廣西壯族師公有交流現象，「師公」書寫亦最符合閩南釋教師公文化背景。

除了廣西壯族有流傳其師公文化之外，同時在桂東（廣西東部）、粵西（廣東西部）和湘南（湖南南部）三省交集之瑤族地區，亦有流傳類似的師公文化，其瑤族師公之功能亦為溝通聖界與俗界，人與神的媒介，宗教信仰儀式的執行者。〔註32〕另外在「師公戲」相關文獻論述中，福建泉州「打城戲」亦有師公戲之稱：

> 從清代到 20 世紀 50 年代，這種戲劇形式叫「師公戲」、「法事戲」、或直稱演出的班社。直到 60 年代，福建文藝工作者才創出「打城戲」一詞。以「打城」為名，是因為它源自喪儀中的「打桌頭城」法事。
> 〔註33〕

由於臺灣閩南文化多來自漳泉兩地，故泉州打城戲在呈現特色上，亦較為相近現今釋教喪葬文化。釋教科儀中有所謂「打枉死城」，泉州打城戲在劇本選擇上亦有《目連救母》，在釋教喪葬科儀以「目連救母」為題材之法事科儀中，除了「打枉死城」科儀之外，尚有「打血盆」和「挑經」科儀，都是藉由釋教神職者扮演目連的形象，以救離亡魂出離地獄，或者肩挑亡者靈位至西天來做為象徵。而在閩西（福建西部）龍岩地區民間道壇，屬於道教閭山派陳靖姑下之信仰，亦有師公戲（道士戲）之法事科儀，其中「破獄」科儀亦類似於釋教之「打血盆」、「打枉死城」科儀，並同樣以「目連救母」故事作為戲劇穿插。〔註34〕

故從「師公」名稱之相似性探討彼此關係，壯族師公、瑤族師公、泉州打城戲（師公戲）、龍岩民間道壇、和釋教師公文化之間，泉州師公戲文化和釋教師公文化最為直接，加上臺灣族群早期大多來自福建漳泉移民，文化相關性也較為緊密。釋教之「挑經」科儀法事戲，在劇本選擇上亦多以《二十四孝》為主，活動進行中也會戴面具呈現，因此臺灣閩南釋教與壯族師公有部分相似的文化。針對上述重點整理推論，由於民族性格及文化發展上之差

〔註32〕陳敬勝、胡鐵強：〈梧州瑤族師公傳度儀式的文化解釋——以湖南省江華瑤族自治縣為例〉，《湖南環境生物職業技術學院學報》第 16 卷 4 期（2010 年 12 月），頁 46。

〔註33〕吳秀玲：〈泉州打城戲初探〉，《民俗曲藝》第 139 期（2003 年 3 月），頁 221。

〔註34〕劉遠：〈龍巖市民間道壇演出的戲劇——師公戲〉，《戲劇藝術》第 1 期（2000 年），頁 120～123。

異，很難直接斷定壯族、瑤族、以及福建地區文化之間的承先啓後，更無法直接斷言師公文化的萌生之處，但在這中間亦找到共同相似之處。首先即爲師公不管在任何民族或地區，多泛指宗教神職者（如法師），再者爲師公戲之呈現多帶有表演動作性質，故推論「師公」一詞，多被人用來假借爲具有表演法事性質之宗教神職者，文化淵源除了福建地區民間宗教偶有交流現象之外，原則上應無直接上下承繼關係。對照臺灣文化現況的發展，「師公」稱呼亦被運用於道教與釋教神職者，兩者亦爲表演法事性質之宗教神職者，亦無上下的承繼關係，故「師公」一詞僅爲文化現象的通稱。

第二節　泛佛信仰中之釋佛齋文化差異比較

　　目前在臺灣整體泛佛信仰文化的宗教當中，釋教、佛教及齋教龍華派爲最常被提及之信仰宗教，就臺灣現今喪葬活動法事科儀中，因爲釋教與佛、齋文化的相似及重疊，民衆往往會將三者混淆。釋教神職者就佛教與齋教龍華派而言，多普遍認爲與後者淵源較深，文化內涵形成較爲相似，因此產生釋教與齋教龍華派有承繼發展之說法。以下從兩個面向探討，分別爲「閩南釋教與佛教之差異」及「閩南釋教與齋教龍華派之差異」，藉此釐清釋佛齋的文化差異。

一、閩南釋教與佛教之差異〔註35〕

（一）信仰形成的差異探究

　　就文獻記載的說明，臺灣泛佛背景的宗教信仰自明鄭治臺時期開始傳入，及至清末、日治初期間的發展，臺灣泛佛教信徒多是帶著濃厚民間信仰，並且大多未受戒律，亦未形成完全意義上教團性質之組織，法事只停留在法式儀軌的層面上，並無佛學思想及理論的鑽研，活動目的亦是爲了一定的經濟利益。〔註36〕因此從法事內容及信仰特性，可以發現釋教在日治時期已相

〔註35〕釋教與佛教之基本定義，詳見附錄四。
〔註36〕吳敏霞：《日據時期的臺灣佛教》（臺中：太平慈光寺，2007 年），頁 4～7。
　　　　書名爲「日據時期的臺灣佛教」，筆者認爲作者所要談論的重點應是「日治時期的泛佛宗教」，因爲就當時社會的泛佛信仰發展而言，應是以民間的齋教或釋教爲大宗，現今定義的正信佛教乃光復後才開始大量輸入臺灣，之後才取代成爲臺灣泛佛信仰中的主體宗教，因此作者書名的佛教不等同於現今定義的正信佛教。也由於文中提到的法事內容有：開通冥途、拔度、送葬、弄鐃、布施餓鬼、打眠床架、開枉死城、牽水狀、牽血盆、引魂、拜藥王，以當時

當活躍，由於這些法事多帶有戲劇表演性質，並以文武科交替呈現，同時現場強調與民眾的互動，釋教與民間的強大連繫性，可以說釋教部分的法事科儀，是因應民眾的需求而產生。這和現今正信佛教的出世信仰，以及不強調與民間社會的互動，很難說明釋教之法事科儀，和現今佛教傳承上有直接關連，充其量算是皆帶有相似文化色彩，無法說明兩者之間的發展承繼。釋教和佛教最大差別，因為釋教活躍於民間，與社會互動的功能性較強大，因此釋教神職者以喪葬法事辦理為謀生技能。釋教法事科儀呈現上，相較於佛教法事則較多為戲劇、及武科動作表演，故在釋教同業彼此之間，其地位高低往往取決於功夫底蘊之深厚，在早期臺灣農業社會山頭主義盛行時代，釋教神職者功夫底蘊若能得到當地人民認同，該地區之喪葬活動處理則幾乎為該位釋教神職者所囊括，俗諺「司功揀蓆拼真步」〔註37〕即可印證這樣的狀況。就中國大陸的廣東梅州地區的「香花佛事」而言，其文化特色亦非常雷同於釋教，以民間佛教之職業特性而言，在廣東梅州地區的「香花佛事」亦可看到類似現象：

> 即使禪宗的宗教思想與信息很容易在各種儀規手稿中找到，香花佛事也很難說是純粹的禪宗科儀，香花和尚更不是受過良好教育的禪宗和尚，他們只是一群地方民俗佛教的儀式專家。與他們職業相關的話題是哪些和尚具有驅使鬼神的特異功能，誰的儀式技巧高超而聲名大噪，以及他們的成功表演為喪禮家庭與整個社區帶來好景。
> 在當地的香花和尚群體中佛學的討論和教育非常罕見。〔註38〕

另外在臺灣泛佛信仰中，亦可以發現一個奇特現象，即是臺灣佛教信仰，雖然其僧眾亦有喪葬超渡之服務，但大多數皆以「寺」立名，相較釋教和佛教最大差異，則是釋教神職者皆是以「壇」立名。在楊士賢的田野調查中，受訪之釋教團體皆以「壇」為名〔註39〕，雖有少數是以「葬儀社」或「禮儀公司」等名稱立案，其乃受到臺灣殯葬管理條例之約束，退而求其次的從立

社會盛行的齋教或釋教為前提，齋教歷來對於釋教花俏的法事科儀有所詬病，加上「弄鐃」和「開枉死城」明確為齋教沒有之科儀法事，因此作者在書中提到之法事科儀，應當屬於釋教。

〔註37〕徐福全：「司功揀蓆，指司功要弄鐃，選好草蓆，準備施出真功夫（真步）；喻使出看家本領，工夫盡展。」收錄於徐福全：《福全臺諺語典》（臺北：徐福全，1998年），頁148。

〔註38〕同註11，頁18。

〔註39〕同註9，頁i～iv。田野調查釋教以「壇」立名之數量為102個。

案名稱更動來改變經營模式，但釋教背景出身之神職者，自立門戶皆以「佇壇（Khia Tuann5）」爲共同信念，故一般民間才有「釋教壇」的說法稱呼。由於釋教神職者不像僧眾需長住寺院，亦不受持齋、戒律約束，所以以「壇」區別兩者之間差異，這與廣東梅州地區的香花佛事，用「壇號」以區別佛教寺院亦是共通之處〔註40〕。但釋教壇普遍存在於民間，與民間互動較爲緊密，所以往往能知道民間需求，「佛教寺院」與「釋教壇」兩者之間，在辦理喪葬法事方面，釋教壇較爲民眾所接受，吳信和對此提出補充論點：

> 釋教喪事的科儀會比佛教的誦經分更細，釋教還有「燒庫錢」科儀，臺灣傳統民間注重燒庫錢，但是出家人不注重，只有釋教它會依照傳統習俗來燒庫錢。所以釋教科儀就臺灣傳統習俗上，比較符合臺灣大多數喪家需求，不管任何縣市鄉鎮，民眾需求釋教科儀會佔的比較多。〔註41〕

在現今工商社會進步的時代，因爲部分民眾對於辦理喪葬活動，往往講求迅速、簡單又省錢，所以很難說現今民眾及社會對釋教科儀有絕對需求，但就早期農業社會的時代而言，民眾個性較爲保守又注重傳統，相較釋教及佛教爲民眾提供的服務上，釋教科儀在早期社會確實較受民眾認同。但不論早期農業社會或現今工商社會，就釋教壇與佛教寺院兩者而言，民眾對於釋教壇的需求選擇較高還有一個原因，即在於釋教壇因爲市場經營的考量，他們爲民眾提供的服務不僅侷限於法事科儀，有些釋教業者甚至更擴大爲整體喪葬活動的服務，提供喪葬活動一貫作業的流程，臺東慧德壇即是如此。因爲民間辦理喪事的注意事項，過程既冗長又繁雜，喪家因爲親人逝去而情緒低落時，卻又因爲沒有相關經驗而讓自己陷入慌亂的窘境，然而寺院僧侶往往只有提供誦經的服務，相對釋教神職者可以隨時處理、協助、叮嚀喪家該注意的事項。所以除了法事科儀的服務之外，臺東慧德壇亦有一貫作業的喪葬流程，1971 年正式立案登記爲葬儀社的經營型態。

（二）釋教與香花僧的關連

就目前研究釋教領域的學術資料中，多數學者皆指稱釋教與中國大陸之香花僧有其關連性，《安平縣雜記》云：

〔註40〕王馗：〈梅州佛教香花的結構、文本與變體〉，《民俗曲藝》第 158 期（2007年 12 月），頁 161。

〔註41〕同註 10。

臺之僧侶多來自內地，持齋守戒律者甚少⋯⋯。出家之人不娶妻、不茹葷，臺僧多娶妻茹葷者⋯⋯。臺無叢林，惟大北門外海會寺（即開元寺）有小叢林之稱⋯⋯。大約臺之僧侶，有持齋、不持齋之分。佛事亦有禪和、香花之別，作禪和者不能作香花，作香花者不能作禪和，腔調不同故也。禪和派惟課誦經懺、報鐘鼓而已；香花派則鼓吹喧闐，民間喪葬多用之⋯⋯。喪主按其勤勞出資酬謝焉（鄉下僧少，均用道士，間有請禪和者）。〔註42〕

李世偉進一步認為，佛事有「禪和」、「香花」之分，其中持齋與禪和派是比較接近我們今日習見之「正信佛教」僧侶，而不持齋與香花僧則可歸於「民俗佛教」之系統，後者與常民俗信活動關係密切，香花僧者便是專事民間喪葬儀式的宗教師。〔註43〕雖然在現今臺灣泛佛信仰中較少有「禪和」和「香花」說法，但若以此觀點來對應釋教發展，即為「出世法」與「入世法」之差別，或者為「寺院修行」與「在家修行」之對照。

就上述的「香花僧」觀點，進而深入探討民間所謂之「香花佛事」，它是流行於廣東梅縣、蕉嶺、興寧、大埔等地的佛教超度儀式，在梅州民間又被稱為「作和尚」、「作佛事」、「作好事」、「作齋」。〔註44〕而香花佛事整體呈現多雷同於釋教，其最大特徵是集音樂、舞蹈、雜技、文學和佛教儀式於一身，具有表演性的宗教科儀，為廣大群眾喜聞樂見，在群眾中影響較大的科儀段落往往具有較強的可觀性、可聽性，許多人觀看香花佛事就像看演戲、聽經歌似的。〔註45〕故而就文獻中關於「香花」的歷史典故，王馗說明廣東省梅州市的香花佛事來源：

相傳香花來源自梁武帝為母追薦、為妻超渡這件事。當時梁武帝招集全國高僧數百人，為母追薦，設修齋道場七七四十九天，其母即升天，但其妻即王后不信佛教，利用各方面侮辱僧人。她死後變作蟒蛇，能說話，梁武帝問她為何死後成為這樣，她答到：因不信佛教又侮辱僧眾，所以死後被閻羅王判為蛇身，求皇上賜恩，代請僧

〔註42〕 不著輯人：《安平縣雜記》（臺北：成文出版社，1983年3月，影印清光緒23年輯抄本），頁44～46。

〔註43〕 李世偉：《臺灣佛教、儒教與民間信仰》（臺北：博揚文化，2008年8月），頁92。

〔註44〕 王馗：〈香花佛事──廣東省梅州市的民間超度儀式〉，《民俗曲藝》第134期（2001年），頁139。

〔註45〕 同註44，頁151。

人修齋超度。梁武帝從此修齋，即作香花形式。〔註46〕

上述廣東梅州地區流傳之香花民間故事，對照現今釋教喪葬活動表演，在「弄鐃」來由之民間說法亦有相同：

> 梁武帝好佛，拜誌公和尚爲國師，終日持齋而不理朝政，引起皇后郗氏不悅，故欲以狗肉饅頭來破誌公佛戒。誌公知悉，乃敲擊「藍鈸鼓」求救於梁武帝，梁武帝一怒把郗氏貶作蟒蛇，後來郗氏顯化蛇身以告哀慘，梁武帝念在夫妻情份，遂請求誌公誦經爲郗氏超渡。〔註47〕

民間流傳的故事，較難直接證明廣東梅州「香花佛事」，以及釋教「弄鐃」之來由皆源自於此。但從兩者民間故事流傳之相似性，亦可以想像廣東梅州地區的香花文化，和現今釋教文化上之牽連，但若進一步探討兩者儀式內容，發現廣東梅州地區「打鐃鈸花」和釋教的「弄鐃」極爲雷同：

> 廣東梅州香花的「打鐃鈸花」在室外露天舉行，傳統套路分上、中、下三架一百零八式，講究的做法可以持續一個小時左右，甚至邀請兩班僧人對壘，展示技藝。「打鐃鈸花」一般被認爲是佛事中的雜技表演，加之技藝難度高，只有個別人能夠傳承此技。〔註48〕

梅州香花的「打鐃鈸花」和釋教「弄鐃」最大特點，皆是在戶外表演雜耍特技，其技藝表演往往具有高難度，除了傳統舞弄鐃鈸外，另有騎獨輪車、過火圈、耍飛刀、口咬八仙桌等特技，有些甚至會加入氣功或魔術。〔註49〕另外廣東梅州地區香花科儀，如「走藥師」、「拜懺」、「血盆」等法事科儀，其內涵亦雷同於釋教的「藥懺」、「走赦」、「打血盆」等科儀，故兩者文化頗爲相似緊密。

二、閩南釋教與齋教龍華派之差異 〔註50〕

（一）文化形成的差異探究

針對釋教與齋教龍華派之間發展關係，前人研究成果雖可瞭解兩者之間

〔註46〕同註 40，頁 104。文中並進一步說明，所謂香花，就不是毒草，香花對人民有利，所有香花都是超生度死的詞句，以空破執著，要人們不要爭名爭利，勸化生人，度化亡人，到天堂，莫作惡，作惡者死到地獄受苦難。

〔註47〕楊士賢：《慎終追遠──圖說臺灣喪禮》（臺北：博揚文化，2008 年 11 月），頁 165。

〔註48〕同註 40，頁 123。

〔註49〕同註 47，頁 166。

〔註50〕釋教與齋教之基本定義，詳見附錄四。

的文化相似，但卻無法有明確的辨別，更時常發生定義混淆之現象，如鄭志明所云：

> 在臺的老官齋教多膜拜觀世音及釋迦牟尼佛，持誦佛教經典如金剛
> 經、阿彌陀經、心經等，在形式上頗接近佛教，又以持齋為主，故
> 該教派堅稱其為「釋教」，因為剃髮與不著法衣，故又自稱為「在家
> 佛教」或「居士佛教」。〔註51〕

上述引文將齋教與釋教混淆，說法亦是存在矛盾，因為根據田調及研究
資料佐證，「釋教」神職者多數並未持齋，亦無剃髮之硬性教規，況「釋教」
僅和「齋教龍華派」有其間接相似文化，但並非和整體「齋教三派（龍華、
金幢、先天）」皆有關連，故「齋教」直接等同「釋教」之說法已混淆兩者文
化內涵。其論述立基點應是在於部分釋教神職者，可能原先為齋教龍華派背
景，因為謀生需求及市場經營型態轉變，之後學習釋教科儀出來自立門戶，
與原先非齋教龍華派背景之釋教神職者認知上有差異，這是需要說明和釐清
的部分。以彰化市朝天堂為例，是目前仍維持齋教科儀的老齋堂〔註52〕，林
美容在田野調查資料中，亦整理出下列說法：

> 緇門是指那些主要活躍在臺灣北部和中部的喪禮儀式專家，他們為
> 喪家唸經時常自稱唸的是佛經，也有自稱是龍華派。但是在龍華派
> 信徒看來，這些人只是學到龍華派的某些儀式的作法，完全沒有教
> 義的內容，更不用說什麼秘密的心法。他們的解釋是：緇門的「司
> 公」最初的確是齋門中人，原來是在齋堂學法，後來被人家請去作
> 功德。另外有一個故事：緇門與齋門，還有沙門，同屬於佛教。但
> 是緇門的始祖是一位替齋教始祖挑行李的「齋工」。後來他跑出去「賺
> 食」，即為人誦經謀生，從此就發展出緇門一派的儀式專家。可是，
> 他們原來只是齋工，後來才衍稱為司公。他們所戴的帽子是黑色，
> 像斧頭，所以是烏頭司公。……緇門所用的科儀都是屬於龍華派的，
> 但他們的唱腔稍異。龍華派的看法是，緇門的人都不吃齋，而是「吃
> 方便」，他們在臺中、彰化一帶很活躍，結果龍華的傳統就給他們破

〔註51〕鄭志明：《臺灣民間宗教結社》（嘉義：南華管理學院，1998年），頁29。引
　　　文中之「老官齋教」即為在臺齋教前身，老官齋之說法普遍使用於中國大陸
　　　民間，現行臺灣則多普遍稱呼齋教。
〔註52〕高有智等彙整：〈菜公菜姑好修行　齋戒誦經撫人心〉，《中國時報》，第A6版，
　　　2010年8月15日。

壞。另一方面，龍華的信徒雖然也爲非信徒作功德，但内容主要是
拜懺，不像緇門那樣加插很多「外齣仔」（即喙頭）。〔註53〕

依照引文說法，不能否認釋教與齋教龍華派之間有文化共通現象，但尚
無法斷言釋教發展之背景是以齋教龍華派爲宗，因爲在中國廣東地區的香花
佛事，亦和釋教文化有相似共通現象。進而發現釋教和香花佛事之共同特徵，
則是在於強調武科，此爲齋教龍華派認爲外加的「外齣仔」（即喙頭）；釋教
和齋教龍華派共同特徵，在於文科部分有使用「龍華科儀」或其他經懺卷本
爲最大相似之處。部分臺灣釋教神職者及齋教龍華派信徒認爲兩者之間有上
下承繼關係，當中尚需要更多有力文獻佐證，方能論證此一觀點。

就釋教神職者的法脈認同上，推論兩者之間的關係，吳信和就老一輩的
說法，提出自己的見解：

據老一輩的口述有兩派説法，因爲在釋教裡面有分五通跟六通兩
派，六通這一派比較傾向於法脈是從六祖惠能大師傳下來，五通大
部分的認知上是羅祖。〔註54〕

釋教形成過程中，與民間文化互動往來緊密，或許很難直接斷言釋教法
脈正確溯源來自何處，但是引文中提到的羅祖法脈，其上溯亦是發展自六祖
惠能，所以可以確定釋教發展出自禪宗一系，香花佛事及齋教龍華派聲明皆
出自禪宗，故釋教、香花佛事及齋教龍華派三者之間，在禪宗發展這部分皆
有共通處。前面提及釋教的職業特性及民間的強大連繫，加上平日不持齋，
在這點之上相同於香花佛事；但齋教龍華派平日持齋，加上有其堅定教義及
宗教位階〔註55〕，這點和釋教較有出入，故而釋教的信仰模式和習性，與香
花佛事的相似性略高於齋教龍華派。

比較值得一提的部分，即釋教與齋教龍華派雖然都是泛佛信仰的民間宗
教，但兩者在宗教傳承的模式上，亦是有相當大的區別。首先，釋教神職者
選擇投入喪葬法事活動的前提，除了家族傳承或個人興趣之外，其餘多是爲

〔註53〕 林美容、連運輝：〈在家佛教：臺灣彰化朝天堂所傳的龍華派齋教現況〉，收
　　　　錄於江燦騰、王見川主編：《臺灣齋教的歷史觀察與展望：首屆臺灣齋教學術
　　　　研討會論文集》（臺北：新文豐出版社，1994 年），頁 231～232。
〔註54〕 同註 10。
〔註55〕 齋教龍華派信徒階級可分爲九個等第，俗稱「九品職位」，由底層至高層依序
　　　　爲小乘、大乘、小引（老官）、大引（太老官）、四句（明偈）、清虛、太空（傳
　　　　燈）、空空。收錄於李世偉主編：《臺灣宗教閱覽》（臺北：博揚文化，2002
　　　　年 7 月），頁 114。

了生計考量而以此爲職業，俗諺「司功，三頓趕」〔註56〕即是說明這樣的狀況，因爲職業的專業性備受同業和民眾社會的考驗，所以自我在專業技能的學習要求上，必需有不能被市場淘汰的心理預設，相對齋教龍華派教眾並非以經辦喪葬法事爲主要職業，則較無這樣的問題；其次，除了文科的經懺卷本唱誦之外，齋教龍華派所詬病的武科儀式（如弄鐃、挑經等），更是釋教獨特的文化，所以釋教神職者在文武科的技能學習上，同業之間的功夫底蘊深厚，往往有著互存又競爭的現象，因爲市場經營的考量，社會民眾對釋教神職者的肯定，往往也來自於對他們專業職能的讚賞。歸結以上兩者原因，釋教神職者和齋教龍華派教眾的宗教傳承上，可以說釋教是有明顯的「師徒制」模式，以早期老一輩釋教神職者對吳慶木的傳承爲例，師父對徒弟的傳承模式多在考驗徒弟的「目色」，藉由帶領徒弟出入協助喪葬儀式的場合，由徒弟自己旁敲側擊學習，師父透過觀察再主動決定要教徒弟什麼，所以學習較爲龐雜無系統。徒弟自身要夠聰明才會有「好目色」，因爲師父亦有可能決定不教，徒弟自身的功夫底蘊就不深厚，同業彼此競爭就容易被淘汰，因此釋教神職者轉型或轉業的消息時有所聞，吳慶木過去在嘉義的期間，時常陪同師父出入雲嘉南地區，因爲自身對職業投入的熱情及「好目色」，好人緣讓許多老一輩師父願意主動傳授功夫，所以吳慶木先後直接、間接學習指教的對象，相較其他同業而言爲多，功夫底蘊的深厚亦是受到同業的肯定。〔註57〕另外吳信和在釋教領域的學習上，因爲受到家族的啓蒙，同時父親爲讓他能快速獨當一面，父親的傳授教導較有系統性，其他不足的部分再輾轉由父執輩的同業傳授。〔註58〕所以就宗教的傳承而言，釋教的「師徒制」確實是和齋教龍華派最大的不同。

同時就師徒制的模式而言，釋教較無固定的拜師形式和程序，以吳信和爲例，曾先後向嘉義新港簡茂烟與雲林大埤劉朝雄拜師學藝，然而與簡茂烟深厚的叔侄關係，僅形式上向簡氏家族的祖師奉香，但是向劉朝雄請願拜師時，因爲劉氏在雲嘉地區釋教圈德高望重，因此還需要有「引進師」及「保荐師」（合稱「引保師」）向劉氏聯名推荐，同時兩位「引保師」在釋教圈的

〔註56〕徐福全：「道士做法事，目的只在趕三餐。喻只因有得吃，才趕工作。」收錄於徐福全：《福全臺諺語典》（臺北：徐福全，1998年），頁147。
〔註57〕2012年5月13日21:00～22:00，於臺東市慧德壇，訪談吳慶木先生。
〔註58〕2012年5月13日21:00～22:00，於臺東市慧德壇，訪談吳信和先生。

地位亦需要得到劉氏認同，最後才會決定收徒授藝，以進行之後的拜祖師程序。徒弟的專業技能受到老師認同後，師父會決定是否為徒弟取「釋子名」，例如吳信和在嘉義新港學藝完成時，簡茂烟即贈「傳藝能通顯名揚，義氣昌隆佈四方」題字，吳信和的釋子名則取自對句第一字曰「傳義」。〔註59〕

（二）齋教俗民文化對釋教的混淆現象

齋教在臺灣宗教發展歷史上，在光復前有過燦爛輝煌的年代，在清代至日治時期的臺灣社會，更蔚為臺灣泛佛信仰之正宗代表，可以想像齋教在臺灣歷史進程中扮演的重要性，由於信仰民眾為數眾多，該信仰群體亦有下列名稱定義：

> 由於齋教是吃長齋（食菜），絕對不肯吃一點葷腥，因此本省人就稱為「持齋宗」，又叫作「食菜人」。教徒之間則互稱「齋友」，教外人對他們則另有稱呼，把他們的男教徒叫「齋公」，把女教徒稱為「齋姑」。〔註60〕

上述對於信仰群體稱呼的「齋公」和「齋姑」，民間亦時常稱呼為「菜公」和「菜姑」，其稱呼對臺灣俗民文化之影響甚深。以地理環境為例，臺灣某些地方之名即以此意象為命名，例如臺北市三芝區「菜公坑」，桃園縣龜山鄉「菜公堂」，彰化縣溪州鄉「菜公庄」，雲林縣古坑鄉「菜公坑莊」，雲林縣西螺鎮「菜公溝」，嘉義縣番路鄉「菜公店」，嘉義縣溪口鄉「菜堂」，嘉義縣新港鄉「菜公厝」，高雄市內門區「菜公坑」，高雄市左營區「菜公路」等，「菜公」一詞註解為看守寺廟的吃素人，堂、厝意謂他們所居住之屋舍〔註61〕，由此可見早期齋教文化在臺灣的廣布。上述引文提及之「齋公」，和前面齋教龍華派信徒提到之「齋工」，因為齋教力量在當時已深入民間俗民文化之中，是否造成民間對於齋教龍華派和釋教上認知混淆，而將「齋工」及「齋公」音譯演化成「師公」，進而造成兩者之間文化不分現象，吳信和認為這樣的說法亦有可能〔註62〕，但民間對於道教神職者亦會稱呼「師公」，道教與齋教龍華派的信仰背景差異甚大，這般說法仍缺乏有力的證據，加上礙於文獻資料的欠

〔註59〕2012 年 5 月 13 日 21:00～22:00，於臺東市慧德壇，訪談吳信和先生。
〔註60〕鈴木清一朗原著、馮作民譯：《增訂臺灣舊慣習俗信仰》（臺北：眾文圖書，1989 年），頁 34。
〔註61〕陳瑞隆、魏英滿：《臺灣鄉鎮地名源由》（臺南：裕文堂書局，2006 年 9 月），頁 90～168。
〔註62〕同註 10。

缺，暫且無法針對此推論深入探討。但不容否認的是在臺灣喪葬文化進程上，並非只有釋教唱獨角戲，齋堂本身亦有提供民眾助念、誦經之服務，在民間普遍認知混淆情況之下，認為民間很多師公、道士都是從齋教龍華派出身亦不足為奇。〔註 63〕從釋教神職者田野調查的敘述中，對照兩者之間的法事內容〔註 64〕，大多數亦是相似，該宗教神職者若無清楚闡述自我文化內涵的形成，齋教龍華派和釋教在民間被混淆，亦是民間宗教發展的正常現象。

第三節　閩南釋教之認同偏屬與泛道信仰交流

隨著臺灣佛教壯大，以及齋教發展之式微，釋教之認同及承繼說法較偏向何者亦是研究重點。在臺灣喪葬活動之法事科儀中，釋教和道教的宗教神職者皆被統稱「師公」，科儀內涵亦有其相似性。以下從兩個面向來探討，分別為「法脈認同差異與時代發展現象」及「泛道信仰之文化交流現象」，說明閩南釋教面對佛教及齋教龍華派的認同偏屬，以及與泛道信仰的融攝。

一、法脈認同差異與時代發展現象

（一）法脈認同差異〔註 65〕

齋教龍華派和佛教的共同特徵為教眾須平日持齋，但最大差別在於齋教龍華派教徒不圓顱方服，這是與佛教出家眾最根本的不同，他們在世俗社會中營生、有家庭生活。〔註 66〕但齋教龍華派並非像佛教僧眾只單純崇奉佛教神祇，齋教龍華派自認為是中國禪宗六祖惠能之嫡傳，有別於原先以禪僧各種傳燈錄中所認定的宗派源流，並且齋教龍華派教徒也有自己的祖脈源流，藉此來建立本身宗教傳承的正統性地位。〔註 67〕其祖脈源流亦是超越以釋迦牟尼佛為宗主的概念，林美容、連運輝在齋教龍華派的田野調查亦得到下列說法：

> 朝天堂雖然自稱為佛教中之齋門，奉釋迦牟尼佛和觀音，它所主張

〔註 63〕同註 52。
〔註 64〕釋教及齋教龍華派兩者法事內容，詳見附錄三。
〔註 65〕釋教、齋教與佛教之基本定義，詳見附錄四。
〔註 66〕李世偉主編：《臺灣宗教閱覽》（臺北：博揚文化，2002 年 7 月），頁 106。
〔註 67〕張珣、江燦騰合編：《當代臺灣本土宗教研究導論》（臺北：南天書局，2001 年），頁 40。

的法脈源流卻不止追溯至佛祖釋迦牟尼，而是起源於更早時期的人物，稱為「先天初祖」。由這位始創人物起，龍華派的「法」經由伏羲、龍吉、神農、廣成子、黃帝、許由、唐堯、巢父、虞舜而至於燃燈佛。從燃燈佛再傳經六代，此法便傳到印度的釋迦牟尼佛。據說此時正值周朝，乃有儒、釋、道三教的並起，但龍華派稱之為三教「重興」，意即三教所傳的法在此之前早已存在。釋迦將法傳給摩訶迦葉尊者，是為第一祖。由第一祖一直傳到第二十八祖，都是在印度。二十八祖是為達摩尊者，隨著他的東來，法再轉入中國，而達摩也就成為中國第一祖。達摩的法傳至六祖惠能大師之後，再經由七祖南岳懷讓，一直傳至二十五祖李頭陀。此時，法統經李頭陀傳到龍華初祖普仁祖師，也就是羅祖，再經二祖普能祖師傳至三祖普善師傅。普善之後是四祖普霄公，其後一直傳到十七祖普洲公。普洲公那一代時便有福州復信堂的建立，此派的第一代總敕為普捷公。彰化朝天堂的前身便是由復信堂的成員渡臺所創立的。〔註68〕

　　上述溯源系統為齋教龍華派和佛教認同上之差異，站在釋教角度而言，雖奉釋迦牟尼佛為教主，但釋教法脈發展源流，目前至多上溯至禪宗六祖惠能，不像齋教龍華派法脈溯源再更上層。因為釋教最大特點，即強調與佛教不同的之入世法，加上和齋教龍華派皆認同禪宗信仰，故在認同上亦較偏向「入世法」的齋教龍華派。

　　現今學術界對於齋教的研究成果，皆不約而同將齋教指向源於禪宗惠能一系，在探討釋教對於佛教及齋教龍華派的認同歸屬，有必要針對禪宗思想提出探討。自連雅堂《臺灣通史》在佛教一章下列出齋教三派「先天、龍華、金幢」以後，續修的通志、地方志都有齋教的登錄。連雅堂認為齋教三派皆傳自惠能，到明代始分；日治時代的調查資料亦承續這種說法，認為齋教是從明代禪宗中的臨濟宗變胎而成。〔註69〕對照釋教和齋教龍華派皆強調「入世法」及禪宗背景，更是呼應了祖師禪（惠能）所強調的「佛在世間覺」的寓意，是就人的平常心、或一念心之當下做一頓然的轉化成佛，其所重視的

〔註68〕同註53，頁231～232。另外對於印度傳法至二十八祖說法，張麗珠：「摩訶迦葉為西方禪宗初祖，中經二十六代傳至菩提達摩。」收錄於張麗珠：《中國哲學史三十講》（臺北：里仁書局，2007年8月），頁316。達摩為二十六代或二十八祖說法，此非筆者探討重點，在此不進行贅述。

〔註69〕鄭志明：《臺灣民間宗教結社》（嘉義：南華管理學院，1998年），頁24～27。

是當下的作用，即「作用見性」。〔註70〕意謂出家僧侶雖選擇遁世修行，但若無法頓悟佛法妙理，亦不如凡人的入世修行，心念一悟即轉化成佛，而這精神亦是齋教龍華派和釋教之所以如此強調「入世法」的原因。而「入世法」和「出世法」之區別，尚有密法傳承之說，據林美容、連運輝訪談齋教龍華派朝天堂，亦有得到相關說法：

> 佛教在中國有南北二大派之分。北方屬於神秀一派，南方屬惠能一派。惠能派下又有臨濟一支，其中又分出家與在家兩種。到了羅祖的師父那一代，佛教中的密法，即是最精要的秘密教義，沒有傳給出家之人，而傳給沒有剃度出家的羅祖。於是臨濟有出家與在家之分，而只有在家的傳統才保有釋家所傳之密法。〔註71〕

其密法之傳承為何物，較難透過田野調查結果得知，但是齋教龍華派和佛教傳承差異上，即是齋教龍華派有所謂的密語及手印傳承〔註72〕。就釋教的田野調查經驗中，釋教神職者在主持大型的普施儀式時，亦有手印密語於法會穿插呈現〔註73〕，故釋教和齋教龍華派在這部分不謀而合，因此也說明兩者在禪宗信仰上的相似處。

（二）時代發展現象

探討齋教與佛教在臺灣時代發展的不同，可以說光復前臺灣泛佛信仰以齋教為主流，這亦是從大正八年（1919 年）日本當局所編撰《臺灣宗教調查報告書》第一卷的統計數字看出來。當時，正信佛寺全臺只有七十七座，而齋堂卻多到一百七十二間，可見齋教在當時的流傳遠較正信佛教的流傳普及。〔註74〕現今齋教在臺灣的式微可能已鮮少被人所知，由於戰後佛教的發展擴大，取代齋教原來在臺灣泛佛教信仰中的領導地位，泛佛教信仰至此開始以佛教為正宗，這亦是世人在探討釋教發展文化時，將釋教和佛教合理劃上等號之原因。因此就泛佛信仰中釋教、齋教龍華派及佛教三者而言，與其要將釋教與佛教劃上等號，相對齋教龍華派與釋教的相似性，齋教龍華派遠比佛教高出許多。

〔註70〕張麗珠：《中國哲學史三十講》（臺北：里仁書局，2007 年 8 月），頁 317。
〔註71〕同註 53，頁 192。
〔註72〕同註 53，頁 201。
〔註73〕同註 13。
〔註74〕楊惠南：〈臺灣佛教的出世性格與派系之爭〉，《當代佛教思想展望》（臺北：東大圖書公司，1991 年），頁 3。

　　戰後正信佛教在臺灣的發達，首先從民間角度探討，自中國大陸入臺的佛教法師也曾經致力帶動臺灣佛教的改革運動與宣教運動。許多佛教法師同樣努力消除佛教通俗化的迷信成分，重新去樹立佛教的形象。另一方面，來自中國與香港的佛教出家眾，則在臺灣各地大力佈教，藉以擴展佛教教團之勢力。〔註 75〕在官方的力量影響之下，戰後國民政府爲有效地掌控臺灣的宗教，將大多數的宗教團體納入「中國佛教會」及「中國道教會」這二個組織管理，由於齋教原本即是在家佛教，在淵源法脈上，齋教也自認爲是佛教臨濟宗的系統，因此政府便將齋教劃規中國佛教會的名下管理。民國 42 年（1953）以後，中國佛教界開始每年一次的傳戒活動，由於規定會員要受戒才能擔任住持，傳戒的權力又長期被「中國佛教會」長期壟斷，以致大批齋姑或齋友紛紛落髮受戒，成了出家的僧尼，於是大幅度地改變臺灣齋堂的面貌，有許多齋堂後來甚至變質成爲佛教的道場，勢力爲之衰弱。〔註 76〕故齋教的發展從原先的輝煌燦爛，到戰後的風中殘燭，由於時代發展與政治操控，致使齋教日後在臺灣社會的式微，因此現今大多數人將釋教與佛教劃上直接等號，實是錯誤的理解。若要說釋教和佛教之發展有相輔作用，齋教龍華派文化和釋教文化之相似處則更爲廣泛，因此論及齋、佛兩教與釋教之淵源關係，齋教龍華派更甚於佛教。

二、泛道信仰之文化交流現象

（一）中國大陸民間泛佛與泛道信仰之相融

　　在民間信仰脈絡之下，民眾對於純正佛教或純正道教之信仰崇奉，通常沒有明顯區分界限。佛道文化混合亦爲臺灣民間信仰的主要現象，鄭志明對常民信仰的普世價值提出看法：

> 在民俗信仰與哲學的宇宙觀念下，各種宗教流派在通俗一體化文化
> 系統中，有著相互過渡與轉化的互補性，企圖運用信仰儀式與意念
> 來整合天人關係，進而完成精神寄託與心理適應，大多仍借用神話
> 與巫術的思考方式，經由儀式來感通鬼神，各種佛教與道教法派大
> 多在民間的宇宙觀念與行爲中交相混合。這種混合的宗教形態，可
> 以說是民間的文化遺產，或者可稱爲「靈驗的遺產」，即建立在民眾

〔註75〕董芳苑：《臺灣宗教大觀》（臺北：前衛出版社，2008 年 8 月），頁 268。
〔註76〕同註 66，頁 120～121。

對靈驗的領悟與追尋下，代代相傳的生活方式，經由神話與儀式來
安排信仰的社會活動，經常進行文化遺產的演示，在演示的過程中
交會了民間各種的法術與法派，也不斷地擴充出新的神話與信仰內
涵。〔註77〕

在民間社會的信仰運作中，泛佛信仰和泛道信仰即會不斷融合、壯大。
因此探討臺灣的釋教和道教文化相融合現象，要回歸到泛佛信仰及泛道信仰
原始初生之地，即中國大陸民間宗教的發展現象，就泛佛信仰與泛道信仰的
相融上，葉明生對中國大陸當地的「釋教」提出說明：

有的法主公法派受到瑜伽法或瑜伽教的影響，所謂瑜伽法或瑜伽教
是一種民間的通俗佛教，俗稱「釋教」，是佛教與巫法結合的科儀法
門，傳承佛教的真言法語，發展成民間通俗性的佛法道場。法主公
法派與陳靖姑法派同是閩臺間流行的道壇，流傳區域稍有區隔，法
主公法派主要分布範圍在閩南與閩西南等地，陳靖姑法派流傳整個
福建地區，雙方也有著相互交流的趨勢，陳靖姑法派在宗教形態上
也吸收民間瑜伽教的密法。〔註78〕

上述引文說明中，尚缺乏「中國民間釋教」和「臺灣釋教」有上下承繼
的明確例證，但可以發現，在中國大陸民間宗教信仰中，泛佛與泛道信仰之
融合乃為常態現象，故對照現今釋教形成背景，或許無法完全排除有泛道信
仰滲入，然而若欲探究釋教與道教在儀式上相似之處，兩者之間是否有文化
交流現象產生，在中國大陸的浙江、福建及臺灣地區非常盛行的道教閭山派
信仰，尤其是以陳靖姑信仰一系（王姥教派）〔註79〕的法事上，有大量武科
動作呈現，這和釋教科儀上有共同特徵，葉明生及劉遠云：

「王姥教法」或稱「王姥醮科」，簡稱「王姥教」，本身沒有經懺，
其科儀本最多，有文科與武科，其中法科佔有極大的比重，民間祈
禳中大量小法事均屬此一教法。「齋科教法」，簡稱為「齋科」，與民
間通俗佛教的瑜伽派、普庵派等相互交融，吸收了不少佛法的齋科

〔註77〕鄭志明：《臺灣傳統信仰的鬼神崇拜》（臺北：大元書局，2005 年），頁
190。

〔註78〕葉明生：〈試論瑜伽教之衍變及其世俗化事項〉，《佛學研究》第 8 期（1999
年），頁 256～264。

〔註79〕道教閭山派下的陳靖姑信仰，民間有「三奶教（派）」、「夫人教（派）」、「王
姥教（派）」等稱呼。

儀軌，經懺多於科儀本，以文科爲主要的表現形式，分成醮儀與法
事兩部分，有祈安慶誕與拔度超亡等兩種不同氛圍的儀軌運作形
態。這一類法派會集了不少經懺與科儀文本，雜採民間各種道教、
佛教等教法系統，發展出更爲龐大的體系。〔註80〕

　　上述引文中法事科儀的武科動作，是否代表釋教部分文化來自王姥教
派，其論證尚欠缺強而有力之證據，但是其中亦有不少值得探討之處。首先
是上述民間通俗佛教瑜伽派，在普遍認知中，「瑜伽」一詞爲泛佛文化之概念
意識，而引文中的「瑜伽派」意指爲與道教文化融合而成的民間教派，研究
資料中以閩北（福建北部）壽寧地區爲例，瑜伽教派是以道教爲信仰背景，
同時再融合民間佛教而自成「釋教」道壇〔註81〕，明顯與上述泛佛主體融合
泛道色彩的前提不符，同時該論述之民間發展背景亦過於混雜，暫不做深入
探討。其次引文提及民間通俗佛教普庵派的信仰，可以想像該教派是以「普
庵祖師」爲信仰中心，普庵祖師亦爲禪門臨濟宗的高僧，理所當然爲泛佛信
仰下之神祇，但在臺灣道教閭山派〈法仔鼓請神咒〉當中，咒詞內容亦有提
到普庵祖師〔註82〕，代表普庵祖師的崇奉並非泛佛信仰群體所專屬。以上兩
個論點，並非想證明瑜伽派、普庵派與釋教的承繼關係，但其中可以看到中
國大陸的民間宗教，泛佛信仰與泛道信仰的相融混合，可謂民間信仰發展之
正常現象。同時釋教發展源流自中國大陸民間，在其文化尚未傳入臺灣之前，
任誰也無法斷言釋教在中國大陸萌生之初，沒有受到民間泛道信仰之滲透及
影響，若在宗教文化原生地產生此現象，現今釋教之文化形成中，和臺灣道
教信仰混合應爲合理運作模式。

（二）釋教壇與道教壇之文化交流現象

　　就泛佛及泛道信仰的相融現象，臺灣喪葬文化的活動中，民眾普遍對於

〔註80〕 葉明生、劉遠等：〈關於閭山教與師公戲之探討〉，收錄於《福建龍巖市蘇邦
村上元建審大醮與龍巖師公戲》（臺北：施合鄭民俗文化基金會，1997 年），
頁 103～111。

〔註81〕 葉明生：〈媽祖信仰與道教文化——民間道壇之媽祖信仰相關科儀及文化形態
考探〉，《福建師範大學學報》第 3 期（2009 年 5 月），頁 144。

〔註82〕 〈法仔鼓請神咒〉：「……閭山三元三殿眞君，祖師三天大法張府天師，閭山
教主徐甲眞人，三宮驅邪治病皇母娘娘，九天玄女娘娘，上壇普庵祖師大教
主，左壇降主龍樹醫王。……」因咒詞內容繁多，在此僅取其中一段。影音
來源 http://www.youtube.com/watch?v=ACQzyodwr7g

處理喪事之神職者統稱「師公」，但部分人民對於釋教或道教的文化屬性，無法有清楚明確區分，只能簡單從法壇神祇漆像上，辨別三寶諸佛或三清道祖。就兩者之間的法事科儀，民眾較難辨別原因在於科儀有多處雷同，例如像是「打血盆」、「打枉死城」、「挑經」之科儀法事，即是受到中國傳統目連戲文化影響，根據其文化相似現象，吳信和云：

> 根據老一輩說法，早期在大陸那邊有目連戲，但是這邊的道士來到
> 臺灣有一個斷層在，他們後來才和釋教的師公接觸學習。一般的目
> 連挑經，就是要講十月懷胎、十勸娘、二十四孝，他們就是從這裡
> 演變。因為像目連救母就是要請觀音，道教也是請觀音，但是觀音
> 大家都知道屬於佛教，但是道教它不能沒有這個齣頭，所以他變成
> 仿釋教的挑經，在他們道教的三清道壇，也可以看到他們穿海青、
> 戴蓮花大帽在做挑經。〔註83〕

　　另外像是釋教法事科儀當中，「藥懺」科儀在現今道教壇之喪葬活動上亦可看到，其科儀多在整場法事的中後段進行，目的為亡者生前遭遇大小病病痛折磨，為免除亡者帶著苦痛離開人世，進而透過誦經及服藥來象徵亡魂疾病痊癒，然而在釋教進行「藥懺」科儀時，當中所迎請之神祇為藥師佛，但在道教壇進行「藥懺」科儀時，奉請神祇轉變為神農大帝、華陀、扁鵲等歷代神醫蒞臨壇場。〔註84〕可以說明在釋教壇與道教壇兩者之間，彼此間有其文化交流現象，尤其在法事科儀部分，因為市場經營或民眾需求之故，釋教壇與道教壇彼此亦會教學相長，各取所需以服務自己區域的民眾，吳信和對此現象認為：

> 類似於嘉義市的釋教跟雲林北港鎮的道教，老一輩的口述上是說一
> 百多年前，北港地區的道教他們在做道士的時候，不會釋教「挑經」
> 這個科儀，然後嘉義市這邊不會道教的「武松打虎」，所以說他們這
> 兩個地區，老一輩的人就會互相傳授，嘉義市傳授北港「挑經」，北
> 港傳授嘉義市「武松打虎」。〔註85〕

　　根據田野調查的經驗發現，因為釋教壇與道教壇在民間喪葬場合的活絡，所以兩者之間的交流可算是一般常見現象，兩者文化的相似共通性，釋

〔註83〕 同註10。
〔註84〕 同註47，頁95。
〔註85〕 同註10。

教與道教的神職者在喪葬活動亦時常有彼此支援情形。由於釋教或道教神職者的謀生需求，兩者之間亦存在轉型經營現象，例如釋教壇轉型經營為道教壇，或道教壇轉型經營為釋教壇的現象亦可見，原因可能在於當地民眾對於信仰儀軌的選擇認同，致使釋教壇或道教壇某一方不受當地民眾青睞，進而轉型為當地民眾接受度較高的宗教型態。總而論之，釋教文化內涵形成，因為神職者與道教壇的互動交流，因此在法事內涵有多處相似，進而造成民眾認知的錯亂。同時民間宗教與社會的互動性強大，釋教壇和道教壇的法事多遵循傳統例行風俗，致使民眾對於民間喪葬活動的宗教職事人員，普遍不會有明確的區分，所以民間才將這類宗教職事人員統稱為「師公」。

　　值得一提的部分，在於經辦喪葬法事活動的市場經營，釋教壇與道教壇往往有不同區域屬性的群體支持，即在於該地區的傳統例行風俗上，民眾習慣偏好由道教壇或釋教壇來經手負責。例如在嘉義靠山區的鄉鎮，當地民眾多習慣聘請釋教壇，嘉義靠海線的鄉鎮，則多習慣聘請道教壇，因為該地區長久的傳統習性，釋教壇或道教壇想跨入彼此的地區謀生經營時，較難以被當地民眾接受。但就臺東地區而言，因為臺東人口結構大多是由外縣市移入，而且來自臺灣的四面八方，尤其自八七水災後又有一波大量移墾潮遷入臺東，因此就喪葬法事活動的市場經營上，較不像西部地區的長久定型。例如在臺東地區的某一村落，居民大多從西部縣市的某一村落遷徙而來，這批新移民可能在原鄉的傳統風俗上，向來習慣聘請道教壇來經辦喪葬法事活動，但可能因為在新生地較難找到合適的道教壇，回原鄉聘請又有經費及距離的考量，因此居民即有可能考慮轉換聘請釋教壇來負責。以慧德壇為例，通常只要在該村落工作過一次，同時服務及專業受到當地民眾的肯定，在村內民眾口耳相傳之下，往後該村落的喪葬業務則多由他們所包辦，加上吳慶木時常與市區的金紙店互動交際（策略聯盟），偏鄉地區的民眾到市區採購時，多少得以透過金紙店的管道結識人脈，以此深入不同鄉鎮來開展業務，同時吳慶木亦會和不同群體屬性的民眾互動，以口碑和人脈拓線，慧德壇早期就是用這樣的經營模式奠基。〔註86〕因此就臺東地區和西部縣市的市場區隔比較，臺東可以說較不像西部縣市的傳統定型，臺東民眾對喪葬法事活動的選擇前提亦不在於釋教或道教，而是在於業者的經營手法、服務及專業口碑。

〔註86〕同註57。

第四節　小　結

　　本章總共分爲六個面向探討，首先，從釋教發展脈絡現況切入，以釋教會定義來探討釋教之形成，並進一步推論其宗教信仰發展的合理性，也依照現今釋教發展現況，其分布勢力以閩南系統爲大宗現況下，深入探討漳泉兩地文化輸入臺灣之後，閩南釋教在臺灣發展的文化差異現象。第二，從「司公」、「司功」與「師公」文字書寫差異，深入探討三者定義及文化考辨，同時對照臺灣喪葬文化發展軌跡，找出最符合喪葬宗教職事人員之書寫用字，以此爲立基點，從「司公」與「司功」說法差異進行考究。另外從文化角度切入，中國大陸民間長久以來發展的「師公」文化，確立宗教神職者的角色及功能，並分析「師公」、「司公」與「司功」三者的可能性，得出最適切之書寫用字及定義。第三，從釋教與佛教之對比關係，將兩者特徵做出分別差異，以釐清民間普遍認知混淆的錯誤現象，從信仰形成的差異點，提出雙方看似信仰重疊卻又各爲其宗之獨特性，並進一步探討香花僧對釋教文化形成之重要性，以論證泛佛背景的釋教不直接等同佛教的認知。第四、從釋教與齋教龍華派的比較關係，將兩者特徵做出分別差異，以釐清民間普遍認知混淆的錯誤現象，從文化形成差異點，提出雙方在看似文化重疊之發展背景，發展進程相附相依之現象，並深入探討兩者之間的不同，同時亦進一步釐清齋教俗民文化發展，對釋教在民間認知之影響程度。第五、從佛教與齋教兩者之間的存在關係，探討釋教自我認同偏屬，先就法脈認同差異上，論述釋教溯源及依歸的基本定義，並進一步從社會觀察角度，分析佛教、齋教龍華派、與釋教三者之間，時代進程下臺灣泛佛信仰群體的殊異，藉此以突顯釋教在泛佛信仰中之獨特性。第六、從釋教與道教的比較關係，在兩者信仰極端發展背景下，探討民間對兩者各取所需之相融現象，站在此一觀點，先從中國大陸民間泛佛與泛道信仰相融，論證民間佛道歷經時代發展而相輔相承之合理性，同時對照臺灣現今釋教壇與道教壇的互動交流現象，呼應民間對於喪葬儀式的需求性。

第三章　釋教文化與儒家思想之融攝

第一節　儒家思想與宗教議題論述

　　深入研究釋教師公文化，可以看到釋教提倡傳統孝道精神，一方面孝道精神是漢民族文化的美善價值，另一方面亦可說明釋教文化受到儒家思想影響。然而釋教文化多少受到佛教、道教、齋教龍華派等大小宗教融合影響，故在論述釋教文化和儒家思想兩者互動影響之下，儒家究竟是以宗教形態滲入其中，抑或者是以哲學思維模式導入，皆是需要說明的部分。或許可以說哲學採取思辨的方法，宗教走的是信仰的道路；哲學從理性方面做出解釋，宗教從情感方面給以滿足。〔註1〕故儒家思想之哲學化與宗教化觀點探討上，以及釋教對於儒家文化之吸收，都是值得進一步關注之焦點。從兩個面向來探討，分別為「哲學層次」及「宗教功能」，說明儒家思想在這兩方面的作用。

一、哲學層次

　　儒家思想是漢民族文化哲學，其思想亦影響到東亞、甚至全世界，最大特點即在於人透過現實自我修為以惕勵言行，達到形上精神超越之層次。儒家思想的哲學功能和宗教功能經常重疊混淆，我們雖然不能排除儒家思想有其宗教功能性存在，但亦不能因而否定儒家思想的哲學功用。必需強調信仰並非一定要泛宗教化，兩者之間最大差異即在於人民對於信仰價值之尋求過

〔註1〕 李錦全：〈是吸取宗教的哲理，還是儒學的宗教化〉，收錄於任繼愈主編：《儒教問題爭論集》（北京：宗教文化出版社，2000年11月），頁133。

程，就達成的路徑而言不走否定現實人生的路，而是走道德實踐的路，以此
融通種種超越的信仰，把宗教的價值轉入人的生命之中。生命心靈由「經驗
的我」到「理性的我」到「超越的我」，心靈境界由「客觀境」到「主觀境」
到「超主客觀境」，次第升進，不斷超越。每一重境界對生命也是一種限制，
但生命心靈具有不斷自我超越、自我提升的本性。〔註2〕強調儒家信仰尋求路
徑和一般宗教不同，故有人認為儒家思想本身已經超越宗教，甚至取代宗教
價值給予人的教條規範，因為它從哲學層次的自我實踐進路，替代宗教層次
的教規強迫認同的準則。所以儒家思想最大的發揮作用，即是在於它從體制
上的規範轉化成精神上的內涵，漢人社會歷來透過倫理來維繫社會與人群，
以非宗教的形式來穩定人生，說明儒家思想取代宗教的可能性。

　　儒家思想的哲學層次，是以道德為主體之信仰價值融入生活態度的一種
內化，基本體現就是突出人在道德實踐中之能力，將道德實踐提到至高地位，
強調個體在道德自省自律與道德實踐上的主體性、自覺性；以道德信仰代替
宗教信仰，以道德自省自覺替換宗教強制。〔註3〕西方宗教在道德上之差異
性，神與道德是緊緊相繫之共同體，神話故事另一個功用即是強化和道德主
體之連結，所以道德追尋的同時也不得不信奉神；但儒家思想道德是普遍性
的文化共念，因為道德之追尋只需要透過自我實踐與修為，並不需要同時信
仰神本身的存在。所以儒家思想傳達的道德即是一種普世價值之實現，這一
普世價值即是倫理的認同與實踐，從哲學觀點上探討，宗教和倫理本身並不
存在必然邏輯聯繫，如果可以把倫理劃分為宗教倫理和世俗倫理的話，那麼
我們所謂宗教倫理在很大程度上不過是世俗倫理在宗教傳統中的反映。〔註4〕
基於如此可以發現，雖然宗教談的倫理和儒家談的倫理兩者信仰進路不同，
但最終的結果都在於德道之追求，所以兩者之間部分文化重疊，亦使宗教文
化無形中受到儒家思想影響，而儒家同時亦被泛宗教化。但是儒家的入世精
神，它把對倫理道德的實踐，視為人生的必然要件，儒家的倫理道德在民間
社會被廣泛接受，同時在民眾身上形成制約，使得民眾自然的依循這種道德

〔註2〕郭齊勇：《儒學與儒學史新論》（臺北：臺灣學生書局，2002年），頁256。
〔註3〕賴功歐：〈儒家「以道德代宗教」的思想特質及其現代反思——兼論現代新儒
　　　家的「人文宗教」觀〉，《江西社會科學》第2008卷8期（2008年8月），頁
　　　73。
〔註4〕劉玲娣：〈漢魏六朝道教的孝道〉，《南都學壇》第27卷1期（2007年1月），
　　　頁40。

自覺。

　　因爲漢民族文化對儒家天道觀的重視，只要當人民內心遭遇不順遂或疑惑之事，便會祈求上天的寄託與協助，祈願模式如同漢人對上天的形象客體化爲老天爺。〔註5〕由於形成老天爺之客體形象存在，舉凡人在世間所有言論行爲都將受到道德規範的審度，所以儒家不必學習其他宗教外在形式，卻必需堅持其內在宗教精神，滿足人們終極關懷與安身立命之根本需求，在完備理論的指導下，還要能確實帶領現代民眾反躬爲己而心安理得，這是需要轉化的生活運動，將仁心本性充量發展而至乎其極，它需要強烈的宗教情操來帶領與啓動。〔註6〕亦同奉行儒家思想的哲學之道，實踐道德倫理至於世間，自然可以離聖人階層愈來愈近，以宗教情操帶動信仰本質，藉著形上精神的超越，達到自我修養的內涵質變，體現天人合一的層次。從儒家思想的哲學義理角度而言，對於形上道德必需透過自我實踐的作爲，才能達到內心超越之層次，對於一般人而言並非可以輕易達成，生活於社會底層的普通民眾則爲日常瑣事所困擾，很難時時刻刻與弘揚理性主義和人文精神經典文化保持一致，致使民眾思想意識較難實踐儒家經典文化。典籍閱讀的困難性導致民眾對其疏離，經典理性指導與民間非理性選擇，在兩者相互交錯和彼此滲透作用下，生活於世俗社會的人們爲了在心理上補償缺憾而打破儒家經典文化的制約，轉向宗教信仰尋求精神寄託與心理安慰。〔註7〕民眾轉向宗教尋求精神寄託，並試圖尋找與儒家思想共鳴的可能性，於是在宗教文化中亦可看到儒家談論的人情事理，更是說明儒家思想以超越宗教之形式，深入到漢人文化的精髓。

　　儒家思想以宗教情操內化進入人民的信仰，以超越宗教以外的哲學層次帶領人民實踐道德倫理，以道德宗教的姿態進行孝悌和禮樂的落實。不管從哲學或者宗教層面論述，孝悌和禮樂的文化思想，確實深刻的影響漢人文化。雖然儒家沒有像佛、道般有組織形式或有特定的聚集場所，但儒家對於理想

〔註5〕吳信漢：〈從哈布瓦赫集體記憶理論探討大甲鎮瀾宮的型塑〉，收錄於中華河洛文化研究會、中華僑聯總會編《河洛文化與臺灣文化》（鄭州：河南人民出版社，2011年4月），頁91。

〔註6〕鄭志明：〈唐君毅與牟宗三宗教觀的比較〉，《鵝湖月刊》第423期（2010年9月），頁40。

〔註7〕李晴：〈被世俗理性利用的神靈們——淺析儒家文化對中國民眾宗教信仰的影響〉，《河南理工大學學報》第7卷3期（2006年8月），頁255。

上的追求、內在超越，其精神內涵是具有宗教性的。倫理道德是儒家思想的基本特徵，仁、義、禮、智、信五種德行為基本準則，以「仁」為核心由此擴大，而君臣、父子、夫婦、兄弟、朋友為範的人倫關係。〔註8〕或許可以說站在漢人文化的生活圈，舉凡與漢人有關之文化特性皆無不受儒家哲學的影響，在各個宗教之間，儒家哲學甚至成為互不否認的基礎理論，以超越宗教的層次，消除宗教之間的衝突。因為就歷史流變來看，至少不曾有人為了儒家宗教存在之合理性，發生類似西方十字軍東征等宗教戰爭，因為不管是站在宗教或是哲學之觀點，只要道德之超越性與天命觀念相互融合，並著重人類之內在道德生命的涵養，透過踐仁與克己復禮的功夫便可以達到。〔註9〕本文所要探討之釋教師公文化，其宗教面貌有大量儒家孝道精神文化，都是透過相互融合之途徑教化世人，讓世人有感於道德自省，同時引發漢人文化中對儒家思想之共鳴。

二、宗教功能

儒家思想雖然已成一家之言，並長久的深入漢人文化精髓，究竟儒家是否足以成為一個宗教，這是長久以來爭論不休的議題。認為儒家即為儒教者以任繼愈和李申為主力，並撰寫大量學術研究發表論述，雖學界不排斥儒家思想有其宗教功能在，但普遍不認為儒家即為儒教。從一家之言是否足以成為宗教，王怡仁根據宗教各派較為一致的觀點，整理出宗教至少具有以下幾個基本要素：

     一、宗教經典與主張。

     二、宗教主張首倡者及其隨從者。

     三、宗教組織。

     四、崇拜行為與對象。

     五、修證生活。

     六、教團制度。〔註10〕

〔註 8〕羅莞翎：〈試論〈伍子胥變文〉儒家思想與宗教信仰〉，《有鳳初鳴年刊》第 2 期（2006 年 7 月），頁 384。

〔註 9〕王怡仁：《中國先民敬天宗教觀與先秦儒家敬天文化之探討──兼論當代社會天心之失落》（臺中：東海大學宗教研究所碩士論文，2004 年），頁 113。

〔註 10〕同註 9，頁 10。

　　就儒家系統而言，儒家思想在前面五項皆有類似功能性存在，在最後第六點部分則有待商榷，因為儒家確實沒有一定的組織教規奉行儒家信仰。有人認為儒家即為宗教，或許關鍵在於儒家強調天的存在，但是這種天道的運行，還必需透過人的努力實踐，道德自省則是最佳的實踐方式。所以儒家強調的「天人合一」關係，對照西方社會的道德是建築在神的本體，即西方宗教的「神人共體」關係，都可以看到人與天（神）的緊密關係，因此儒家思想看似有宗教意涵。站在天、人、神三者之間對應關係而論，楊仲揆認為儒家教義是否足以為宗教，至少進一步要有下列解釋，分別為對天的解釋、天與神關係的解釋、人神關係的解釋、人間關係的教條（人倫道德）及死後世界的假想。〔註11〕可以瞭解儒家雖然強調並認同天與鬼神之存在，但最大差別即在於儒家以理性真知勉勵人之自我修為，達到與天連結之並存，雖然相信有鬼神存在，但並不過份迷信於鬼神與人存在之關係。站在此一立基點，既然不過份迷信於鬼神，儒家自然也不需要過份解釋人神或人鬼關係之論述，故信仰價值只需建立在理性真知而非人物崇拜，團體教規之約束自然亦無其必要性，認同天與鬼神存在的同時，卻又強調人的入世修為與實踐，自然亦無需死後世界之假想。

　　從另一觀點探討，很多人認為儒家本身就是一個宗教之形態，雖不強調過份迷信，但儒家重視且強調死亡與祭祀〔註12〕，其文化淵源亦影響漢人信仰文化精髓，上至君王，下至百姓，對於祭天、祭祖、祭聖賢之觀念，儒家思想都給予正面之提倡。從宗教立場而言，民眾祭祀的部分因素在於畏懼或祈願，以此表達對無形空間避而遠之及誠服的心態。但儒家對於祭祀的訴求，則是在於對前人的知恩報本，慎終追遠的感懷大於畏懼祈願的態度。其說法只能說明儒家思想本身有其宗教功能存在，但要片面解釋儒家即為宗教則過於牽強，因為儒家思想宗教功能的巧妙之處，即在於它是以其文化性之論述來散播它的理想，所以千百年前中國本土尚未有宗教之時，人民亦未皈依任何一宗教的信仰時，對於儒家提倡祭祀之文化模式即已在奉行。也由於儒家本身存在之宗教功能，使得它得以容易被其他宗教的融攝與吸收，這亦是儒家思想之文化特性，所以說中國文化不走宗教的路，並不表示中國文化排斥宗教，而是說中國文化轉化成宗教之形式，卻融攝宗教之真理，使宗教和道

〔註11〕楊仲揆：《儒家文化區初探》（臺北：國立編譯館，1994年），頁387。
〔註12〕蔡仁厚：《儒家哲學與文化真理》（香港：人生出版社，1967年10月），頁130。

德通而爲一。「祭祀」是宗教的要素之一，儒家「祭祀」則納入到「禮」的範疇之中，這固然表示「攝宗教於人文」，但反過來說，作爲行爲準則、生活規範的「禮」，既然包含有「祭禮」，這就表示儒家的「禮」，不只是倫理的、道德的，同時也是宗教的，要瞭解儒家道德與宗教通而爲一的性格，祭禮就是一項具體的佐證。〔註 13〕因此任何宗教在中國散播傳遞的同時，亦不得不意識到漢人文化之共性，故在宗教思想融攝過程中，儒家思想成分爲何得以如此重要之原因，其現象在民間宗教更是明顯。

　　從西方「religion」的宗教觀點進行議題探討，就儒家是否爲哲學或宗教，本質上並不存在爭議，因爲「宗教」一詞不見於中國古籍，而西方式的宗教（religion）是過去中國人感到完全陌生的東西，故此有人推論中國傳統根本缺乏宗教。〔註 14〕中國古代的儒釋道之爭，與其說是是非高低，不如說是對理性眞知之價值爭辯，因爲誰也不想讓自己的哲學地位居於弱勢之一方。所以儒家之所以要成爲儒教之爭議，或許並非如此重要，因爲就算儒家不是宗教，它所倡導的理念與價值早已成爲漢人文化之重要元素，即便是儒家成爲儒教，亦無法對其價值理念有再更大幅度之提升，因爲它所跨越之層次包涵哲學、宗教、文化、教育等，其廣泛程度已難以想像。相信有人將儒學與儒教劃上等號，並非完全要將儒學泛宗教化，而是著眼於要發掘「宗教」的內涵，想要把儒學解釋爲宗教，想要在未來使儒學以西方「religion」的形態發揮對人「終極關懷」的作用。〔註 15〕儒家對於終極關懷的作爲，乃在於一種自然情感的呈現，對於即將逝去或急需救援協助的人，所展現的一種至人精神，那是一種更上層、更純淨的心靈思想，有時更能深入人心。而在各個宗教之間，這正是他們所長久付諸實踐的道路，藉由終極關懷的方式來開展宗教（家）的格局，若說這是儒家從自身爲宗教的立場來談論終極關懷，其實是不同的切入角度。

　　在現今學界普遍不排斥儒學具有宗教功能前提下，可以說儒家是否得以建立一個絕對宗教，必然不是最重要之課題，重要的是儒家思想之價值理念是否得以傳續，在傳續過程中經過宗教包裝或非宗教包裝，其過程可能都沒

〔註 13〕蔡仁厚：《儒家思想的現代意義》（臺北：文津出版社，1987 年 5 月），頁 362。

〔註 14〕劉述先：《當代儒學論集：傳統與創新》（臺北：中研院文哲所，1995 年），頁 14。

〔註 15〕李慶：〈「儒教」還是「儒學」？——關於近年中日兩國的「儒教」說〉，《深圳大學學報》第 24 卷 4 期（2007 年 7 月），頁 11。

有所謂之絕對是非。儒家思想具有強烈宗教成分，決定過程即在儒家思想對於漢人文化千百年來之影響滲透，展現在時間性的歷史文化傳承之中，又展現在空間範疇的無限推擴之上。這種宗教性存在於「個人性」的「體驗」工夫與境界之中；而且這種「宗教性」與「禮教性」溶滲而爲一體。〔註16〕在論述中亦看到哲學與宗教往往是一線之隔，哲學思想便要結合宗教信仰，以答覆現在民族和國家的需要，形上學也需要宗教信仰作根基。〔註17〕更可以說明儒家思想不是一個絕對宗教之姿態立足呈現，它具有宗教功能但未必能完全提供滿足人間之宗教需求，畢竟宗教要有它的神學，追求彼岸（另一個神秘超越的世界）及崇拜超人間的力量。而儒學是人學，不直接回答生死前後和鬼神的問題，只關注現實人生，如何提升道德，優化人際關係，建設人間康樂、和諧、有序的理想社會。〔註18〕故而回歸民間宗教在社會的發展，因爲它不同於正信宗教的形成姿態，道德本體的建立往往與儒家思想結合，以此呼應與民間社會的互動及需求。對應釋教師公文化的形成，可以說它其中所蘊含的儒家思想特徵，並非是要以此過度放大儒家宗教功能，而是透過兩者合一的方式，以釋教科儀去處理鬼神問題，當然亦包含亡者後續處理之問題，對於現實人間之問題，以道德教化功能直接面對，兩者相輔相成以達到信仰價值最大化。

第二節　泛佛信仰與儒家思想之會通

　　釋教以泛佛信仰爲主體，同時融合其他文化，故在探討儒家思想文化對釋教之影響時，首先從佛教與儒家兩者之間的影響關係進行討論，進而再深入探討泛佛信仰之一的釋教，以民間宗教之形式作爲發展，進而與儒家思想結合之意義與特色，最後推論出民間宗教彼此之間的相互融攝，其關鍵發展在於以漢人文化爲基礎前提，最終將以儒家思想爲依歸。以下從三個面向來探討，分別爲「佛教與儒家的融攝與衝突」、「閩南釋教信仰之民間化特色」

〔註16〕黃俊傑：〈試論儒學的宗教性內涵〉，《臺大歷史學報》第 23 期（1999 年 6 月），頁 407。

〔註17〕羅光：《儒家哲學的體系》（臺北：臺灣學生書局，1983 年），頁 326。

〔註18〕牟鐘鑒：〈儒學非哲學非宗教，有哲學有宗教——儒學是什麼樣的學問？〉，收錄於蔡德麟、景海峰主編：《全球化時代的儒家倫理》（北京：清華大學出版社，2007 年 2 月），頁 277。

及「民間宗教信仰之儒家依歸」，說明儒家與泛佛思想上的會通。

一、佛教與儒家的融攝與衝突

最初佛教由印度東傳中國時，在思想方面，佛學思想亦與魏晉玄學產生極大的對抗〔註19〕，在政治方面，佛學即與儒學相爭帝王的尊寵，在世局動亂的年代，人們將心願寄託於無形思想以求得慰藉，一家學說究竟能否贏得人民內心之認同，更是左右學說興盛之關鍵。對於漢朝後便開始被獨尊的儒家而言，佛教思想的傳播亦面臨極大挑戰，加上中國本土自生之道家思想與道教，更是形成與佛教三足鼎立之情形。佛教在彼此吸收、排斥的過程中，對於儒家思想之吸收比重更大，因此便形成以儒學解釋佛學思想的面貌：

> 在魏晉時，佛教徒習慣於用玄學的理論來解釋佛經。到南北朝時，儒學的影響又逐步回升，佛教徒又極力迎合儒學，逐漸形成了以儒釋佛的傳統。如北齊的魏收以儒家的「五常」來解釋佛教的「五戒」。他說：「五戒，去殺、盜、淫、妄言、飲酒，大意與仁、義、禮、智、信同，名爲異耳。」（《魏書・釋老志》）治儒學的顏之推則更爲明確地說：「內典初門，設五種禁，外典仁義禮智信，皆與之符：仁者，不殺之禁也；義者，不盜之禁也；禮者，不邪之禁也；智者，不酒之禁也；信者，不妄之禁也。」（《顏氏家訓・歸心篇》）將「五常」與「五戒」一一對應起來。梁朝和尚僧順著《釋三破論》，把儒家仁義忠孝觀念融入佛理，他說：「釋氏之教，父慈子孝，兄愛弟敬，夫和妻柔，備有六睦之美，有何不善，而能破家。」說佛教教義中自有仁義忠孝之道，這純粹是把儒家的忠孝觀念直接搬到佛教的說教之中。這種以儒釋佛的傳統的形成也可以在下述的事實中得到說明，即不少僧侶出家前皆曾研習過儒家經典，許多佛教徒出家之後仍兼習儒經，博通五經。如著名僧侶慧遠出家前就已「博綜六經」，又如道安出家前「五經文義，稍已通達」。〔註20〕

因此佛教作爲一外來宗教，之所以能廣泛傳播並發展成爲中國第一大宗

〔註19〕張麗珠：《中國哲學史三十講》（臺北：里仁書局，2007年8月），頁280。
〔註20〕湯一介、張耀南、方銘主編：《中國儒學文化大觀》（北京：北京大學出版社，2001年1月），頁375。

教，這與佛教的本土化策略密不可分，其中關鍵便是與儒家倫理的會通，尤其對儒家孝道思想的吸收。〔註21〕儒家孝道精神之提倡，確實是漢人文化根深蒂固之概念，百善孝為先之理念亦是漢人千百年來的傳統，佛教所以吸收孝道思想之原因，亦在於佛教遭人批評不講孝道，孝道的思想乃是儒家倫理思想的核心內容，然而佛教的一些戒律儀規卻與儒家傳統的孝道思想，產生了直接的矛盾和衝突，剃髮出家、辭親割愛、棄妻絕嗣等行為，往往被冠以「不孝」的莫大罪名，成為儒佛之爭的焦點問題。〔註22〕佛教思想遭批評為不孝，因此才進而對儒家思想有所吸收，但是就本質上而言，儒家思想的存在是在於解決世人現實之問題，雖然有宗教功能卻不全然行宗教之實，因為它無法提供世人宗教寄託的需求。或者說儒家思想在部分層面並非完全能讓人接受，所以在這樣的情形之下，吸收其他學說或宗教思想，亦是不足為奇之事。或者說儒佛兩方彼此相互吸收優勢，運用並發揮彼此的思想特性，因為通過佛教，孝道被賦予宗教信仰之巨大力量，尤其佛教因果報應思想之廣泛傳播，警策和促發民眾的道德自律，對世俗社會產生強烈吸引力和巨大威懾力，儒家綱常名教的社會功能和政治功能則借助佛教得到進一步強化。儒家孝道與佛教孝道交織在一起，相輔相成，共同擔負著教化世俗的使命，在維護社會秩序、提升個體道德方面相得益彰。〔註23〕

儒家思想雖然講求慎終追遠，提倡以祭祀的模式達到不忘祖先之作為，但是明白慎終追遠只是呼籲世人對先人有所作為之理念，在本質上儒家之理念還是在於處理人生現實的問題。儒家思想之道德提倡，雖然希望人人以自身實踐作起，但是對於那些不實踐道德或為非作歹的人而言，除了以人間法律懲罰與祈求上蒼主持公道之外，並無其他解決辦法，但是在佛教傳進中國之後，一般人開始將希望由此世轉向另外一世。除此之外，一般人對於未曾獲得善終之親友，亦期望他們有機會可以獲得善終，雖然他們的無法善終已然是個事實，但仍希望有補救之道，這是儒家思想過去所沒有進一步處理的部分。由於儒家思想無法提供人全部的需求，於是乎傳統禮俗之作為從過去的祖先道德國度溢出，轉而結合佛教的作七與道教的作旬，進入佛教的輪迴

〔註21〕 韓坤：〈衝突與對話──早期佛教對儒家孝道思想的融會〉，《萍鄉高等專科學校學報》第 27 卷 5 期（2010 年 10 月），頁 57～58。

〔註22〕 同註 21，頁 58。

〔註23〕 朱嵐：〈論儒佛孝道觀的歧異〉，《世界宗教研究》第 2008 卷 1 期（2008 年 3 月），頁 47。

（淨土）與道教的輪迴（仙界）的宗教國度之中。〔註 24〕儒家提倡道德實踐的同時，希望世人可以從現實生活中做起，對於違悖道德的人而言，佛教的因果論與輪迴思想亦能帶給世人警惕之作用；同時對於發揚實踐道德的人而言，不僅能達到像儒家聖人層次的美善其身，佛教學說亦能給世人現實生活或來世應有補償作用。佛教雖然帶給世人宗教之寄託，以達到現實生活之精神慰藉，但是吸收儒家孝道精神，亦使世人信仰佛教的同時卻又不過份脫離現實；即便世人沒有皈依佛教之信仰，但是因為佛教吸收儒家孝道傳統，使世人亦不過份排斥佛理，在部分層次亦能認同其理念，佛教就此深入漢人文化。

　　儒學和佛教彼此之間就是一個良性競爭的存在，因為儒學在排佛、辟佛的同時，也不斷地從佛教中汲取營養以充實和完善自身；佛教方面無論是主張以儒釋佛，還是提倡以佛統儒，都為融合儒、佛做出了貢獻。〔註 25〕儒家雖有其宗教功能存在，但是學術界普遍認為儒家姿態更甚儒教；同時佛教信仰之出世生活，有時亦讓人感覺過於脫離現實，這亦是佛教受人詬病之處。暫且擱置儒佛之間的爭議，儒家是否為其宗教，抑或者佛教是否過於脫離現實，這些爭辨並非如此重要，因為就一個入世思想和出世信仰之對立存在，千百年來早已在漢人生活圈彼此融合，儒學不足之部分讓佛教來替代，同時也藉由佛教來發揚儒家之思想；同時佛教不足之部分，亦讓儒家思想補強，並藉由吸收儒家學說來壯大自己精神。彼此有各自之功能性與屬性，對民間社會發展亦是各取所需，而這更是儒佛在漢人社會並立千百年來，彼此都能和平發展，同時又能各得其所之重要關鍵。基於此在佛教信仰或泛佛信仰中，時常可在裡面看到儒家思想的影子；同時儒家思想的提倡，美善罪惡的因果報應亦深植漢人文化之內心，儒佛共同體之相互依存，其實亦為漢人社會及文化帶來正面示範作用。

二、閩南釋教信仰之民間化特色

　　前面說明民間宗教和儒家思想發展關係，在釋教作為一個泛佛信仰又同時兼容儒家思想之民間宗教，其發展特色亦和一般正信宗教有所區隔，由於

〔註24〕邱達能：《先秦儒家喪葬思想研究》（臺北：華梵大學，東方人文思想研究所博士論文，2009 年），頁 195。

〔註25〕馬振鋒：《儒家文明》（北京：中國社會科學出版社，1999 年 9 月），頁 280。

民間宗教和各個宗教之間的相融消長，以及對神靈、信仰真理不同之詮釋方式，就藝術價值而言，民間宗教與正信宗教即有不同的特色：

一、神話傳說。

二、說唱與戲曲。

三、雕像繪畫。〔註26〕

在民間宗教的神話傳說部分，釋教自來即有非常濃厚之民間文化色彩，其一為目連救母故事，以目連母親因為殺狗開葷為由，被閻王差鬼卒之抓到地獄凌遲，目連領佛旨而捨身入地獄救出母親，其神話在釋教的「挑經」、「打枉死城」和「打血盆」科儀當中，皆被引用至法事科儀中之戲劇表演，以此象徵子女感念父母恩德，救父母出離地獄之寓意；其二為唐太宗遊地府之故事，民間流傳閩南釋教之起源，為唐太宗甫掌天下之時，制度未明確建立，朝野官員便建議李世民不要外出，對外謊稱病重駕崩。官員利用舉國治喪期間擬定制度規章，編擬完妥便請李世民出宮，並對外謊稱去遊地府，目睹為非作歹之人受盡凌虐處罰，故籲百姓行善助人，遵守法律規範，推廣政令時又於各地設立佛壇，藉由主持喪葬拔渡法事以教化人心，使百姓向佛；〔註27〕其三則為釋教「弄鐃」之傳說，為梁武帝好佛，拜誌公和尚為國師，終日持齋聽佛而不理朝政，引起皇后郗氏不悅，故欲以狗肉饅頭來破誌公佛戒。誌公知悉，乃敲擊「藍鈸鼓」求救於梁武帝，梁武帝一怒把郗氏貶作蟒蛇，後來郗氏顯化蛇身以告哀慘，梁武帝念在夫妻情份，遂請求誌公誦經為郗氏超渡。另一種說法是「弄鐃」原為十八羅漢中的弄鈸羅漢的看家本領，專用鐃鈸聲來驅邪除惡，並以鐃鈸展演十八種降妖除魔的招式，故又稱「十八羅漢步」。〔註28〕

〔註26〕孔慶茂：〈中國民間宗教藝術初探〉，《江西社會科學》第 2008 卷 2 期（2008年 2 月），頁 227～228。

〔註27〕楊士賢：《臺灣釋教喪葬拔渡法事及其民間文學研究——以閩南釋教系統為例》（花蓮：國立東華大學民間文學研究所博士論文，2010 年），頁 33～34。

〔註28〕楊士賢：《慎終追遠——圖說臺灣喪禮》（臺北：博揚文化，2008 年 11 月），頁 165～166。另外十八羅漢說法眾多，分別有：降龍尊者、伏虎尊者、長眉尊者、布袋尊者、獻香尊者、開心尊者、誌公尊者、目蓮尊者、達摩尊者、進花尊者、梁武尊者、進燈尊者、戲獅尊者、老僧尊者、飛鈸尊者、悟道尊者、進果尊者、觀經尊者；降龍羅漢、伏虎羅漢、長眉羅漢、布袋羅漢、坐鹿羅漢、舉缽羅漢、過江羅漢、靜坐羅漢、看門羅漢、探手羅漢、沉思羅漢、騎象羅漢、歡喜羅漢、笑獅羅漢、開心羅漢、托塔羅漢、芭蕉羅漢、挖耳羅

　　在民間宗教之說唱與戲曲部分，釋教科儀之進行，具有非常濃厚講唱型式，一方面藉由講唱方式達到勸世作用，另一方面爲部分釋教科儀以戲劇方式呈現，不僅能讓整場活動更加生動之外，同時能使民眾對勸世眞理印象深刻。然而在釋教之說唱及戲曲中，音樂擊奏皆是以南曲和北曲相互搭配，使用上亦有不同之分別：

> 南曲屬於節奏慢、悲傷的，法師在靈桌前以哭靈的唱腔方式悼念亡魂；如果是北曲大部分用於科儀開始之前的扮仙，它是屬於熱鬧的。北曲它有鑼點，會用鑼、鈸和嗩吶把科儀熱鬧起來；而南曲從開始唱到結尾，幾乎沒有鑼點只有鼓。南曲的旋樂上，注重二胡或揚琴，北曲則是注重嗩吶。〔註29〕

　　釋教科儀會如此重視音樂，會因爲不同場合而選擇不同曲風呈現，除了戲劇效果不同而有所變化之外，在唱詞搭配上亦可分爲兩個面向，其一爲對世人之教化唱詞，音樂旋律呈現較爲彈性且活潑，其二爲對亡者之追悼誦文，類似於釋教神職者和亡者之間的對談，故唱詞會搭配較悲傷之南曲。而民間宗教之雕像繪畫部分，在釋教科儀進行的法壇上，周圍會亦會掛上釋迦牟尼佛、阿彌陀佛、彌勒佛、文殊菩薩、普賢菩薩、觀世音菩薩、地藏王菩薩、阿難尊者、迦葉尊者、韋馱尊者、伽藍護法、降龍尊者、伏虎尊者等手繪漆像。同時亦有十殿冥官之秦廣王、楚江王、宋帝王、伍官王、閻羅王、汴城王、泰山王、平等王、都市王、轉輪王的手繪漆像在法壇之上，其組合模式除了釋迦牟尼佛之外，大多無硬性規定。〔註30〕懸掛十殿冥官之手繪漆像亦是釋教普遍共識，亦有帶給世人警惕和教化的作用，奉勸世人諸惡莫做。

　　就釋教的民間化特色，許多神話說法流傳於民間，對一個宗教的存在而言，神話必然是神職者信仰堅定及民眾信仰認同的依據，因此神職者在釋教領域的傳承上，若是釋教職能技藝僅是他們謀生的工具，他們又用何種角度來看待釋教在民間傳承的神話，即便這些神話沒有具體例證和歷史記載，但卻是他們堅定信仰及職業投入的最大動力。就宗教角度而言，神話的創造來自於對信仰的認同，就民間需求角度而言，神話的創造來自於對行業的認同，

漢：賓度羅跋囉惰闍、迦諾迦伐蹉、迦諾迦跋厘惰闍、蘇頻陀、諾距羅、跋陀羅、迦理迦、伐闍羅弗多羅、戌博迦、半託迦、羅怙羅、那伽犀那、因揭陀、伐那婆斯、阿氏多、注茶半託迦、嘎沙鴉巴、納答密答喇。

〔註29〕2011 年 5 月 22 日 15:00～17:00，於臺東市慧德壇，訪談吳信和先生。
〔註30〕同註 27，頁 108～112。

雖然兩者都因此而接受釋教神話，但差別在於釋教神職者身為現實和彼岸世界的中介者，在學藝傳承過程對於無形空間的驗證，會影響他們對信仰堅定與行業認同的態度。吳信和從過去經驗及體悟下，認為釋教神話即是「玄妙」，因為進行法事科儀再透過亡者親屬的驗證，時常可以感受到無形的信仰力量發揮，這些東西亦無法透過科學來解釋，這種神話即是一種玄妙，例如在吳信和進行「燒庫錢」科儀後，從來沒有聽聞親屬抱怨亡者託夢未收到庫錢，以及過去進行「引魂」科儀召請亡魂時，幾乎第一擲即有聖杯，唯一一次例外是刻意將科儀做法稍做變化來實驗，偏偏卻擲不出聖杯，這些玄妙經驗亦說明自身對信仰的堅定。〔註31〕

　　由於家族傳承及謀生的考量，吳信和說明在學習的初期，對於這種玄妙經驗的感受較不明顯，僅只能就經懺文字而思考，及至工作經驗的累積，這種玄妙經驗的感受才逐漸加深。初期就經懺文字的懵懂參悟，亦曾懷疑過信仰力量的存在，但是隨著透過亡者及其親屬的靈驗經驗，才漸漸強化信仰存在的堅定立場，如同達摩祖師只傳心法，不立文字，信眾僅能就心法意念想像參悟，得出一套屬於自己的神話解讀，就無形存在而言，神話或許真的是一種難以想像的力量，但就有形存在而言，神話亦可以是自我信心的強化。因此吳信和認為不論是宗教或職業，他都相信釋教神話的存在，無形認同的是信仰，有形認同的是自我信心，因為只有相信釋教的做法，工作投入的自信心才會提升，民眾看到釋教神職者堅定態度才會放心，不僅肯定吳信和的工作能力，同時也肯定師出自吳慶木的傳承，奠定慧德壇在地方立足的聲望。〔註32〕

三、民間宗教信仰之儒家依歸

　　談到民間宗教和儒家文化兩者之間關係，因為儒家道德思想在民間的通俗性，進而深化成為漢人思想文化的傳統，使得宗教在民間社會的發展上，儒家的道德典範成為普遍公認的制約。以泛佛信仰之一的釋教為例，它所訴求的道德規範兼容儒家思想，因此釋教談論的道德標準，相對亦受到民間社會的認同接受，只要民間社會支持它的力量存在，釋教民間化的發展特性，往往可以看到這些現象：

　　　　一、是在下層群眾中自發產生的宗教

〔註31〕2012 年 5 月 13 日 21:00～22:00，於臺東市慧德壇，訪談吳信和先生。
〔註32〕同註31。

二、與一個國家或民族的傳統文化有著極其密切的關係。

三、具有濃厚的民俗性。

四、信仰來自多種傳說的和宗教的渠道，因此民間宗教沒有一成不
　　變的內容。〔註33〕

　　民間宗教之特色便是與民間的文化、習俗連繫較強，因為信徒強調集體
的歡騰〔註34〕，這和正信佛教的慶典儀式，強調殊聖、莊嚴的場面氛圍有所
不同，對照釋教的民間化特色，以及釋教與社會民眾的互動，亦是呼應民間
的集體歡騰。故而相對整體泛佛信仰而言，釋教往往不被認為具有正統性，
因為就佛學思想的差異，釋教不及佛教純粹，釋教民間化融合多種色彩元素，
所以就民間宗教的藝術特點而言，在釋教亦可看到這樣的現象：

一、非正統性。中國主要的正統教派是儒、道、佛三家。儒家不
　　是單一的宗教，但儒家的政治文化中含有政治的因素，政教
　　合一。

二、三教合一。中國民間宗教的形成往往是正統宗教的世俗化與民
　　間化，如佛教、道教被民間下層百姓接受改造，成為世俗化、
　　民間化的佛教、道教。被受影響很深的儒教影響很深的下層百
　　姓，特別是並沒有多高文化的百姓吸收改造，就成了兼有儒、
　　道、佛三教烙印的民間宗教。

三、世俗性。中國民間宗教的信眾，應該是世俗的居家之人。這一
　　點至關重要。

四、地域性。中國民間宗教的主體都是中國古代的下層人物，文化
　　水平有限，也沒有正規統一的組織，都是一些相近的村民自發
　　組織的，帶有很明顯的地域色彩。〔註35〕

　　從上述民間宗教之特性，對照釋教之文化特色，確實可以看到許多相似
之處，以釋教為例，他們自認與佛教、道教有著不同之信仰進路，因此在崇

〔註33〕馮佐哲、李富華著：《中國民間宗教史》（臺北：文津出版社，1994 年），頁 8
　　　　 ～10。

〔註34〕涂爾幹（Émile Durkheim，1858～1917）認為「集體歡騰」是人類文化創造力
　　　　 的溫床。轉引自莫里斯‧哈布瓦赫（華然、郭金華譯）：《論集體記憶》（上海：
　　　　 上海人民出版社，2002 年 10 月），頁 43。

〔註35〕同註 26，頁 226。

奉神祇和講唱內容方面都有明顯不同。前一章提及釋教本身以泛佛信仰為主體，同時兼容道教儀式和儒家思想，建立在小傳統的一種社會制度，具備宗教的本質，有它超越的意義，〔註36〕所以容易被民間所接納並改造。加上釋教神職者的「入世信仰」和民間的強大連繫，同時亦會因為釋教分為客家系統及閩南系統，閩南釋教又分為北部、宜蘭、中部、西螺、嘉義及永定六大派，形成釋教在不同縣市會有些許差異之情形產生。

　　民間宗教之形成融合儒、道、釋，或許可以說正因為它與民間強大之聯繫性，其信仰面貌與漢人思想及社會文化互為表裡，延續原始信仰頑強而持久之生命力，這中間雖然經歷過不少其他哲學信仰或宗教信仰之洗禮，豐富了不少外在人文的表徵文化與器用文明，但是在精神的價值指標上，原始信仰的和諧觀念仍然是其具體行為操作的最終指導原則。〔註37〕由於如此，任何宗教還未在漢人社會立足之前，儒家思想一直是漢人文化社會的最高指導原則，不管是任何宗教或哲學思維欲融入漢人社會時，無不受到儒家之左右牽制，可以推論不論任何民間宗教是以泛佛或泛道信仰為主，彼此融攝之決定特色則在於對儒家思想的依歸。儒學與民間信仰正可代表傳統社會「人文」與「原始」的兩套信仰體系，反應出傳統社會知識分子的理性信仰與民眾的鬼神信仰，說明了傳統社會在精神系統上有明顯的割裂現象，知識階層與常民階層在價值觀念上存在著溝通的鴻溝，造成了社會群眾分屬於兩個不同的認知世界，各自有著不同的生活文化。〔註38〕正因如此，民眾普遍無法全然達到儒家道德的形上階層，只能將生活所遭遇之不安藉由宗教寄託；現實環境讓他們無法投入出世之團體教規生活，只能以民間宗教信仰之方式達到目的，並連結儒家思想作為準則，雖不強調過份理性，但亦不完全拋棄其精神，只因為儒家思想是漢人文化之普遍意識。於是一個民間宗教的形成，不論它是泛佛或泛道信仰，只要它的前提能合理解釋儒家思想在漢人社會運作之寓意，民間比較容易認同接受，本身也較容易發展。

　　宗教和儒家思想相互影響最深之特點則在於倫理，因為人類社會的宗教發展表明，擺脫小的村落和部落的原始宗教，適應大的社群和族群的真正宗

〔註36〕莊吉發：〈清代民間宗教信仰的社會功能〉，《國立中央圖書館館刊》新18卷2期（1985年12月），頁132。

〔註37〕鄭志明：《臺灣新興宗教現象——傳統信仰篇》（嘉義：南華管理學院，1998年），頁258～259。

〔註38〕鄭志明：《儒學的現世性與宗教性》（嘉義：南華管理學院，1998年），頁355。

教出現，必然是宗教思維與倫理原則的結合。〔註39〕其現象在民間宗教之觀
點上，更能夠看到與民間的強大聯繫性，因爲民間信仰之倫理觀正好是儒學
現實轉化的一面鏡子，瞭解到儒家在世俗化的過程中可能異化的趨勢，以及
探討理性主義的儒家，如何與一個具有濃厚鬼神信仰的社會進行倫理道德的
交流。〔註40〕從倫理觀進而將宗教連結，或許有人認爲即便不信奉宗教，儒
家經典哲理亦時常在生活中顯現，認同眞理本身並不需要和宗教劃上等號，
故而就道德本源的建構上，李亦園說明信仰現象在西方宗教和中國社會的差
異：

> 傳統宗教信仰的另一種特色是宗教中的超自然因素與倫理道德因素
> 並不像西方宗教那樣密切結合，而是兩者之間有相當程度的分離。
> 我們都知道在中國的文化倫理道理概念與哲學系統都一直是由儒學
> 思想所主宰的。宗教信仰中只用現成的道德倫理標準來作獎懲的判
> 斷，而自己並不對道德本源作哲學性探討的。中國宗教的核心只是
> 超自然系統或神明系統而已，這與西方基督宗教中神與道德不能分
> 離、道德倫理的根源來自神本身的現象，顯然是頗不相同的。〔註41〕

就道德倫理層次而言，西方宗教將道德本源放在以神爲主體做探討，但
在中國的宗教則是建築在儒家價值之典範上，宗教本身沒有道德主體可言，
因而以佛教爲例所談之孝道，更說明是爲融入漢人社會而汲取儒家思想，其
情形在民間宗教之現象更是清晰可見。就神與人之關係上，更進一步提出民
間宗教的現象產生：

> 傳統民間的神佛等超自然存在與倫理道德因素有相當程度的分離，
> 不像西方宗教那樣兩者密切結合的。……這一傳統是中國文化中以
> 「人」爲本位，而不以「神」爲本位所出發的特色，也就是說在中
> 國文化中「神明」的完美與神聖意義是由人來界定的，而不是神本
> 身所確立的。換而言之，西方的「神」是人以外的存在，祂主宰了
> 一切宇宙的標準；而中國的「神明」則是由人超脫而成的，所以其
> 道德準則也是出於人的。在傳統中國的社會裡，儒家的倫理道德規
> 範受到普遍的尊重與肯定，所以發揮了如西方聖經的力量，平衡了

〔註39〕陳來：《古代宗教與原理：儒家思想的根源》（臺北：允晨文化，2005），頁162。
〔註40〕同註38，頁365。
〔註41〕李亦園：《宗教與神話論集》（臺北：立緒文化，1998年），頁171。

民間超自然信仰的因素，使理想與現實得到相當穩定性的均衡，除
非是在社會秩序很混亂的時代，中國傳統宗教信仰仍維持相當合理
的狀態。〔註42〕

　　其中非常關鍵之因素，即在於中國的神明是由人所超脫，所以道德準則
亦是出自於人，不以神爲道德主體探討，汲取儒家價值進而發揮如西方聖經
之力量。就民間宗教之祭祀現象，例如歷史人物——武聖關公，其忠義形象
更是被民間大小宗教融合成各種形式之神明〔註43〕，因爲關公形象發揮儒家
思想價值，大家便以其人格和信仰進行追隨，在釋教的法壇上，亦有懸掛關
公（伽藍）漆畫進行宗教科儀。說明儒學對於民間神明的塑造、引導及影響，
使得儒學倫理觀念進入下層民眾心理，並起了不可忽視之作用，雖然下層民
眾對神明的崇拜具有功利性色彩，但是儒學通過對民間造神運動的影響，使
民間神明身上體現了一些儒學倫理屬性之品格，儒學滲透到民間信仰文化
中。〔註44〕這亦是爲何民間宗教塑造的神祇，往往和儒家道德倫理有強大連
結的原因，因爲中國宗教的道德建構不存在於神的本體，而存在於儒家思想
的規範。

　　看到民間宗教和儒家思想之間的影響關係，或許可以說民間宗教不管是
以哲理寓言傳達儒家道德倫理觀，還是藉由以人的超脫進階爲神來闡揚眞
理，都可以看到民間自有一套方式詮釋神靈之存在，因爲神靈存在才能證明
眞理之普遍性，儒家思想正是左右其中之普遍眞理。這種以人性度神性之態
度，在中國民眾眼裡並不是對神靈的神聖性褻瀆，反而會使這些神靈與人們
的生活更加貼近。通過人可以操縱之方式，祈求或擺佈神爲人的願望服務，
從中得到某種安慰，對神靈的信仰只存在於密切的生活關係。與之相呼應的
是民間諸神也積極參與到民眾的日常生活中，深入到各個領域，且都有各自
不同功用，隨時隨地滿足人們的世俗要求、實用心理。〔註45〕從另一個角度
切入探討，可以說各個宗教或民間宗教之間，彼此相依相融之現象並非全面

〔註42〕同註41，頁118～119。
〔註43〕關公在各宗教之說法名稱，如道教有「協天大帝」和「翊漢天尊」，佛教有「伽
　　　　藍菩薩」，鸞堂信仰有「恩主公」，民間有「文衡聖帝」。另外較具爭議的部分，
　　　　在於部分扶鸞信眾，稱關羽被推爲「第十八代玉皇大帝」玄靈高上帝，也就
　　　　是第十八代的「天公」。
〔註44〕徐朝旭：〈論儒學對民間神明信仰的影響——以閩臺民間神明信仰爲例〉，《宗
　　　　教學研究》第2007卷2期（2007年6月），頁147。
〔註45〕同註7，頁255。

性，人民可以選擇哪個部分是我想汲取，哪個部分是我想捨棄，決定前提都在於以儒家思想為準則，一旦其他宗教特色與儒家價值有所呼應，同時與自我宗教不形成過度違悖，兩者之間則有可能相互吸收，以此得到人民普遍的認同。回歸到釋教本身，其宗教色彩有佛教、道教、齋教龍華派、及其他民間宗教之樣貌，在彼此融攝過程中，釋教對於其他宗教文化的汲取與否，指標關鍵亦是以儒家思想為依歸。於是在釋教信仰中可以看到儒家思想，兩者並非以宗教姿態相互融攝，而是儒家思想扮演漢人文化中根深蒂固的種族特性，以此做為民間宗教發展之最後依歸。

第三節　儒家禮孝思想在閩南釋教之表現

　　談到泛佛信仰與儒家思想的會通，進而延伸到泛佛信仰之一的釋教，其宗教發展民間化現象，同時亦伴隨著儒家思想在其中。以釋教為例，亦論證民間宗教彼此之間的融攝關鍵與否，則在於最後是否以漢人文化中之儒家思想為最後依歸，就其現象說明儒家禮孝思想在釋教中之精神表現。以下從三個面向來探討，分別為「儒家禮儀的孝道思想」、「五倫倫常之倡導」及「戲劇性科儀內涵探討」，說明儒家禮孝思想在閩南釋教的表現。

一、儒家禮儀的孝道思想

　　本節討論重點在於釋教師公文化中，為何對於儒家思想吸收成分較多，同時亦在科儀儀式進行中，不時提倡且強調儒家思想中的孝道精神，對於孝道提倡更是著墨甚多。首先要說明為何釋教科儀特別著重禮孝精神的提倡，因為這些科儀的進行中不僅帶有豐富教化寓意，同時亦不能排除它本身所背負之社會功用，吳信和即說明此為勸世作用：

> 釋教科儀中的儒家思想，其功用是早期傳統農業社會，務農家庭的
> 教育水準及文字認識程度比較低，科儀的進行除了超渡往生亡魂以
> 外，另外一個層面也利用這個機會，以傳統儒家思想及忠孝節義精
> 神做勸化，也就是俗稱勸世的作用。〔註46〕

　　上述引文說明它最大社會功用即在於勸世，因為除了超渡亡靈，另一方面可能藉由口白、表演等形式之呈現，達到對亡者親屬、鄰近社區朋友進行

〔註46〕2011 年 11 月 30 日 13:00～15:00，於臺東市慧德壇，訪談吳信和先生。

勸化。其中最值得關注之焦點在於時代性的區隔，因爲農業社會之教育普及不高，民眾無法藉由接受教育或書籍瞭解孝道精神之重要性，故而釋教神職者在此即扮演非常重要之角色，不時帶給世人警惕和教化：

> 每個家庭總有一些比較不孝順、不聽話、忤逆長輩的人，守喪期間做法事時就會用勸化、勸善的科儀，它的用意是藉由科儀的進行慢慢感化，能夠幫助導入正軌。〔註47〕

由於早期農業社會中，民眾對釋教師公文化之依賴程度較現今工商社會高，而早期農業社會和工商社會對於喪事之辦理，亦有非常大之不同。早期只要其中一戶人家需要辦喪事，幾乎是整個村莊總動員幫忙，現在工商社會則較無這樣的現象，從這裡亦可看到一個現象，即是釋教科儀所蘊含之儒家寓意，不僅是對亡者親屬行教化勸世之外，同時亦達到教化現場參與的民眾：

> 村莊來幫忙的民眾，或許有誰的兒子、女兒、媳婦或孫子等，也有相同的情況，一方面除了勸化以外，一方面指桑罵槐的嘲諷。它不會直接罵，也不會直接講，他會做隱喻，例如：「這個道士不久之前啊，在哪個村莊做啊，然後他們村莊的誰誰誰，他們的子孫多麼不孝順或怎麼樣。」會用指桑罵槐的動作，嘲諷村莊不孝順或忤逆長輩的人，讓他們能夠引以爲鑑。〔註48〕

就臺灣喪葬活動文化而言，釋教神職者本身不僅忠於宗教工作，同時亦扮演常民思想導師的身分，一方面進行超渡亡靈之工作，另一方面亦對世人叮嚀，父母在世要懂得行善立孝，如此才不會徒留遺憾，同時才能盡爲人晚輩應有之本份。此外從其他層面觀察社會發展，釋教神職者在過去傳統農業社會，亦較能得到普遍大眾之認同及地位推崇，相較現今工商社會則不復見：

> 早期農業社會教育水準較低，認識字的民眾比較少數，師公除了識字以外，早期師公在文書的書寫上都是用毛筆，於是對師公這個職業會有尊重和崇拜成分。現在他們受尊重的成分慢慢降低，是因爲現在工商社會的教育水準提高，同時師公這個行業沒有往上精進，加上工商社會爲了省時求快，毛筆書寫方式改成簽字筆書寫，以至於喪家對師公這個行業，觀念落差跟以前就會很大。落差反比大的時候，就會覺得師公這個行業跟以前差很多，自然受尊重的程度就

〔註47〕同註46。
〔註48〕同註46。

會降低。〔註49〕

　　釋教神職者自身背負職業使命，以宗教力量之形式發揮勸世影響，進而達到宣傳儒家思想之孝道精神，釋教神職者對自我要求、專業夠高時，更能強化其教化力量，同時釋教神職者亦更能得到認同及推崇。釋教神職者得到民眾之推崇及認同，自然更受人尊敬，同時民眾對釋教神職者本身之禮節亦更周到，這亦是民眾對儒家思想之價值回饋，從民眾給予釋教神職者的紅包金額即是最明顯之例。但因為當釋教神職者得到民眾認同，一方面透過科儀進行傳遞儒家之思想精神，一方面釋教神職者亦得到民眾的禮節回饋，所以在過去山頭主義較重之傳統農業社會，社會對釋教神職者之選擇亦有特定偏好的現象：

> 特定師公在他的鄉鎮裡會特別受歡迎，一方面是本身的才學受到村莊讚揚以外，另一方面就是他本身的為人處事也很圓融。他能夠在喪事科儀進行當中，替喪家設身處地的著想，幫村莊處裡一些大小事情，本身他也沒有任何身段，為人處事上面都做得不錯，自然受到大家的歡迎，所以在整個鄉鎮的佔有率就會比其他人來得高。現在鎮鄉差距拉近，商業社會不會特定給那個師公處理喪事，亡者子女在外縣市或者其他城鎮工作，如果有認識的人在辦理喪事，或許就會引介到他們村莊或鄉鎮幫忙，以前農業社會和現在商業社會的差別就在這。〔註50〕

　　釋教師公文化對於儒家孝道精神之提倡，加上釋教神職者之專業度，以及為人處事受到民眾認同，進而得到地位之提升，其現象和社會之發展亦存在必然關係。但釋教師公文化隨著時代變遷而有不同呈現，亦非當今社會才有的現象，以釋教的「放赦」科儀為例，多在整場喪葬法事的後段進行，目的為釋教神職者委由赦官騎乘快馬，代送赦書至明王殿前，懇求十殿明王為亡魂赦罪，而在科儀進行之前，老一輩的釋教神職者會有「洗馬」之流程，現在臺灣的釋教神職者執行「放赦」科儀時，普遍幾乎看不到「洗馬」的動作。〔註51〕本文不斷強調傳統農業社會和現今工商社會之對比，釋教師公文

〔註49〕同註46。

〔註50〕同註46。

〔註51〕2010 年 7 月 6 日 09:00～11:00，於臺東市慧德壇，訪談吳慶木先生。在現行「放赦」科儀中，因為釋教神職者需要委由赦官騎乘快馬，代送赦書至明王殿前，懇求十殿明王為亡魂赦罪。而在赦官準備前往地府之前，釋教神職者

化之社會功能逐漸式微，同時在臺灣的逐漸凋零亦是往後值得關注之焦點。

二、五倫倫常之倡導

漢人傳統社會受到儒家文化影響甚深，故而在傳統禮節的文化上，非常注重五倫倫常之倡導，即儒家所強調之長幼有序精神。在臺灣喪事活動辦理過程中，對於五倫輩份之要求亦隨處可見，孝服及守喪期就古禮制所述：

一、斬衰：三年，爲父母及承重孫爲祖父母所爲之服。

二、齊衰：三月至一年，爲祖父母、伯叔父母、兄弟、子女等所爲之服。

三、大功：九月，爲堂兄弟、孫兒、出嫁姑母（姊妹、姪女）、媳婦（姪媳）等所爲之服。

四、小功：五月，爲伯叔祖父母、堂伯叔父母、從兄弟、堂姪、姪孫、孫媳及未出嫁之姑祖母（姑母、堂姊妹、堂姪女、姪孫女）等所爲之服。

五、緦麻：三月，爲曾伯叔祖父母、族伯叔父母、族兄弟、從姪、堂姪孫等所爲之服。〔註52〕

雖然現今臺灣社會的喪葬場合，孝服要求不像古禮制嚴謹，但亦依照輩份的不同，在樣式和顏色即有差異呈現，而且孝服的樣式在不同的縣市，亦有不同的做法〔註53〕。孝服之穿著不僅可以區別五倫輩份，就社會人際互動

會獻酒勞慰赦官，同時餵食糧草予赦官騎乘馬匹，「洗馬」意謂替馬匹進行梳洗的動作。在現行釋教科儀中幾乎已省略「洗馬」過程，致使在這項流程在釋教科儀中逐漸失傳，吳慶木亦是臺灣現行釋教圈中，仍會這項技藝的釋教神職者。

〔註52〕臺灣省政府民政廳：《民政叢書宗教禮俗系列之六──喪葬禮儀範本》（南投：臺灣省政府民政廳，1994年5月），頁70～71。

〔註53〕居喪期間穿著之孝服，現今臺灣社會沒有固定名稱區別，僅就輩份及身份不同，顏色及樣式有所變化，各縣市在做法上亦有不同的樣式區隔。以臺東地區爲例，兒子：草箍（白布、麻布）、麻衣；媳婦：桼頭（材質同兒子）、麻衣；未嫁女兒：同媳婦；已嫁女兒：桼頭（白布、苧麻布）、苧麻衣；長孫：草箍（白布、麻布、苧麻布）、麻衣；長孫媳：桼頭（材質同長孫）、麻衣；女婿：女婿帽（白布、苧麻布、紅布）、白布衣；內孫男：頭巾（雙連白長巾、苧麻布）；內孫女：桼頭（材質同已嫁女兒）；外孫男：頭巾（材質同內孫男並加紅布）；外孫女：桼頭（材質同內孫女並加紅布）；內外孫女婿：女婿帽（材質同女婿並加藍布）、白布衣；內外曾孫男：藍布帽（藍布、紅布）、藍

功能而言，不論是來拈香祭拜之親屬、朋友、或政商名流，他們在現場亦能
簡單分辨親屬之間的輩份關係。同時在亡者告別式之家祭場合，亦是按照輩
份依序為亡者上香，從喪事儀節的程序，在在都顯示出儒家倫常思想在喪事
場合中突顯之價值。從漢人喪葬文化可以看到儒家思維之體現外，在釋教師
公文化中，亦可看到非常濃厚之五倫價值的提倡，例如在釋教之「挑經」科
儀中，以目連救母之故事為寓意，說明目連身為兒子為母盡孝道，暗示在場
親屬朋友及時行孝之可貴，故在科儀開始不久後，以目連為角色扮演之釋教
神職者，開場白即進行一段敘述：

> 阿彌陀佛，小僧不是別人，小僧姓傅名羅卜，家住天津府雷陽縣王
> 舍城白沙村人氏，父親傅天王，母親劉氏四真。若說起我母親就苦
> 慘了，我母親在生之時，得病在床，堪苦在家之因，是聽到我母舅
> 三言兩語來搧動，就在後花園殺狗開葷破戒。她想殺狗吃肉無人
> 知，但是她萬萬也想不到家中司命灶君，上天奏下來，閻王一時探
> 聽知，就差鬼將活活抓起來，一時抓到陰間去，打落酆都十八層地
> 獄受凌治。我老佛祖對我目連僧說道：「目連僧啊，你受你娘親十
> 月懷胎、三年乳哺養育之恩該當報本。」我領到老佛祖的旨意，前
> 去地獄之中救我的娘親，早升天界、回轉靈山。我老佛祖又對我目
> 連僧說道：「目連僧啊，你自己娘親救得升天好，但是在這陽世間
> ○○縣○○鄉○○鎮○○村○○路○○號○○府，哀眷人等父（母）
> 親在○○月○○日登仙去逝，你也該當救他升天。」我又領了老佛
> 祖的旨意，看見今日日子清吉、天色已明，往到西方再行起步就是
> 便了。〔註54〕

在科儀進行中，由釋教神職者所扮演的目連角色，藉由目連挑經救母之
故事寓意，同時融合科儀進行，亦一併將該場喪事之亡者靈魂救出，以此象
徵亡者從地獄超脫之意義。從這段開場內容解析儒家倫常精神，可以從兩個
面向提出討論，首先即是以目連救母為故事題材，強烈深化為人子女應該孝
順父母，至此已能深刻感受儒家思想之孝道提倡；其次子女對父母親之感念
追思，透過挑經科儀之進行，戲劇效果之呈現，說明父母親即便已不在世間，

布衣；內外曾孫女：藍幞頭（藍布、紅布）、藍布衣；內外男玄孫：紅布帽、
紅布衣；內外女玄孫：紅幞頭、紅布衣。
〔註54〕吳信和珍藏手抄稿本。

但透過儀式亦可表達爲人子女對父母之思念。即便父母親靈魂和子女存在於不同空間，但子女還是希望父母親靈魂可以脫離苦難環境，不僅父母親逝世可以好過，子女同時亦可放心，和儒家所談之「慎終追遠」非常相似。

　　強調釋教師公文化中提倡之「倫常」，亦說明在整個族輩親屬當中，每個人所應當背負之本份及作爲，更是要有禮節及孝道精神之體現及作爲。釋教師公文化既然以科儀進行之名，行諷喻勸世之實，故其精神之提倡亦不僅侷限於子女對父母親，就前者談論之「挑經」科儀而言，多在整場功德法事即將完結的時候進行，功用除了勸化兒子、女兒應當盡其本份之外，「挑經」科儀所吟誦之〈十勸娘〉唸詞，對於父親、母親、後母、公公、婆婆、媳婦、兄弟、兄嫂、小叔、男性、女性、鄰居、小孩、臺灣人等不同角色身分，應盡之本份皆有不同之內容，以〈十勸娘〉談論父母、媳婦、兄弟相處爲例：

> 咱做人父母心肝就要做呼平正，不通惜小是怨大子。大子小子平平嘛是子，不信十隻指頭伸出來，咬到指指嘛就會痛。人說大子小子平一般，做人父母嘸通有二樣的心肝，父母若要教子心就公道，有工作叫來公家做，有好吃的東西叫來公家吃呼無，厝內塊才不會起風波。

> 做人媳婦就要有孝，千萬不通不孝你的乾家官，那是不孝乾家官，死到陰府是要過刀山。刀山過了是油山，是你在生不孝乾家官，油山過了是一層又一層，不孝媳婦要抓去油鼎慢慢烹。油鼎烹來是吼哀哀，是你在生之時不孝乾家官作得來。

> 兄弟作伙就和順，不通整天吃飽吵要分，分開隨人就知影，也是兄弟作伙卡好名。人家和萬事興，家內不和萬世窮，兄弟三個人同一心，厝內黑土也會變黃金。兄弟若一個人想著二款心，厝內底會窮呷無錢通踏油買燈心。打虎抓賊也著親兄弟，別人是不肯呷咱相扶持。貧富貴賤是天注定，是有是無是你兄弟自己的命，兄弟若做好，外頭才有好名聲。〔註55〕

　　從上述引文看到藉由「挑經」科儀之進行，吟唸〈十勸娘〉說明兄弟彼此之間應同心共力，即便亡者已逝固然既成事實，但在世子女們彼此之間更應該謹守本份，做好本份同時，其子女亦會仿效感化，亦更懂得對他人有禮，

〔註55〕吳信和珍藏手抄稿本。

對父母孝順。至此之前皆是以釋教神職者對亡者親屬行教化為立場討論，在父母長輩離開人世的同時，子女晚輩禮孝價值的回饋，亦是漢人社會對儒家禮孝文化的最大體現。以釋教科儀之角度探討，子女對父母逝世之孝道回饋亦可以從不同面向進行解讀，其一則為子女為讓父母一路好走，因此特意舉辦多種科儀法事，以求父母在另一個時空能安好；其二則為父母生前在世的為人處世讓人有所感念，故而擴大喪事活動之規模，讓整體場面更加熱鬧，為父母族輩增添風采。在子女為逝世父母舉辦之科儀，暫且不論對亡者世人是否有實質助益，共同出發點皆是想為父母盡孝心，以清朝道光年間旅臺官人劉家謀（1814～1853）《海音詩》一書為例，其中有詩作記錄臺灣早期喪葬文化，並自己作註說明其原始風貌：

> 有孝男兒來弄鐃，有孝女兒來弄猴。升天成佛猶難必，先遣爺娘黑獄投。

> 凡親喪必懺佛；僧於中午飛鐃，謂之「弄鐃鈸」。諺曰：「有孝後生來弄鐃，有孝查畝仔來弄猴。」弄猴者，以猴演雜劇也。俗謂男曰「後生」、女曰「查畝仔」。按「查畝」二字，無謂，當是「珠母」音訛，猶南海之言「珠娘」也。〔註56〕

引文當中之七言詩為劉家謀關注臺灣風土民情之作，詩末亦加註以證事、證詩。「弄鐃」內容主要有舞弄鐃鈸、騎獨輪車、過火圈、耍飛刀、口咬八仙桌等雜耍特技，主要的功用為調節哀傷氣氛，娛靈也娛人，「弄猴」應為出殯前「三藏取經」的陣頭表演，以唐三藏至西方取經之意表示亡者亦可至西方極樂世界。〔註57〕不論兩者表演對亡者及世人之實質作用，但在此可以發現幾個現象，其一為子女為讓整場喪葬活動更顯熱鬧，同時表示為人子女之孝心，因而邀請舉辦「弄鐃」或「弄猴」之活動表演，以此突顯儒家孝道的價值回饋；其二為七言詩中說明成佛猶難，故先遣爺娘投黑獄，更和前面引用「挑經」科儀之引文中，目連尊者入地獄救母親之故事有所巧合，同時亦和釋教之「打血盆」、「打枉死城」科儀皆有相同意涵呈現，說明子女為讓往生父母能安息，故而強化救離父母出地獄之意象，不斷以科儀超渡之形式呈現；其三為「弄鐃」和「弄猴」皆以泛佛文化為背景因子，流傳臺灣社會

〔註56〕施懿琳等編撰：《全臺詩（第伍冊）》（臺南：國家臺灣文學館，2004 年 1 月），頁 286。

〔註57〕同註 27，頁 164。

至今，普遍爲釋教神職者所擁有之技藝，得以說明釋教師公文化在臺灣之發展，至少在劉家謀於咸豐二年（1852）完成《海音詩》之時，當時民間治喪，子女習慣以「弄鐃」和「弄猴」表示對父母之孝心。

三、戲劇性科儀內涵探討

　　總結歸納本章所述，釋教師公文化具有極豐富之戲劇表演，綜觀臺灣喪葬文化內涵，這是與正信宗教如佛教、道教、天主教、基督教、回教等不同宗教之特色上，面對喪葬活動處理上很大之差別。更可以說因爲釋教普遍流行於民間，就民間宗教的型態表現上，相對戲劇的表演較爲豐富，對照民間負責喪葬超渡之靈寶道壇，和釋教皆有大量之戲劇效果展現，科儀更有相互交流、互滲〔註58〕之現象。然而釋教在戲劇效果的呈現，爲何特別著重於「目連救母」故事，其中仍有三個面向值得深度討論，首先目連救母故事具有佛教背景，較能符合釋教科儀的精神；其次強調釋教師公文化有豐厚之儒家孝道思想，以目連救母的故事寓意更能突顯孝道精神之可貴；最後重要之關鍵點，即釋教神職者在早期農業社會受到民眾之推崇和尊敬，站在教化勸世者的立場則具有民間導師之身分，民間導師不僅除了教化勸世之外，同時亦有撫慰人心之作用：

> 過去農業社會，民眾教育水準較低，文字敘述當下沒有辦法很自然體悟、瞭解它的涵意，透過戲劇方式把經文的目連救母故事呈現，不僅可以感受母親十月懷胎及養育之恩，也可以突顯中國傳統的孝道精神。帶領家屬進行科儀的動作，可以讓家屬自然而然知道，並接受親人已經往生的事實，也可以讓家屬有情緒上的抒發，不會在居喪期間把情緒壓抑著，可以有心理宣洩的管道，這樣對往生者、家屬也較好。〔註59〕

　　釋教師公文化特意放大戲劇效果，以戲劇投入的引領達到家屬哀傷情緒之宣洩，民間導師在某種層次上更具有心理諮商師之功能。比較同是泛佛信仰背景的佛教、齋教龍華派，面對喪葬法事活動的態度，往往皆詬病釋教科

〔註58〕路先・列維—布留爾（丁由譯）：「與構成社會集體的那些個體的存在的關係上說，社會集體存在的本身往往被看成是（與此同時也被感覺成是）一種互滲，一種聯繫，或者更正確地說是若干互滲與聯繫。」收錄於《原始思維》（臺北：臺灣商務，2001年），頁88。

〔註59〕同註46。

儀形式過於花俏，認為那是不正統或偏離本意之做法，正由於修行師父過於嚴謹之戒律，讓他們在信仰中不打誑語，所以對於民眾情緒宣洩和心靈撫慰的功能，釋教科儀相對較人性化。就釋教同業圈而言，一位神職者功夫底蘊的深淺，有時亦建立在科儀進行時，自我表演情緒的收放是否夠內斂，是否得以感動在場親屬及民眾，一旦催出熱淚即代表神職者擁有一定實力。然而臺灣社會歷來對喪葬活動的刻板印象，即服喪期間必須不斷的哭泣，以表達親屬對亡者的孝順及思念，無形中使家屬身心俱疲而對辦理喪事存有負面認知，以此對照釋教科儀的心理諮商功能，透過科儀引導親屬情緒宣洩乃人性正向作為，但若僅是為壯大喪事規模，邀請「五子哭墓」或「孝女白琴」等陣頭，在靈前不斷哀嚎哭泣來消費亡者，對亡者及親屬並無實質作用，我們應當不予鼓勵。

前面所提及都是對外的戲劇表演，釋教神職者在科儀進行同時，亦有對亡者內心戲之效果呈現，這是大家平常較不太注意的部分。其內心戲之突顯，大多是釋教神職者和亡者兩方之間的對談，釋教神職者語氣極盡哀傷惋惜，內容則在哀悼亡者的離去，現場氛圍好像兩人過去如同知己一般，所以使得釋教神職者不免內心難過，進而借景傷情，勾勒出內心世界的澎湃情感。以「引魂」科儀為例，多在整場喪葬法事的前段進行，為當天法事開始進行之時，諸神佛皆已召請入位後，再接著自地府引領亡魂至靈前就位，以便領收當天所進行的所有功德，釋教神職者誦念「引魂」科儀內容如下：

> 寒來暑往春復秋，夕陽橋下水長流；將軍戰馬今何在，野草含花滿
> 地愁。啊～，靈魂啊靈魂，來講到咱人，咱人惦在這咧陽世間啊，
> 每一個人總是難吃到百歲壽，枉做千年計，今日呀就靈魂三柱清香
> 來飛上天，要來朝請著靈魂你的三魂七魄可以來到爐前啊，可以日
> 後給你的子兒孫來開啟功德、田納冥財，燒化庫錢給你鑑納領收享
> 用。要來講靈魂你在生的時候，要講咱人啊，咱陽世間人呢，咱陽
> 世間人在生的時候是有腳會走、有手會寫，在生的時候你要走東往
> 西，你要走南往北，要子兒孫的家中還是厝邊隔壁，要相找這，都
> 會當呢用嘴開口來講話。如今啊，如今靈魂你躺在廳頭，你躺在這
> 個廳頭是有口不能言，有口不能語，有嘴不講話，有腳不能走，有
> 手不能寫，你的子兒孫要和你講話，只有是要手拿清香來跟你三拜
> 請。要朝請著靈魂你三魂七魄可以回轉家中，來到爐前，請到靈魂

可以歡歡喜喜，聖杯落地可以定爲據。〔註60〕

　　上述詞句乃進行「引魂」科儀時誦唸，詞句可彈性增減，並沒有固定之內容，不同人誦唸亦有不同之呈現，除了節奏較慢之外，同時亦有哀悼情緒投入。而在科儀進行同時，亡者親屬亦拿香站在釋教神職者身後跟拜，雖然看似釋教神職者和亡者之間以內心戲對談，但是亦有刻意說給親屬聆聽之意味，最大差別在於親屬沒有直接參與，單純站在旁觀者聆聽的角度。釋教神職者此舉的最大用意，首先即是表達和亡者非親非故，但透過科儀進行時，都仍會不自覺的爲亡者哀悼感傷，身爲親屬則更應該爲亡者的逝世而悲慟；其次爲釋教神職者藉著內心糾結的情感，看似是和亡者對談的內心戲，實則爲營造現場氛圍，讓親屬繼續投入在感傷情境之中，加深對亡者的思念。釋教神職者做爲中介者，看到亡者與親屬之間的情感連繫，在「引魂」科儀中說出這段悼詞而感懷，親屬亦會因爲旁人（釋教神職者）的哀悼，加深對於亡者之思念，從儒家思想中對於喪葬文化之對照，其實更是一種愼終追遠之精神落實。然而釋教神職者扮演亡者和親屬之間的溝通橋樑，吳信和云：

> 用擬人化把靈魂當作是人坐在我前面，我講話給靈魂聽，也讓後面子孫知道，我和他的長輩們說什麼話。除了講給靈魂聽以外，也講給後面的人聽，你是他的子孫都聽不懂，外人怎麼可能聽得懂，最後再讓他們的子孫擲筊。引魂針對的是靈魂，釋教科儀裡面如果有十分功德，它是七分要渡陰，三分要渡陽勸世，站在往生者的立場以同理心來辦理這個科儀。〔註61〕

　　可以說釋教科儀之進行，不論是強調戲劇張力之激動，抑或者是平靜緩慢的內心戲，重點還是在於釋教神職者之角色，在教化勸世之功能上的發揮與應用。過去農業社會民眾的知識水準較低，民眾對於文字領悟能力較低，故釋教科儀之進行以戲劇方式導入，不僅強化釋教在民間信仰的特色，民眾對於釋教文化中提倡之儒家傳統孝道思想，亦較能產生共鳴。或許可以說世界上任何宗教要進入漢人社會傳播，多少都會和傳統儒家思維有融攝，因此才能廣泛被漢人社會接受，佛教是最成功之例子，但是佛教雖兼有儒家思想之融入，其教條戒律之約束不見得能廣受青睞，釋教神職者以集體歡騰之戲劇型式得到民間肯定，正是它最具獨特性之精神樣貌。

〔註60〕同註46。
〔註61〕同註46。

第四節　小　結

　　本章總共分為三個面向探討，首先，從儒家思想與宗教議題之論述上做文獻整理，將儒家思想對漢人文化之影響，從哲學面和宗教面進行統整。因為歷來學者在儒家思想的研究中，對於儒家是否為宗教而爭論不休，雖然學術界普遍認為儒家本身不算宗教，並各自提出立論以闡述，但亦不能因此而過度貶低儒家之宗教性，而若從儒家思想的哲學論而言，亦不容忽略它的宗教功能。其次，釋教作為一個以泛佛信仰為特色之民間宗教，在與儒家思想相互影響的前提，從整體泛佛信仰和儒家思想彼此融攝會通作釐清，先從印度東傳中國之初始，佛教和儒家衝突之起始探討，說明佛教為何從無至有巧妙融合儒家思想。同時以釋迦牟尼佛信仰為宗之民間大小宗教及教派，在民間宗教萌生的過程中為何比正信宗教更強調儒家精神之落實，並以釋教發展現象為例，論證釋教之宗教特色發展民間化，以突顯民間宗教和儒家思想之文化關連性。透過以上之脈絡呈現，說明並突顯民間宗教之發展和文化相融，其關鍵則在於以儒家思想為依歸，以達到漢人社會對民間宗教的認同。最後，在探討釋教師公文化之儒家思想上，先說明儒家的哲學性及宗教性模式，並論述整體泛佛信仰和儒家思想之會通，其中亦包括佛教和民間宗教的分別論述，進而深入分析儒家孝道思想在釋教中之體現。站在儒家思想對漢人文化影響之重要前提下，首先從儒家禮儀的孝道思想做分析，以此說明釋教文化中對於儒家思想提倡之重要性，同時亦可以看到釋教特別強調五倫倫常之功能發揮，教化世人謹守本身之意義，由於釋教之宗教民間化，科儀法事的大量戲劇象徵呈現，頗具教化寓意。

第四章　地獄思想之警惕勸世

第一節　民間故事寓言教育之地獄觀

　　漢人傳統信仰文化當中，尤其臺灣民間總以因果循環之報應懲罰，告誡世人要懂得謹守自我本份，同時亦要懂得行善立孝，方能種植良好功德與獲得福報。不論其說法之真偽，確實亦達到端正社會秩序之部分功用，使得世人待人處事謹慎有道，民間或者各宗教之間，為加強其說法之可靠程度，亦會加入地獄觀之概念。宋朝淡癡道士扶鸞而作的《玉歷寶鈔》〔註1〕，不僅深化漢人社會日後對於地獄觀的想像，同時民間大量翻印及贈閱，致使該書地獄觀對民間社會具有一定影響力，在此以和裕出版社印行之《玉歷寶鈔——附現代因果報應錄》（以下簡稱《玉歷寶鈔》〔註2〕）一書為例：

> 現在預定將地獄道中，種種惡處，借著有德行的人，引導他進入陰間，作實地的觀察。記載下來，完成玉歷寶鈔一書。回到陽間，廣泛傳播，普遍地勸化世人。假如有知道過錯，誠心懺悔，永不再犯，力行向善的人，准予從寬量罪、減少刑罰；或功過相抵，免予罪刑。假如有兼善天下，推廣教化的人，所有已犯惡行，更優渥地予以衡量減罪；功過相抵，免予罪刑，若仍餘有善功，自然很快地獲得福

〔註1〕陳碧苓：《台灣鸞書的死後世界觀——以天堂遊記與地獄遊記為例》（嘉義：南華大學生死學研究所碩士論文，2001年），頁89。臺灣各大小廟宇多有《玉歷（曆）寶鈔》善書免費供人索取。

〔註2〕玉「歷」與玉「曆」為民間流傳出現的混淆，筆者在此不做更動。

報。〔註3〕

其書廣泛描述地府十殿所設置之各種刑罰，告誡世人若是生前犯下何種罪惡，死後墜入地獄必會遭受何種酷刑對待，並藉此論證種因得因、種果得果之輪迴觀念，同時亦彰顯地獄觀宗旨，即不是不報、乃時候未到。釋教喪葬科儀法事之進行，同時摻雜地獄觀元素，最大特點即在於運用民間寓言故事形式，並加以戲劇效果呈現來傳達意涵。本文以下從兩個部分來探討，分別為「曾二娘過橋之寓言教育」及「目連救母之寓言教育」，說明民間故事建構的地獄觀上，對民間社會所帶來的影響。

一、曾二娘過橋之寓言教育

提及明州曾二娘的故事大意，為曾二娘生前好善禮佛吃長齋，即便生活拮据亦堅持信仰，不斷捐獻香油錢來供養佛祖，而大嫂非旦鄙視曾二娘的信仰行為，對她亦非常苛薄無情，甚至最後霸佔其家產。但也由於曾二娘生前累積的功德，對照大嫂生前的罪孽，就兩人死後下地獄後的差別待遇，曾二娘過橋有專人接引，大嫂過橋即被鬼卒推入橋下受凌虐，就此衍生出善惡有報的地獄觀。曾二娘過橋的民間故事和釋教之間，其連結即為「過橋」科儀，科儀典故亦是來自於此，「過橋」科儀多在整場喪葬法事的尾聲中進行，釋教神職者帶領親屬呼喊亡者來過橋，並不斷口說好話為其家族祈福，並象徵帶領亡魂過金橋、銀橋，來世投報富貴人家。就目前民間相關歌仔冊流傳版本即有《曾二娘經》、《曾二娘歌》、《曾氏二娘經》、《曾氏二娘歌》、《曾二娘寶卷》、《曾二娘燒好香歌》、《曾二娘遊地府歌》，汪毅夫亦認為《曾二娘歌》為最早在福建民間流通的版本。〔註4〕由於早期民間歌仔冊資料蒐集非常不易，各版本流傳前後關係亦非本文著重部分，故僅就目前蒐集到之《曾二娘經》（鼓山湧泉禪寺藏版）、《曾二娘燒好香歌——上本》（嘉義玉珍書局刊印）、《曾二娘遊地府歌——下本》（嘉義玉珍書局刊印）〔註5〕及《二娘經》（吳信和珍藏手抄稿本）進行地獄觀之探討比較。此三個版本之曾二娘故事，在敘述地獄

〔註3〕和裕出版社：《玉曆寶鈔——附現代因果報應錄》（臺南：和裕出版社，2007年），頁43。

〔註4〕汪毅夫：《閩臺緣與閩南風——閩臺關係、閩臺社會與閩南文化研究》（福建：福建教育出版社，2006年），頁209～210。

〔註5〕《曾二娘燒好香歌——上本》（嘉義玉珍書局刊印）、《曾二娘遊地府歌——下本》（嘉義玉珍書局刊印）。此兩本為上下連貫本。

觀形成的書寫視野上，三者內容的起始即有差異，首先就《曾二娘經》起始
部分內文如下：

> 初一十五上佛廳，二娘無伴不愛行；小心近前招伯姆，伯姆聽見不
> 做聲。
>
> 不久使婢捧水潑，潑爾無面去燒香；二娘著急不做聲，倒踏弓鞋出
> 外廳。
>
> 招你燒香好大志，望卜好子共好孫；二娘燒香投告天，但願我佛相
> 保庇。〔註6〕

再者就《曾二娘燒好香歌──上本》起始部分內文如下：

> 朋友恁听我廣起，听念這條好歌詩；就是明州個代志，姓曾大官二
> 女兒。
>
> 大娘夫妻不孝義，二娘夫妻眞慈悲；就此二人來廣起，流傳世間塊
> 念伊。
>
> 大娘心性本是呆，二娘食菜食長齋；施捨性靈全無害，即有這歌編
> 出來。〔註7〕

最後《二娘經》起始部分內文如下：

> 三寶壇前三造橋，金橋銀橋奈河橋；好心好杏橋上過，呆心獨杏橋
> 下亡。
>
> 奈河橋頭穆長者，奈河橋尾李道爺；大娘行到奈河橋，腳踏橋板雙
> 頭橈。
>
> 橋下魚虾食人血，大娘啼哮不敢過；大娘過橋治橋邊，牛爺馬爺乂
> 落去。
>
> 陽間罔法爾敢做，乂落橋下受寧治；二娘過橋治橋西，一對菜神來
> 等待。〔註8〕

　　對比三個版本之曾二娘故事，雖然內容不盡相同，但主旨皆不脫曾二娘
虔誠拜佛吃齋，大嫂用鄙視態度看待曾二娘信仰，同時對曾二娘苛薄無情。

〔註6〕佚名：《何仙姑經上下卷曾二娘經共本》（鼓山湧泉禪寺藏版，1915年）。
〔註7〕宋文和：《曾二娘燒好香歌──上本》（嘉義：玉珍漢書部，1934年2月）。
〔註8〕吳信和珍藏手抄稿本。因手抄文本用在科儀法事上之唱誦，故而用字時常取
　　　其唱誦之同音字，筆者在此不做更動增修。

其中最大差異，即前兩則從曾二娘生前故事開始著筆，第一則從她好善性格
切入，即便生活拮据亦虔心向佛，同時刻畫大嫂的負面性格，顯露對曾二娘
向佛態度的反感；第二則更詳細從曾二娘出生背景開始敘述，說明她善性向
佛，佛祖亦受感動而下凡。第三則和前兩則切入視野大不相同，開始即將場
景視野轉換至曾二娘死後，面臨過橋後之情境，敘述曾二娘生前向善禮佛，
因而累積功德福報，死後過橋得到良好禮遇接引，對照大嫂生前為人刻薄輕
佛，死後過橋即有差別待遇。從故事編寫動機之生前及死後對照上，亦可看
到其故事編寫之不同功能性，釋教之「過橋」科儀為喪葬法事所使用，邏輯
上亦著重於死後情境描寫，故釋教文本不從曾二娘生前情況開始敘述，同時
釋教科儀用本之曾二娘故事，場景皆不脫離「橋」之意象，呼應人死後即要
過橋之觀念。以人死後過橋之基點立足，釋教對曾二娘死後情境之地獄觀描
寫，不僅強化地獄觀的存在價值，更說明地獄觀對宗教的重要性。

　　前面提及釋教曾二娘故事文本，單純只談論曾二娘死後過橋描述，對於
生前情境幾近完全不著筆墨，一來配合喪葬法事進行之外，二來透過地獄觀
敘述及加重描繪，讓在場子女親屬，得以警惕自我之修為。釋教文本用於民
間唱誦，加上為讓親屬更直接感受地獄之恐怖景像，所以用語相對較淺白直
率，《二娘經》對照如下：

> 二娘過橋笑微微，大娘橋下喃淚啼；問听二娘來到只，好嘴哀救小
> 嬸爾。
>
> 全望小嬸牽我起，爾我丈夫親兄弟；二娘力話就應伊，陽間家伙被
> 爾占去。
>
> 招爾拜佛不信聖，陰間形罰爾正驚；大娘被罵淚哀哀，爾我二人親
> 東西。
>
> 小嬸伸手救我起，陽間家伙盡還來；二娘伸手牽伊起，牛馬將軍乂
> 落去。〔註9〕

對照《曾二娘燒好香歌——上本》相似的內文段落如下：

> 二娘過橋笑微微，大娘橋下喃淚啼；二娘走落橋下去，銅蛇不敢來
> 咬伊。

〔註9〕吳信和珍藏手抄稿本。因手抄文本用在科儀法事上之唱誦，故而用字時常取
　　　其唱誦之同音字，筆者在此不做更動增修。

　　大娘橋下喃淚啼，看見小嬸謹叫伊；只遭望汝救我起，帶念夫君親
兄弟。

　　二娘力話就廣起，到者地步汝知機；陽間家火汝佔去，不信拜佛是
在年。

　　大娘听見就廣起，陽間家火我還伊；全望小嬸無受氣，改救我起無
延池。

　　二娘舂手牽伊起，牛頭馬面來當伊；大娘做人呆心意，又落橋腳受
陵治。〔註10〕

　　對照兩者內容幾近雷同，差異在詞彙運用上有些許變化，同時釋教文本
《二娘經》唱誦較為俏皮，在第八句還可加襯字。亦發現兩者在情緒起伏上，
釋教文本內容之情緒反應較為激烈，如第七句「二娘力話就應伊」，對照《曾
二娘燒好香歌——上本》第九句「二娘力話就廣起」，前者使用反駁回應口氣，
對照後者使用說話口氣，更可突顯戲劇性之呈現張力，由此宣揚因果善惡之
地獄觀，民眾情緒亦較容易投入和接收。釋教文本中，如魚咬、蝦咬、銅蛇
咬、鐵狗咬、刈肉、上刀山、落油鼎、落石磨、攬銅柱、刈舌根、浸血池，
皆是常見地獄場景和刑罰，可使世人懼怕業報而不敢為惡，為善者、為惡者
均能明白善惡終有報的道理而改過向善或繼續行善。〔註11〕就此兩個版本對
照而言，《曾二娘燒好香歌——上本》和《曾二娘遊地府歌——下本》篇幅較
釋教文本《二娘經》大許多，釋教文本《二娘經》截取其上下本再行修改之
可能性頗高，同時其上下本出版地為嘉義，受訪者吳信和及其父親吳慶木皆
為嘉義派釋教神職者，推論亦有其合理性，但各文本出版先後非本文探討重
點，故不再針對此議題深入探究。

二、目連救母之寓言教育

　　目連救母民間故事和釋教最直接之法事，即「打枉死城」、「打血盆」
及「挑經」等科儀，這些科儀多在整場喪葬法事的後段進行，透過釋教神
職者扮演目連之意涵，象徵救贖亡者出離地獄並送往西方極樂世界，比較
特別的是「打枉死城」及「打血盆」科儀的進行條件，為亡者非正常壽終

〔註10〕同註7。
〔註11〕林淑琴：《有關地獄之歌仔冊的語言研究及其反映的宗教觀》（臺北：國立臺
　　　　灣師範大學臺灣文化及語言文學研究所碩士論文，2009），頁153。

及生前生產過之女性。一則由於釋教屬於泛佛信仰之民間宗教，引用目連救母故事較合乎其信仰宗旨，再者釋教科儀多用於喪葬法事上，運用目連入地獄救母之孝道精神，方能對在場亡者子女親屬規勸及時行孝，同時亦達到諷諫世人及孝道倫理之教化，其因果循環故事之地獄觀，亦同時向世人宣揚善惡有報之嚇阻作用。探究故事主角目連，其名稱在民間故事有多種說法，背景如下：

> 目連，姓目犍連，名拘羅多，王舍城輔相之子，爲佛世尊五百上首
> 弟子之一，在諸弟子中，神足、慈孝二行均爲第一，因其具大智慧，
> 故稱大目犍連，大之音譯爲摩訶，故又稱摩訶目犍連。目犍連，或
> 譯目連、目蓮、目乾連、目犍連、勿伽羅、目伽略、毛馱伽羅、沒
> 特伽羅。〔註12〕

釋教神職者進行相關科儀法事時，以頭戴五佛冠、身著迦裟、手執釋杖之裝扮，象徵扮演目連將要解救亡者出離地獄，但形象和地藏王菩薩其相似之處，加上民間傳說尚有目連即爲地藏王菩薩之說法，因此探究目連救母故事在釋教科儀運用時，先將此兩者關係進行前提說明。在資料文獻蒐集方面，唐末宋初敦煌變文〈大目乾連冥間救母變文並圖一卷并序〉提到：

> 目連言訖，大王便喚上殿，仍見地藏菩薩，便即禮拜。〔註13〕

發現唐代目連和地藏王菩薩，還是身分不同的兩個人。值得一提是宋代初年變文被禁止後，目連救母故事便衍生爲寶卷及戲劇兩個系統，戲劇演出對下層不識字的百姓影響最大。〔註14〕及至明代《三教源流聖帝佛祖搜神大全》卷七「地藏王菩薩」即提出不同說法：

> 職掌幽冥教主，十地閻君，率朝賀成禮。相傳王舍城傅羅卜，法名
> 目犍連，嘗師事如來，救母於餓鬼群叢，作盂蘭勝會，殁而爲地藏
> 王。〔註15〕

另外明清民間流行之《地藏菩薩本願經》，受到目連救母變文影響，而創

〔註12〕 陳芳英：《目連救母故事之演進及其有關文學之研究》（臺北：國立臺灣大學出版委員會，1983 年 6 月），頁 7。

〔註13〕 〈大目乾連冥間救母變文並圖一卷并序〉，收於楊家駱主編：《敦煌變文（下）》（臺北：世界書局，1980 年），頁 721。

〔註14〕 陳錦霞：《地藏菩薩感應故事研究》（嘉義：國立中正大學中國文學研究所碩士論文，2009），頁 106～107。

〔註15〕 王秋桂、李豐楙主編：《中國民間信仰資料彙編（第 1 輯第 3 冊）》（臺北：臺灣學生書局，1989 年），頁 304。

造出婆羅門女、光目女角色做爲地藏菩薩前生。〔註16〕其故事情節與目連救母雷同，並且發大願誓救一切罪苦眾生，於是地藏王菩薩演變成以提倡孝道精神爲旨之轉型，加上明清之後的僧人，強調地藏王菩薩修無上法忍的苦行精神與孝道思想，進而逐漸本土化。〔註17〕回歸以釋教爲主體，作爲泛佛信仰之民間宗教，針對其民間流傳之說法，透過訪談釋教神職者，說明釋教立場將兩者關係清楚分明，即目連和地藏王菩薩並非同一人，但卻普遍認同地藏王菩薩之幽冥教主地位。

　　釋教科儀引用目連救母故事，楊士賢認爲多少受到寶卷影響，〔註18〕寶卷屬於變文嫡派，以講唱方式敘述佛道和因果報應故事。現存目連寶卷可大別爲兩類，一是近人鄭氏所藏、元末明初的金碧抄本——《目連救母出離地獄升天寶卷》；另一論是坊間流行之《目連寶卷》，或題名爲《目連三世寶卷》，這一類寶卷情節多出二世轉黃巢，殺人八十（百）萬，三世轉賀屠，殺豬成正果。〔註19〕以目連救母爲相關之寶卷上，亦可看到情節大致相似於釋教之目連故事內容，試舉明抄本《目犍連尊者救母脫離地獄生天寶卷》（下卷）其中一段爲例：

> 閻羅天子派牛頭馬面捉拿劉氏。羅卜見母死去，請僧追薦，盧墓三年，捨棄家財予僧道貧窮，遣散益利、金戹，投訪明師，「要證無生」。佛在靈山，擔心羅卜「不知歸家正路，恐落旁門」。佛第九個弟子賓頭盧尊者主動要求下山，「開示」羅卜：「老祖說眞出家實心報本，先三皈後五戒俱要精勤。趕馬頭初進步先存元氣，次後來方煉神休放胡行。神與氣，氣與神歸伏一處，把三關和九竅封上加封。把六賊心猿馬菩提栓住，雖然是有魔軍不能相侵。指開了正玄關當人出入，八萬四呼吸轉無字眞經。」羅卜得賓頭盧老祖開示後，越加信心。佛派迦葉引羅卜到靈山，羅卜立志出家。佛令迦葉爲羅卜剃度授記，改法名「目連」。目連白佛言：「弟子要修無爲大道，何處修

〔註16〕莊明興：《中國中古的地藏信仰》（臺北：臺大出版委員會，1999年），頁135。

〔註17〕同註14，頁5。

〔註18〕楊士賢：《臺灣釋教喪葬拔渡法事及其儀式戲劇研究——以花蓮縣閩南釋教系統之冥路法事爲例》（花蓮：國立東華大學中國語文學系碩士論文，2005），頁80。

〔註19〕同註12，頁36。

行？」〔註20〕

釋教所引用目連故事，和《目犍連尊者救母脫離地獄生天寶卷》大體上皆不脫離目連母親劉氏因殺狗吃肉，被閻王差遣鬼將捉拿入獄，目連得知消息便發願要下地獄救母升天，得到佛祖賜與之法器寶物後，便開啓一連串故事情節。寶卷當中值得一提部分，車錫倫認爲文中頭盧尊者給羅卜開示鍛煉「神」、「氣」的方法，羅卜出家也同時向佛提出：「弟子要修無爲大道。」把民間教派（無爲教）的教義和修持方式，攙入這一佛教傳統故事中，推論此寶卷是無爲教徒改編而成。〔註21〕前面第二章提出釋教法脈溯源爲羅祖說法，無爲教亦是以羅祖爲法脈系統之中國民間教派，按照其推論和說法，釋教所引用之目連故事，直接或間接受到《目犍連尊者救母脫離地獄生天寶卷》影響並非不無可能。

釋教和目連救母相關之法事有「打枉死城」、「打血盆」及「挑經」等科儀，暫且不論目連和地藏王菩薩是否爲同一人之爭議，可以看到其相同之處皆強調「救贖」及「渡化」功用。單就「打枉死城」和「打血盆」科儀而言，皆是由釋教神職者扮演目連而進行法事，並強調執釋杖攻破城池救贖亡魂出獄之象徵，即便神職者不是目連，抑或者是救出亡魂並非目連母親劉氏，但都達到將亡魂救出受盡苦難折磨地獄之意義。對照光緒刊刻《幽冥寶卷》故事所述，目連救母親而執釋杖破城獄時，不小心放出八百萬餓鬼，都是運用相同象徵意義，目連是否就是地藏王菩薩並不重要，重要即釋教藉由其素材，強調亡魂不管生前如何作惡，死後入地獄都應有被再救贖之地獄觀。另外在「挑經」科儀上，釋教神職者藉由肩挑佛經和亡者靈位，象徵帶領亡者前往西方極樂世界，亦在於強調「渡化」之功能，亦取其目連救母出獄升天意義，但除了對亡者法事渡化之外，同時亦針對在場亡者子女親屬，進行道德勸說之渡化，例如在「挑經」科儀吟誦之〈十勸娘〉即是。

從目連救母故事對照釋教師公文化中之地獄觀，皆強調「救贖」和「渡化」之功能性，對照一般民間對於人死後入地獄之認知中，種因得因、種果得果之輪迴觀，生前犯了什麼錯，死後就必定接受什麼樣的懲罰，不可能到

〔註20〕明抄本《目犍連尊者救母脫離地獄生天寶卷（上卷）》。轉引自車錫倫：〈鄭因百先生舊藏《目犍連尊者救母出離地獄生天寶卷》〉，《書目季刊》第 41 卷 2 期（2007 年 9 月），頁 108。文章題目之「生天」應該修正爲「升天」，但因作者無意更動，筆者在此亦用「生天」。

〔註21〕同註 20，頁 108～110。

陰間受盡酷刑時才反悔，若是如此即人人都會在生前作惡。前面所述亦是一般民間認知，但站在宗教立場，總是以人道關懷角度出發，並認為只要能改過認錯向善，即便再晚都不嫌遲，雖然釋教僅是以民間宗教形態，卻發揮如佛教般大格局之人性光輝。釋教以目連救母文化素材，象徵救贖亡魂出離地獄之法事，同時亦帶給亡者子女親屬不同反思空間，其生動模擬情境和敘事對話，釋教神職者亦對世人進行勸化目的，告誡世人要更懂得珍惜父母在世之珍貴，不要等到父母離開世間，才悔恨過去為父母付出不夠，讓世人更懂得活在當下，其作用亦是為世人進行之「心靈渡化」。透過目連救母故事，表面強調之地獄觀是告誡人生在世，即要懂得吃齋念佛修功德，死後才不會落入像目連母親劉氏一樣，受盡地獄酷刑折磨，透過寓言方式達到「嚇阻教育」，不否認目連故事有其功能存在，但卻更認同大部分採用之地獄觀為「感化教育」。從孝道角度出發，釋教神職者在科儀進行中，部分時間用來敘述亡者生前和子女親屬之互動情形，貼近人性關懷角度，讓子女親屬感同身受，回想彼此身兼父母角色的辛勞，為自我立身處事進行反思及感化，亦是釋教科儀在喪葬法事運用上，所蘊含之功能及特色。

第二節　司法立場相異與權衡量刑之地獄觀

人死後即前往地獄，並依據生前所做所為接受審判，這是漢人社會中普遍存在的地獄觀，即便是任何大小宗教，差異亦只在於地獄名目及刑罰上。人只要犯法就必定接受法律制裁，即便場景和時空轉換到人死入地獄之後，亦是相同道理，同時亦是合乎釋教強調之輪迴因果論，其中值得探討之處在於司法立場相異，以及司法權衡量刑之關係。世人相信亡者生前做了壞事，只要透過科儀法事之進行，靈魂即能得到救贖，對照釋教部分科儀亦帶有此功能性質；除了科儀法事之外，宗教神祇之功能性亦有其對應關係，例如釋教在喪葬法事的法壇兩側，通常掛有十殿明王圖，意謂透過圖像直接告誡世人，生前做壞事會受到十殿明王死後之審判。另外地藏菩薩捨棄天界，手持錫杖、蓮花，自願進入地獄道，超渡罪眾靈魂，永無盡期地教化眾生，不渡盡六道罪苦眾生，永遠不成佛道。〔註22〕幽冥教主地藏王菩薩救贖亡魂功

〔註22〕錢征：〈九華山地藏菩薩與大願文化的由來〉，《池州學院學報》第 24 卷 4 期（2010 年 8 月），頁 25。

能性，和十殿明王功能性即產生強大衝突，站在司法功能對立點上，世人生前做盡壞事，死後落入地獄接受審判之同時，若是科儀法事和神祇救贖即能將犯罪一筆勾銷，則宗教向世人強調地獄觀之用意何在，同時亡魂生前之的功德累積和犯行，十殿明王在審判過程又將從何角度權衡量刑，皆是本文所關注之焦點。以下從三個面向來探討，分別為「審判與赦罪之立場相異」、「審判與救贖之立場相異」及「預修生前功德之權衡量刑」，說明審判立場相異及權衡量刑的地獄觀。

一、審判與赦罪之立場相異

人死後入地獄是民間普遍認知，地獄十殿明王會依據亡者生前作為，衡量必需接受何種刑罰。然而在釋教科儀當中，有一科儀即為「放赦」〔註23〕，多在整場喪葬法事的後段進行，楊士賢對此解釋為：

> 釋教法師代三寶慈尊頒下赦書，宏開赦宥之門，消除亡者生前所造一切罪咎，以助其超脫苦輪，往生仙鄉。〔註24〕

其科儀會由釋教神職者召請赦官進入法壇，而後宣讀赦書並以獻酒宴請赦官，以勞慰赦官千辛萬苦代送赦書至明王殿前。其中對立之處，在於釋教透過因果輪迴地獄觀，以及民間故事素材告誡世人不能為惡，但在法事科儀上卻又以其科儀赦免一切罪愆，與宗教教義有所相異，吳信和云：

> 釋教做放赦科儀是必要動作，赦官領著赦書下去陰曹地府，看是要如何赦這個人的罪，至於要赦不赦，這是十殿明王的權力，並不表我今天做放赦，就是完全把罪赦掉。〔註25〕

釋教神職者在進行「放赦」科儀時，其身分亦等同於陽間之律師，他代替亡者宣讀並書寫赦書，最後拜託赦官送達明王殿前，懇求十殿明王在審判過程中從輕發落，在此可分為兩個部分討論，第一為楊士賢說法，「放赦」科儀之進行即代表「審判結果」，第二則是釋教神職者說法，「放赦」科儀進行即代表「審判過程」。兩方說法何者較具合理性，若「放赦」科儀僅是象徵性儀式，進行過程中能讓亡者親屬得到心靈上之慰藉，並認為亡者在陰間生活

〔註23〕「放赦」又名「走赦」、「走赦馬」，為呼應筆者題旨，其科儀往後皆統一稱「放赦」。

〔註24〕楊士賢：《臺灣閩南喪禮文化與民間文學》（臺北：博揚文化，2011 年 8 月），頁 133。

〔註25〕2012 年 3 月 4 日 13:00～15:00，於臺東市慧德壇，訪談吳信和先生。

得以安然無恙，但科儀對亡者沒有直接作用，楊士賢之解釋有其合理性；但若「放赦」科儀並非象徵性儀式，為亡者在審判過程中的必要程序，釋教神職者之解釋亦有其合理性。

　　站在因果業報輪迴之地獄觀，釋教神職者之說法較合乎邏輯，「放赦」科儀在釋教認定上，屬於直接迴向給亡者之功德法事，它對亡者本身並非毫無作用性，不像「挑經」及「過橋」科儀對亡者本身，算不上有直接功德迴向之法事，在一般民間靈寶道壇之喪葬法事上，亦有相同功能之「放赦」科儀。另一方面，站在宗教立場，總是希望世人能夠多多益善，故而與其要死後救贖，宗教則更願意將較多心力放在生前教育之上，方能彰顯輪迴因果帶來之懲罰，地獄觀之建構亦較有成效性。但若站在寬慰親屬心情的立場，總是期待透過這樣一個動作傳達，能夠多少為亡者帶來一些作用：

> 你今天做壞事，當然要去承擔後果，但親人總是會想為他彌補，再怎麼說也是自己的長輩、子孫，總是希望可以減輕他的罪。只是說赦書放出去，是不是可以減？減多少？那是由十殿明王去主持的，不是我們決定。〔註26〕

　　既然為宗教，進行科儀法事亦不能全然以亡者為主體性考量，亦要間接從人道關懷角度，同理亡者親屬失去摯愛之心情，協助親屬為亡者做補償措施。當親屬失去親人時，若又告訴親屬因為亡者生前如何作為，死後入地獄有可能接受什麼樣的刑罰，雖合乎業報輪迴之正當性，但會讓親屬心情沈重。當世間法理都會考量人情，釋教神職者做為與陰間地府之中介者，在於和親屬對應及互動上，適時為他們向陰間地府傳達人情訴求，乃人道關懷的表現。

　　值得一提的部分，在於為何人一死即有罪，在還未經過十殿明王仔細審判時，即便是包容接納自己最多的親屬，為何認為亡者會因生前罪孽而受苦，而要求釋教神職者做「放赦」科儀來進行補救，「罪觀」及「罪感」的概念可以深入探討。就宗教觀點而言，我們瞭解西方社會的宗教信仰，罪觀、罪感的建立來自於神或教團的本體，只要違背神或教團的旨意就是有罪，不遵守神及教團的命令者就是罪人，這種道德價值的建立尚未涉及社會規範的是非對錯。但就東方社會的宗教信仰，罪觀、罪感的建立不建構在神及教團的本體，道德價值的建立和社會規範緊緊相繫，換句話說，即便東方社會的道德價值不涉及宗教，罪觀、罪感的概念亦是和社會規範緊密結合，這亦是東方

〔註26〕同註25。

社會存在的普世價值。受到儒家文化長久的影響，漢人社會始終相信人沒有天生完美，即便再好也會有犯錯的時候，因爲人有「良心」，透過自省反思也會知道自己哪裡不好，所以個人良心的主觀認定，使得罪成立的條件是不明確的，它不像西方社會只要違背神，就是有罪的堅定明確，正因爲東方社會的罪觀、罪感條件不明確，所以普遍認爲人一生都會犯錯，補償性的措施（法事科儀）在這時才更有存在的必要性。

二、審判與救贖之立場相異

釋教對世人傳達之地獄觀，即在於世人生前犯罪，死後即要接受十殿明王審判，但地藏王菩薩強調「地獄不空，誓不成佛」之救贖慈悲心，是否代表亡魂在接受審判的過程中，亦可以同時被救贖而免去刑責，若是如此強化救贖的功能，地獄觀建構的業報及審判觀念是否存在，亦是值得深入探討的問題。從審判與救贖的存在關係及功能進行探討，在《玉曆寶鈔》可以看到：

> 地藏王菩薩大發慈悲地說：「我憑著慈悲的願力，要來救度此道的眾生，奈何世間的人，行善的太少，作惡的多，這個去了，那個來，救度無有了期。應利用什麼好方法，使世人深信因果，懺悔罪行，截止所有的惡行，盡力行諸善事，改心向道，俾遂漸離開生死輪迴。一方面息止地獄的業因，另一方面使陰間的眾生，隨著子孫後代，所作的功德，很快得到超昇。」當時，十殿閻王，恭敬合掌，同聲回答說：「考察世人善少惡多的原因，不外乎由於邪、惡二見之故。邪見，就是若非以爲人死之後，便一切毀滅，執著斷滅的見解；要不，便堅持誤解，人永遠出生爲人，畜生永遠出生爲畜生的常見。因此，有的人盡情地自私自利，無所忌憚地行惡，有的人則把其他眾生當作自然的犧牲品，造成弱肉強食，殘殺爭奪的種種惡因惡果。惡見的人，則爲了隨順自己欺昧良心天理的偏私行爲，倡導許多邪說，有的人則教人盜竊、邪淫；或否認因果、鬼神，引導人進入邪非之境，阻止人進入良善之地，造成共業的大災難。」〔註27〕

就歷來民間社會的普遍認定中，皆認爲地藏王菩薩之幽冥教主身分凌駕於十殿明王之上，民間流傳之地獄思想書籍，亦可感受兩者之間尊卑關係，

〔註27〕同註3，頁42～43。

莊明興認爲十、十一世紀敦煌、四川等地流行的地藏十王造像中，即可得到
證明。〔註 28〕引文同時強調地藏王菩薩之功能性，亦圍繞在救贖渡化上，只
因不忍世間眾生無知而不斷受輪迴之苦，十殿明王才因爲地藏王菩薩之問
題，說明原因並強調人性貪婪與私慾，才會強化地獄審判功能，認爲要讓世
人瞭解地獄實境之苦痛與慘烈，方能自我克制人性慾望。地藏菩薩與民間信
仰、儒教、道教結合，十齋日、地獄救贖、法會薦福、十王信仰等地方色彩
濃厚，而此時天堂與地獄遊記、善惡有報、因果輪迴報應之書，死而復生情
節大量複製，訴說至地獄所遇，形成地獄行政體系，地藏菩薩成爲地獄最高
精神領袖，實際執行者爲閻羅王與完整如人間官制地獄行政系統，欲使一般
民眾相信地獄確實存在。〔註 29〕但若是地藏王菩薩本身亦認同十殿明王之審
判功能，世人又認同地藏王菩薩救贖功能之正當性時，釋教自身又如何解釋
兩者之間的衝突和互動：

> 釋教沒有一個科儀，可以讓家屬求地藏王菩薩救他的親人，它只有
> 渡他們的親人而已。釋教它所做的經、懺、卷只是要減輕這個人的
> 罪，不是要贖他的罪。譬如親人下寒冰地獄，要怎麼用功德迴向給
> 他，雖然都是在寒冰地獄受苦，但是否可以不要受這麼大的苦。沒
> 有完全不用受苦罪的道理，只是功德做給他，讓他可以拿補償給他
> 的冤親債主，不要累世把他纏住。〔註30〕

上述說法亦有三點值得探討之處，第一、十殿明王審判功能和地藏王菩
薩救贖功能依然存在，只是兩者功能性之運用並非在同一件事情或時間上，
引文說明釋教沒有任何一項科儀是要地藏王菩薩去救他的親人，其救贖功能
換另一個形式，或許是一種心靈救贖，亦即在於亡魂接受過審判懲罰，以地
藏王菩薩作爲指引讓亡魂體悟因果業報之後，心性方能立即懺悔，經歷審判
處罰後再行救贖及渡化，此說法或許較爲恰當。第二、前面亦提到親人爲亡
魂做功德，讓冤親債主不要累世纏住，其實和亡魂本身懲罰受罪爲兩回事，
如同世間殺人犯服完刑責出獄之後，還是會受到被害者親屬譴責和不諒解，
故而親屬爲亡魂做功德，抑或者是祈求地藏王菩薩救贖亡魂，其功德頂多只
讓其減少罪惡，或者將功德迴向給冤親債主以行補償，而非完全救贖而使之

〔註28〕同註 16，頁 171。
〔註29〕同註 14，頁 219～210。
〔註30〕同註 25。

無罪。第三、若是亡者親屬誠心誠意祈求地藏王菩薩，使其感動而願意以自我修行，全然肩擔亡者生前一切罪愆，其個案不列入整體現象的討論。

十王信仰與地藏王信仰結合，歷來是漢人文化社會之普遍認知，地藏王菩薩身爲幽冥教主之身分，亦被普遍認爲身分凌駕於十殿明王之上，其說法在各種不同宗教之間，不論是泛佛、泛道或民間信仰，皆會有不同解讀和詮釋。但不容否認在泛佛信仰地獄觀中，菩薩之尊者亦僅有地藏王菩薩被強化爲救贖者，同時被稱呼幽冥教主，所以地藏與十王信仰結合之後，地藏信仰在民間喪葬儀式中，也起了更爲重要的作用。〔註31〕十殿明王審判功能存在，地藏王菩薩救贖功能亦依然存在，只是兩者功能性及作用性不在同一事件，亦不在同一時間進行，藉此釐清地藏王菩薩對亡魂並非救贖至完全無罪。前面提及地藏王菩薩和目連身分之混淆，是否會間接使民間產生誤會，即目連救母相關科儀之象徵意義，直接代表透過地藏王菩薩救贖之後，亡魂亦得以無條件免除一切罪愆，這亦是值得釐清及深入探討之問題。站在宗教立場而言，建構地獄觀即是以恐怖殘酷的景象，以此嚇阻世人諸惡莫做，並奉勸世人行善立孝，以生前福報來折抵審判定讞的刑責，若是強化地藏王菩薩的救贖功能，豈不告訴世人生前諸惡做盡，死後接受審判亦得以被救贖免刑，這和宗教的基本精神更是矛盾。

三、預修生前功德之權衡量刑

人死後亡魂接受十殿明王審判，並依據生前之作爲來衡量刑罰標準。但裁決前提即亡者若有累積功德業報，即能與十殿明王判決之刑責相抵免，若是累積功德較多時，亦有可能因而完全免刑，來世投胎至富貴人家重生。對照累積功德和地獄觀兩者關係，亦是緊密且相互依存之觀念，就民間或漢人宗教文化思維，累積功德目的即是爲免除死後入地獄接受刑罰；反之，地獄觀存在即是教化世人要有累積功德之觀念。就功德累積議題探討上，功德生前預修和死後補作對應關係上，亦是需要深入釐清，先就同是泛佛信仰之佛教和釋教進行對比，佛教對於累積功德態度上，看似較著重於生前預修，莊明興云：

> 佛教之所以要強調地獄苦報，其實真正的目的，是要做爲傳教的一
> 種方便說法，希望眾生都能夠奉行佛陀的教法來生活。而佛教利用

〔註31〕同註16，頁145。

冥報、再生、靈驗等等的傳說故事，不斷地宣說地獄審判的恐怖，
並宣稱以造像、念佛、誦經、抄經、齋僧、敬僧等方法能避免地獄
的受報。因此，當人們按照佛教的佛法，去逃離死後的審判時，佛
教的教法也就因此而廣爲流傳了。所以，佛教的這種宣教方式，也
使得其對中國的死亡文化，產生深刻的影響力。〔註32〕

　　說明佛教之所以強調地獄苦報，則是要教導民眾藉由造像、念佛、誦經、
抄經、齋僧和敬僧等方式，即供養佛法僧，達到累積功德之作用，死後審判
才不會接受苦難刑責懲罰。然而其信仰願力，則是要終生永久持續投入，亦
是終生永久修行，因此佛教之功德觀才會強調生前預修，生前預修之重點亦
多著重供養佛法僧。站在此邏輯觀點，佛教強調生前功德預修，雖具有導正
社會視聽及善良風俗之功用，但亦只在於個人言行範疇，若是功德預修僅在
於供養佛法僧，卻對社會服務奉獻上無所作爲，在立德、立功及立言部分亦
無建樹，單憑供養佛法僧之作爲，即能擁有功德的累積加乘，較難讓人全面
的認同。依循其觀點訴求，說明佛教功德觀和地獄觀之說法對應上，雖然看
似有待爭議，但不變的是藉由其運作模式，達到宗教的發展性和延續性，由
此進一步提出說明：

　　而在這一類的冥報、再生、靈驗故事中，以造像、誦經、抄經、齋
　　僧敬僧的方法，來免除地獄的苦報，其實其主要傳達的訊息，是要
　　眾生供養、禮敬三寶，以達到興隆佛法的目的。造像是表達對佛菩
　　薩的尊崇，誦經、抄經是對佛法的敬意，齋僧敬僧更是維持僧侶在
　　社會中生存的必要手段。〔註33〕

　　佛教出家僧侶之出世生活，因爲不具生產和謀生能力，爲了在社會上求
得生存，同時亦得到信徒之認同及支持，告誡信徒供養佛法僧以求得功德累
積，似乎正是爲求得宗教發展及生存之必要手段，基本態度上合乎邏輯。透
過其說法對照釋教在功德觀之態度上，前面提及釋教神職者的職業特性，同
時和佛教相異之入世生活，釋教神職者爲民眾進行科儀法事即是他們的職
業，同時有收授酬金，故而釋教的生存不需要供養佛法僧。但亦不能否定釋
教對於世人之勸化作爲，就生前預修功德觀點上，佛教談論之的生前預修功
德屬於宗教之絕對教義，而釋教談論之生前預修較偏向儒家思想中的完人教

〔註32〕同註16，頁113。
〔註33〕同註16，頁116。

育，往往透過民間故事及戲劇效果呈現，訴求人人生前在世應如何做好本份，同時應如何爲父母盡孝，所以運用佛教供養佛法僧的模式，界定釋教談論的生前功德，兩者立基點大不相同。雖然同是泛佛信仰之佛教和釋教，普遍都認同並強調地獄觀存在，善惡因果業報在死後接受十殿明王審判即得顯現，但是釋教之泛佛信仰民間化，不管對於世人生前教育或累積功德，都可以發現較偏向於儒家完人教育，民間宗教發展自然都以儒家思想爲統整依歸，原因亦在於其思想依歸，亦是漢人文化及生活習性之表現。

　　除了生前預修功德之外，對於亡者死後所舉辦之法事科儀，釋教稱爲「做功德」，而在法事進行同時，往往帶有大量武科動作，並讓親屬參與互動；相較佛教對於亡者之法事科儀上，多數皆著重於誦經等文科場面，親屬只跟隨在神職者身後聆聽經文並膜拜，親屬、神職者及往生者三者之間亦無互動。就佛教與釋教對於亡者法事科儀上差異，吳信和認爲：

> 一樣做功德，像佛教是入世法，所做的功德以十分來講，他們有七分功德是渡陽，三分功德是渡陰；但在釋教科儀裡面，所有科儀都是針對往生者，所以釋教十分功德裡面，有七分是渡陰，只有三分是渡陽。至於爲什麼釋教會著重在人往生之後，是因爲佛教科儀大多是消災祈福、增福壽，是針對陽世間的人活者去修，修自己的內心功德跟消自己的業障；釋教則是認爲人在生前，不可能會把業障、冤親債主全部消除，總是有不圓滿的地方，所以釋教科儀著重在人往生之後，生前做不夠或沒辦法做到的。〔註34〕

　　就上述兩方功德觀之思想分野上，可以得出四個部分的確立。第一、就世人生前部分，佛教較強調奉行純粹教義，同時要終身長久投入並堅定信仰，方能達到功德累積之確立；而釋教流於民間化，沒有純粹教義奉行之必要性，終身長久投入亦非堅定信仰，而是漢人社會中長久建立之儒家倫常規範，生前爲人只要懂得盡本份和行善立孝，就能達到功德累積之確立。第二、就亡者死後部分，佛教七分渡陽著重在世人信仰規勸，透過亡者之例告誡親屬要及時皈依，死後方能安往西方極樂世界，同時科儀法事較爲簡單，多著重在誦經等文科場面，親屬較無直接參與感；而釋教七分渡陰則重在亡者之死後歸屬，透過亡者告訴親屬要進行哪些功德補救，方能帶領亡魂前往西方極樂世界，同時科儀法事較爲繁複，多著重在武科場面和戲劇效果，親屬較有直

〔註34〕同註25。

接參與感。第三，佛教對於功德建立大多在於事前修行，屬於自我單方面宗教信仰之唯心主義論，唯有信仰堅定才有功德存在；釋教對於功德建立大多在於事後補救，屬於神職者、亡者及親屬三者之間互動協調結果，唯有依據亡者生前狀態和親屬期盼，才能針對缺漏部分進行功德補足。第四、佛教著重渡陽，唯有規勸世人皈依向佛，佛法僧才能被世人所供養，宗教才有存在和延續之可能性，因此功德確立和存在多於利己，少利社會大眾；釋教著重渡陰，神職者透過和亡者及親屬仲介協調，補足彼此需求欠缺之功德，同時藉由親屬在科儀法事上之參與，體悟為人處事態度及行善立孝可能性，教化功用不僅利己也利眾。故從功德觀和地獄觀之對照，發展出佛教和釋教在此議題之差異性，同時亦將生前預修及死後補作，以及功德渡陽及渡陰關係上，得到概念上之釐清。

第三節　目連破獄法事科儀象徵之地獄觀

提到目連救母故事，釋教將其素材運用在科儀法事進行上，帶給世人孝道的省思，同時說明並釐清地藏王菩薩救贖功能性，以及和目連救母兩者之間角色重疊及混淆。對照釋教「打血盆」及「打枉死城」科儀，多在整場喪葬法事的後段進行，由釋教神職者扮演目連手執釋杖，攻破地獄城池救出亡魂，故而就其破獄象徵意義上，進行深入探討和釐清，並且針對上述科儀場景，即「枉死城」及「血盆池」〔註35〕進行敘事分析。從兩個面向來探討，分別為「破血盆池之法事科儀」及「破枉死城之法事科儀」，詳細析論目連破獄法事科儀的象徵。

一、破血盆池之法事科儀

血盆池說法在民間歷來流傳已久，它並非僅是釋教或泛佛信仰才認同之冥界空間，即便是道教或一般民間道壇也有血湖地獄說法存在，差別大多在於稱呼上不同。站在佛教立場觀點，認為婦女在經期與生孩子時，流血入地，觸污了神靈，於是在死後須入血湖地獄受苦。〔註36〕不論是血湖地獄或血盆

〔註35〕「血盆池」又可稱「血盆城」、「血盆地獄」、「血湖」、「血湖池」、「血湖地獄」及「血污池」，筆者行文統稱「血盆池」。

〔註36〕朱恆夫：〈論《慈悲目連寶懺》對目連戲生成的影響〉，《教育文化論壇》第2卷3期（2010年6月），頁117。

地獄，所指的都是婦女經血、產血等污血所累積而成之地獄；換言之，這是個婦女專屬之地獄，尤其是對生產而死亡的婦女而言，更是如此。早期佛教地獄名稱並無此一地獄之名，唐宋之後，佛道經書有關血湖血盆的敘述，才逐漸多了起來。〔註37〕釋教作爲泛佛信仰之一，基本態度上亦和佛教相似，所以認爲凡亡者生前爲女性並生產過，死後必定要做「打血盆」科儀。就血盆池之意義詮釋及存在象徵，民間流傳《玉曆寶鈔》亦可看到對血盆池意義作說明：

> 世間的人，誤聽道姑胡說，以爲：凡是婦人生產，就是有罪；死後即發入血污池受苦。這眞是大錯特錯！婦女生產，是天經地義的事。即使難產而突然死亡；絕不會因他的屍鬼汙穢，而發入此池。發入此池的罪過有：
>
> 一、生產後未超過二十天，就接近井、灶、洗滌衣服。將血污之衣，曬晾在高處，污穢了神明。此罪應歸一家之長的有三分，婦人則有七分之罪。
>
> 二、無論男女，凡是不顧忌地在神之前，或是佛之後，苟行房事。或者不忌諱日辰，例如：五月十四、十五；八月初三、十三；十月初十。這五天男女犯禁行房。以上二種情形之人，於神明降下惡疾，突然死亡後，並在陰間遍受諸地獄的苦行。此外，還得永遠浸在血污池中，不得出頭。
>
> 三、無論男女，在世時喜好宰殺生靈、動物。污血濺染了廚灶，神佛的靈堂（家設佛堂而殺生），經典、書籍、文章、有字的紙，以及祭祀的器皿。此種人在受過各種惡刑、地獄諸苦後，再解到血污池，浸入其中，不能輕易地出頭。〔註38〕

《玉曆寶鈔》將女性生產視爲合乎人情之事，且爲女性死後墜入血盆池之準則，擬出更明確且理性規範說明，對照其他宗教雖普遍認同血盆池存在空間，但對其入池受罪之規範，較無《玉曆寶鈔》有明確說法及準則。將之和釋教說法詮釋進行對比，可以明顯感受《玉曆寶鈔》規範似乎較能符合漢人文化之情理面，吳信和云：

〔註37〕林清芬：《《長阿含世記經》〈地獄品〉的地獄思想研究》（臺北：華梵大學東方人文思想研究所碩士論文，2011），頁90。

〔註38〕同註3，頁106～107。

玉曆寶鈔寫的也沒錯，問題是當她年輕生產時，懷孕或坐月子過程
中是否有夫妻行房，還是說今天月事來潮，是否有將布要拿去溪邊
洗，年老的時候她記得嗎？她的孩子有可能都不知道，所以我們儘
量幫她做一個補救，這也是釋教科儀為什麼著重於人往生之後的事
情。〔註39〕

　　民間流傳書籍之地獄觀說法，對比同樣屬於民間宗教範疇之釋教，「打血
盆」科儀究竟是建立在《玉曆寶鈔》觀點形成，只是歷經時代流轉後，釋教
自身定義逐漸模糊不清；抑或者是釋教自身對於「打血盆」科儀定義，本身
就可以兼容多種不同需求呈現，這部分已難以釐清。當中最值得探討之處，
即在於釋教進行「打血盆」科儀時，時有戲劇效果呈現，乃由於運用目連救
母素材，借用其故事救母出離地獄象徵，免去母親受浸血盆之苦。或許釋教
科儀文化受到中國目連戲影響，雖然看似不足為奇，但在臺灣喪葬活動傳統
文化上，目連素材運用卻能得到社會廣泛認同，最大關鍵在於它不僅達到救
亡魂出離地獄之苦，亦達到為親屬傳達對亡者之牽掛及孝心，同時引發民間
及世人對於百善孝為先之文化共鳴性，這些因素都可說是確立科儀存在的原
因。聚焦主題深入探討釋教神職者扮演目連破除血盆地獄象徵，吳信和云：

血盆城有東、南、西、北門四處城門，破地獄門是目連要救他母親
時，不知道他母親在什麼地方，而且血盆城裡面，和他母親同名同
姓的人很多，浸在血盆池的人都滿面通紅有血跡，他不知道母親是
哪一個，總是哀聲叫苦要找他母親，四處城門打開以後找到他母親，
才救他母親出血盆。破獄是目連有慈悲心，他希望破血盆地獄，以
後的陽世間人往生之後，不用墜地獄受血盆之苦。因為地獄不空，
血盆仍然在，地獄如果空，血盆就破了，血盆若破了，後面的人就
不用受輪迴酆都之苦、血盆之苦了，所以千百年來母親過世，就是
要打血盆。〔註40〕

　　透過說明發現釋教「打血盆」科儀，其破獄象徵並非只是破開地獄門之
後，把母親救離地獄如此單純，因為在破開獄門同時，卻也強調破除血盆地
獄之存在空間，一旦把空間概念破除，亦同時破除世人死後必定墜入地獄受
苦概念。回歸理性邏輯思考，既然已經強調地獄空間破除，為何每次喪葬法

〔註39〕同註25。
〔註40〕同註25。

事科儀上，卻又要重複執行破獄意象的科儀，若從泛佛信仰輪迴觀念討論，地獄不空亦代表世人仍然沒有徹悟善惡道德真理，所以藉由不斷的破獄呈現，亦同時讓世人不斷的被教育、再教育，及時體悟信仰觀念之真理。其中值得再深入分析之處，即釋教「打血盆」科儀是由目連執行破獄，而道教在執行破血湖地獄科儀時，則是由太乙救苦天尊及血湖教主寶相真人執行之說法〔註41〕，雖然科儀概念意涵相同，但以釋教的目連角色而言，因為民間變文和寶卷流傳其故事，故而以目連來執行破獄科儀時，更能喚起世人對於中國傳統孝道精神之共鳴，加上親屬對亡者的不捨與思念，更能強化漢人社會中「百善孝為先」之傳統美德。

二、破枉死城之法事科儀

枉死城之空間既念和說法在民間存在已久，釋教對此科儀之進行條件，為「橫死者」或「枉死者」，悉命不該絕者。〔註42〕就「枉死」兩字而言，即為枉屈而死之意涵，因為民間相信只要亡者是自殺、他殺、意外，即陽壽未盡而死亡者，死後都會落入枉死城。就自殺而言，其為不愛惜自我生命，所以要落入枉死城受罪，讓亡者不斷重複自殺之痛苦情境，他殺和意外亦為陽壽未盡而死，所以死後亦要囚禁枉死城，及至陽壽時限已到，方可以出離枉死城獄束縛。在《玉曆寶鈔》對枉死城之功能性，亦提出下列說法：

> 世人總誤認為凡是受傷、冤枉死亡的鬼魂，都歸入此城（枉死城）。
> 這種謠傳，遍傳成實，積非成是。其實，冤枉而死的人，那裡能再
> 加以無辜的苦刑？事實上是：冤屈而死的鬼魂，各等到害死他的兇
> 手，死亡拘拿到案之時，親眼看到兇手受到苦刑，心中的怨恨方可
> 消除。而此被害冤死的鬼魂，重新投生為人之日，方將兇手提出，
> 解發各殿的地獄，按其罪惡，收禁去受刑。並非所有被害死的鬼魂，
> 一概收入枉死城受苦。〔註43〕

從《玉曆寶鈔》說法觀點，似乎可以感受較多情理面，同時對於善惡報應彰顯亦有較顯著關懷，所以在此亦發現一個問題，即不管枉死城存在定義為何，是否代表亡魂一進入枉死城就必定要受苦，抑或者是枉死城存在空間

〔註41〕蕭登福：《東方長樂世界——太乙救苦天尊與道教之地獄救贖》（高雄：九陽道善堂，2008 年 5 月），頁 39。
〔註42〕同註 24，頁 195。
〔註43〕同註 3，頁 105。

本身就是險惡、苦難的環境，亦是值得進一步釐清之處。回歸此章節破獄象徵焦點，歷來人民或社會對於天堂與地獄之認知，就是兩個對立空間的存在，天堂之極好與地獄之極壞，亦造成社會文化將地獄形塑成極度負面之環境與空間，或許可以認同世人對於地獄之想像，方能對於死後入地獄受審而戒慎恐懼。亡魂進入枉死城的定義及標準暫且不論，單就亡魂進入枉死城後是否代表必定受苦罪之議題發展討論空間，即枉死城是否直接等同地獄，抑或者是枉死城僅是地獄空間之部分功能空間，這亦是值得深思之處。枉死城若有部分環境或刑罰會讓亡魂受苦罪，但其苦罪究竟是地獄刑官強制執行，抑或者是亡魂身處其環境而心生愁苦，吳信和云：

> 釋教認為枉死有分很多種，有的是屬於純意外死亡，有的是因為事業、家庭、感情因素所困而自殺，不管是上吊、跳河、跳海、投井或喝農藥，也都算是枉死。陽壽不該盡而盡者，不屬於壽終，釋教的定義會把他納入在枉死城，把他救出來是不讓他受坐困愁城之苦，但是應當接受審判的還是要審判。〔註44〕

透過田野調查得知，釋教神職者本身雖不排斥《玉曆寶鈔》說法，對於枉死城存在是否就必定讓亡魂接受刑罰，亦無過多釐清和說明，但相對得到不同詮釋觀點，即亡魂本身會讓自我產生愁苦。或許枉死城沒有地獄刑官強制為亡魂執行刑罰，但是亡魂身處枉死城，不論是要等到陽壽年限來到才能出離，或是等到當初殺害他的凶手死後入獄才能出離，「等待」及「囚禁」對亡魂本身，即是一種懲罰和受罪，最大差別在於刑罰是亡魂自我由內而外產生之心理狀態，釋教因枉死城空間意象而存在之「打枉死城」科儀，要將亡魂救出離亦是強調其目的性。

就破獄象徵上，就釋教「打枉死城」科儀上，對照前面所述之「打血盆」科儀，兩者儀式呈現方式則大同小異，取其目連救母故事，象徵由釋教神職者扮演目連角色，解救亡魂出離以表示目連破獄救母之意涵。最大差別在於「血盆池」之場景轉換成「枉死城」，救贖對象從女性轉換成男女皆可，「打血盆」科儀中為感懷母親十月懷胎辛苦，呈現亡者親屬要象徵飲嚥母親血水，在「打枉死城」科儀則無這部分之呈現，進而推論破獄科儀法事，是否沿襲另一科儀方式和象徵而來，從下列說法亦可進行對照：

> 破血湖地獄的風俗便迅速蔓延開來，不但風行中土，還被闖南洋的

〔註44〕同註25。

華人帶到新加坡、馬來西亞、泰國等東南亞國家。……在許多地方，
人們將「破血湖池地獄」擴展爲破所有地獄，如泉州由和尚演出的
「打城戲」，其中一個重要的節目即爲《打地下城》。〔註45〕

由上述觀點分析破獄象徵是由「獄」之形象推演至「城」，民間歷來對血
盆空間定義即是「獄」，對於枉死空間定義即是「城」，加上血盆空間概念及
意象有目連救母故事爲背景，枉死空間在民間則較無一統整性的民間故事。
進而對照釋教「打血盆」科儀和「打枉死城」科儀之形式及意義，皆與其有
諸多雷同之處，「打枉死城」科儀亦是借用目連救母故事呈現，戲劇表演的形
式亦多有相似處，因此「打枉死城」科儀是否爲「打血盆」科儀延伸而成之
法事，亦有值得探討之處。

就破獄主題意象探討，釋教「打血盆」科儀和「打枉死城」科儀之間，「打
枉死城」科儀法事呈現及故事寓意，若大多從「打血盆」科儀沿襲而成，從
地獄觀角度而言，釋教對於「城、獄」空間意象，沒有明確定義和釐清。地
獄是否等於城，抑或者城是否等於地獄，其觀點對釋教或亡者親屬而言，或
許並非如此重要，因爲對於人死後之空間意象，即亡者存在空間及去處，普
遍認爲盡是負面環境，因而釋教神職者背負亡者親屬請求及盼望，進而透過
其科儀形式強化「救贖」意象，救贖最重要關鍵即在於空間概念破除，破除
即不存在，不存在即無負面環境，亡魂亦能因此安息，是城或獄之定義亦非
如此重要。但從宗教存在立場探討，亦有教化世人行善立孝社會責任，形式
空間破除並不代表亡魂業報一筆勾消，因此輪迴報應之功能亦不能被忽略，
吳信和云：

> 一定要先把他救出來，至於過錯是誰的，會由十殿明王做公平的裁
> 決。因爲被別人害死一定有原因，原因出在哪裡，他會去查明清楚，
> 應當受的懲罰還是會去受懲罰，應該還他清白的時候，還是還他清
> 白。〔註46〕

釋教神職者雖然背負親屬盼望及請求，以其科儀形式讓亡者不要遭受苦
罪，但十殿明王之審判仍然是必經過程，亡魂還是要承受審判與刑罰，邏輯
上亦較合乎傳統世俗認知之地獄觀。說明釋教科儀代表之涵義，「過程論」更
甚於「結果論」，釋教神職者之身分如同律師，十殿明王則如同法官，律師（釋

〔註45〕同註36，頁119。
〔註46〕同註25。

教神職者）依照親屬期盼和要求，努力向法官（十殿明王）協調，爲亡者所犯罪愆盡力爭取減少刑罰額度，但是對亡者判刑之決定權皆在十殿明王手上。回歸破獄主題，雖然空間意象已形式上破除，但是善惡昭彰之天理循環，接受審判仍是亡魂無法迴避的宿命。

第四節　陰間地府官僚組織化之地獄觀

就普遍認知的地獄觀而言，人死後即要落入「地獄」，但就人的死後歸屬空間而言，「地獄」是否包括整體的死後歸屬空間，這是需要深入釐清的部分。可以更清楚的說，亡魂死後歸屬空間應是陰間地府，其官僚組織化的運作，更是整個陰間司法體系的架構。所以說明「地獄」僅是整體陰間地府的部分空間，嚴謹的就其功能而論，陰間地府的司法體系，亡魂必需經過明王殿前的審判定讞，才會發配大小地獄服刑。佛教在地獄觀的建構上，向來強調地獄的苦罪業報，卻也忽視「審判」功能的存在，對比釋教的泛佛背景，雖然和佛教都認同十王信仰的存在，但是釋教卻更貼近民間系統的十王信仰，除了自身的民間宗教特性外，更重要的是釋教重視「審判」的功能性，因此在地獄觀的形成概念上，強調陰間地府的官僚組織運作。以下從兩個面向來探討，分別爲「十王信仰民間化與還庫銀習俗」及「宮殿、城池及地獄空間意象之分立及隸屬」，說明陰間地府的官僚組織運作。

一、十王信仰民間化與還庫銀習俗

作爲同是泛佛信仰之一的釋教，探討其地獄觀的形成概念，雖然和佛教地獄思想相同，但是民間普遍流傳之十王信仰地獄觀，較能符合釋教的中心思想，尤其十殿閻王圖在今日臺灣喪葬道場仍時常看到，〔註47〕它在喪葬活動的使用有下列敘述：

> 十殿閻王之地獄變相，在形制上多以彩繪掛軸方式呈現，規模完整者，爲一殿一軸，十幅成一組，間或有以五軸或兩軸成組者，用於功德超度儀式之壇場，民間俗稱爲「功德畫」，屬於統道釋繪畫一脈的風格。〔註48〕

〔註47〕戴岳弦：〈臺灣民間的喪葬道場畫——十殿閻王圖〉，《新使者》第42期（1997年10月），頁47。

〔註48〕謝宗榮：《臺灣傳統宗教文化》（臺中：晨星出版社，2003年），頁132。

十王信仰深植臺灣喪葬文化，不論民間之泛道或泛佛信仰，十王信仰地獄觀之運用不僅能和民間有所呼應之外，十王信仰亦往往是向民眾傳達地獄業報最直接且清楚之素材，因爲冥界十殿所戒懲的罪刑，可說是以陽間的「三綱五常」來當作判審的標準，並指明背離社會所規範的道德是世間罪惡根源。〔註49〕若說佛教或道教之地獄觀爲宗教思想之純粹教義，普遍流傳民間泛佛或泛道信仰之十王地獄觀，更是爲了與民間社會有所共鳴，揉合具有儒家倫常思想而成之地獄觀。但十王信仰並非專屬於民間的地獄觀，佛教東傳入中國爲呼應其風土民情，亦摻入十王信仰之形成：

> 地獄「十王」是佛教東傳後依附漢譯佛典及本地民俗而創的產物，
> 隋唐時佛教在中原文化薰陶下始形成完整的「十王」說法，並逐漸
> 地與民間喪葬行事中修七薦亡的「七七齋」緊密聯繫。〔註50〕

佛教和民間流傳之十王信仰，基本精神上相似，重點在於民間十王系統，爲了加強與民間的互動，其信仰思想面貌更突顯儒家倫常之漢人文化。作爲民間宗教的釋教之地獄觀，對於佛教十王與民間十王兩者系統之間，更可看到它雖不排斥佛教之地獄思維，但卻更偏向於民間系統之十王信仰，同時亦更強調儒家倫常思想之提倡，論證民間宗教融合多種文化及宗教依歸，取決於儒家思想之運用，更有某種程度上之契合。

十王信仰之形成，使得民間發展成修七薦七之「七七齋」，對照臺灣民間喪葬文化上，歷來自有子女爲長輩逝世做七、做旬之說法，一旬爲十日，依古俗例，做完滿七（四十九日）後續四旬，拜祭四位判官，五旬即第九十九日不作，而於足一百天做百日，緊接著再做對年。可謂七七王官過，旬旬判官前，王官圖即是期間做七、做旬流程的圖示：

首七	秦廣明王	七天		頭旬	崔氏判官	五十九天
二七	楚江明王	十四天		二旬	李氏判官	六十九天
三七	宋帝明王	二十一天		三旬	韓氏判官	七十九天
四七	伍官明王	二十八天		四旬	楊氏判官	八十九天
五七	閻羅天子	三十五天		百日	平政明王	九十九天

〔註49〕王育仁：《十殿閻王之研究——以臺南縣道壇彩繪爲例》（嘉義：南華大學生死學研究所碩士論文，2007 年），頁 118。

〔註50〕姜守誠：〈「業秤」小考〉，《成大歷史學報》第 34 期（2008 年 6 月），頁 4。

六七　　變成明王　四十二天　　　對年　都市明王　一週年

滿七　　泰山明王　四十九天　　　三年　轉輪明王　三年〔註51〕

臺灣民間喪葬文化流傳之王官圖，亦是和十王信仰做為結合，並以三年為其循環，及至第十殿轉輪明王對亡魂分別核定其功過輕重，發配四大部洲，擇地擇類去投生，按其善惡通知首殿註冊，並審定壽命之長短，與功過之變換，過程繁瑣縝密，絲毫不含糊，然後再通過金橋、銀橋、玉橋、石橋、木橋或奈何橋，送往六道投生。〔註52〕以三年循環為一系統之說法，在佛教東傳入中國並與漢人文化融合之時，即有其觀念之生成，如下列說法：

> 佛教傳入中土後、不斷與和漢族文化相雜揉，從而形成一種觀念，認
> 為：人死後三年才投胎，亡魂初入地獄到輪迴轉生的這段時間屬於
> 「中陰期」。「中陰期」一般為四十九天，每七天為一個階段。基於此，
> 唐代民眾中形成了「七七齋」乃至「十王齋」的喪葬習俗。〔註53〕

十王信仰屬於整體泛佛信仰所共同存在之概念，但民間系統除了強化倫常思想，更特別突顯運用七七齋、十王齋之習俗，就臺灣現今喪葬文化風俗上，王官圖即是最實際之例，同時釋教在整體科儀法事，亦是承襲其文化面貌。探究釋教地獄觀對於十王信仰上和佛教之差異，釋教中「燒庫錢」科儀，亦是佛教所沒有的思想內涵，而庫錢之發展概念亦有下列說法：

> 「十王信仰」所強調的功德預修觀念，在南宋時期反倒與一種名為
> 「寄庫錢」的習俗相結合，以另一種模式滿足了生者預修死後功德
> 之目的。〔註54〕

暫不論庫錢運用是世人生前功德預修，抑或者是死後再為亡者燒化，可以得知在佛教所沒有之庫錢概念，至少在南宋即已存在，同時亦發現庫錢之概念，在《道藏》中亦有不少相關敘述：

> 填還庫錢的概念，和受生錢有關。道藏中，談論受生錢之道經有：《太

〔註51〕陳瑞隆、魏英滿：《慎終追遠——臺灣喪葬禮俗源由》（臺南：世峰出版社，2009年10月），頁84～85。六七變成明王應為變城明王，筆者保留原著不更動，平等明王亦同平政明王。

〔註52〕江逸子：《因果圖鑑——地獄變相圖、釋文》（臺北：華藏淨宗學會，2005年），頁182。

〔註53〕姜守誠：〈「業鏡」小考〉，《成大歷史學報》第37期（2009年12月），頁25。

〔註54〕盧秀滿：〈地獄「十王信仰」研究——以宋代文言小說為探討中心〉，《應華學報》第8期（2010年12月），頁110。

上老君說五斗金章受生經》（《正統道藏》〈洞神部・本文類・女字
號〉）、《靈寶天尊說祿庫受生經》（《正統道藏》〈洞玄部・本文類・
人字號〉）；及巴蜀出版社刊行的《藏外道書》第十三冊所所清・陳
仲遠校輯的《廣成儀制受生填還全集》、《廣成儀制正奏金籙受生全
集》、《廣成儀制受生鴻齋迎庫官全集》等。〔註55〕

　　佛教沒有庫錢的思想內涵，但在道教文獻卻有大量記載，同時前面引文
又提到十王信仰與庫錢的結合，因此說明民間十王與道教的連結性，而釋教
在與民間社會的互動下，亦是接收融攝了庫錢文化，因此「燒庫錢」更可說
是呼應民間風俗而生成之科儀。就釋教「燒庫錢」科儀的文化內涵，吳信和
云：

　　　燒庫錢自古以來是依照生肖燒的，我們來到這個世間為人，都有和
　　　本命生肖的庫官借庫錢，所以人本身都有帶財庫，帶多或帶少。他
　　　過世後子孫幫他還，還是照他的生肖下去還，並不是說我要燒多少
　　　就燒多少，所以釋教裡面有一套很完整請庫官的儀式。和道教相似
　　　的地方在每個生肖的庫官排列都一樣，這是民間習俗上加以融會貫
　　　通沿用出來的。〔註56〕

　　引文說明釋教地獄觀的形成，與民間系統發展之十王信仰關係緊密，釋
教的民間宗教特性，因為與儒家倫常思想的結合，不僅和民間系統之十王信
仰有多處相似，民間為亡者做七、做旬概念亦在釋教中得以顯現。同時民間
「庫錢」概念與釋教中之科儀運用，更是以此和佛教中十王信仰系統做區隔，
庫錢概念亦帶有些許道教色彩，更加說明釋教地獄觀與民間呼應之緊密關
係。釋教雖不否認佛教之十王信仰系統，但卻更貼近民間之十王信仰系統，
就漢人認知中廣義之地獄十王信仰，更是佛道信仰兼雜之官僚體系，不論場
景、刑官或神祇，處處皆可見到佛教及道教色彩，亦說明作為民間宗教之釋
教，為何會與民間系統之地獄十王信仰較貼近之原因。

二、宮殿、城池及地獄空間意象之分立及隸屬

　　探討釋教地獄觀時，釋教作為泛佛信仰之民間宗教，雖不否認佛教原生
之地獄概念，卻更貼近民間普遍流傳之十王信仰地獄觀，從民間角度出發，

〔註55〕同註41，頁52。
〔註56〕同註25。

亦普遍認爲死後亡魂接受十殿明王審判。單就空間意象而言，「宮殿」、「城池」
及「地獄」空間分立，在各宗教之間即有不同解釋，但這三者之間其上下隸
屬關係爲何，則值得深入探討；從執行功能而言，審判及服刑的執行空間，
是否具有使用的重疊性，爲另一值得探討方向。就原始佛經的死後歸屬空間
而言，蕭登福云：

> 漢魏六朝所譯的佛經，或説泥犁在高山上，或説在兩鐵圍山間的陸
> 地上，或説在地下。佛家的「地獄」諸家説法不同，並不全是在地
> 下，而有的地獄甚且是在空中（餘孤地獄）。將「泥犁」翻譯爲「地
> 獄」，原不十分妥切。但因國人向有死歸黃泉地下的觀念，而人死入
> 此，如犯人入獄中受刑，因此便把「泥犁」翻爲「地獄」。到了唐代，
> 玄奘法師等譯經，始捨「泥犁」一詞不用，而用「捺落迦」。捺落迦，
> 梵語爲 Naraka，本義爲惡人，或説是苦器；乃指惡人受苦之處而言。
> 「泥犁耶」、「捺落迦」、「地獄」，三者異名而同實。其中以「地獄」
> 一詞，最爲普遍，沿用最久。〔註57〕

除了佛教説法之外，在中國本土萌生的黃泉、泰山及酆都概念皆爲死後
亡魂歸屬之處，不論其名稱何者較爲恰當，可以發現在宗教意識未明確進入
中國之前，探討論點即在於死後歸屬之處，而這些歸屬之處亦只是單純空間
意象，無關乎因果業報之刑罰。及至佛教傳入中國「泥犁」思想，才開始提
及世人死後歸屬空間要受刑罰苦難，加上地獄一詞確立使用，因此在中國各
宗教或民間，才開始由此衍生因果業報之循環，各種地獄説法亦開始增加。
對照中國牢獄思維，它是犯人就地服刑監禁之空間，在進入牢獄之前亦必需
經過司法官舉證、審判及定讞過程後才服刑，可以説明佛教原生的亡魂歸屬
之處，是不需要經過審判過程，即是死後便接受服刑。對照陽世間司法體系，
佛教地獄觀較不符合程序邏輯，以此和釋教地獄觀對比，雖然兩者同時作爲
泛佛信仰，但差別在於釋教正視「審判」之功能及意義。

釋教以佛教神祇作爲主要信仰載體，從佛教原生地獄觀中，李芝瑩透過
佛教經典整理之地獄名目有八寒地獄、八熱地獄、十六遊增地獄（爲各八大
熱地獄之附屬十六小地獄）、十八層地獄等。〔註58〕雖然眾多地獄名稱來自佛

〔註57〕蕭登福：《漢魏六朝佛道兩教之天堂地獄説》（臺北：臺灣學生書局，1989年），
頁66。
〔註58〕李芝瑩：〈中國冥界觀及其在臺灣歌仔中的呈現——以〈十殿閻君〉、〈最新落

教經典，但從其地獄名目中亦可找到共通性，即地獄環境是寬廣、黑暗、高大，並充斥著炎熱、鋒利、尖銳、惡水、惡臭的恐怖之境。〔註 59〕同時亦發現佛教對於地獄空間之實際數目並無統整完確說法，而且地獄數量說法呈現有增無減之現象，佛教雖說明每一地獄空間有一主宰者，但卻只突顯亡魂受刑罰之地獄功能，忽略受刑罰之前必經過審判之功能及過程。可以說地獄設置具有明顯道德傾向性，根據眾生生前所造之業來設置各類地獄，有何業即有何地獄，地獄建立的根據在於人間，在於現世人間的道德價值取向。〔註 60〕故佛教依照世間道德善惡而創建地獄名目，以因果嚇阻方式奉勸世人，進而省略審判過程及作用亦不難想像，釋教在基本精神上，雖不斷強調死後亡魂入地獄受刑之因果業報，但卻也同時透過不同科儀呈現並強調「審判」之意義，這亦是釋教地獄觀較貼近民間十王信仰系統原因之一。

十王信仰透過民間化系統發展，雖然兼雜佛道空間及神祇，但其最大貢獻即在於官僚組織系統化，透過十殿明王的設置，同時強調並放大審判之功能性，清楚說明經過多久期間經歷不同明王殿前受審，依據不同審判結果而有什麼樣的刑罰。就空間意象而言，人並非死後即要落入地獄受苦罪，而是亡魂進入陰間地府之後，要先到明王殿前受審，有罪才發配地獄、城池服刑，無罪亦有可能免入地獄、城池，因此說明「宮殿」、「城池」及「地獄」三者，為各自分立運作的空間，明王殿既非在地獄空間之內，地獄亦非在明王殿之內。三者之間分立關係取決於功能論的存在，明王殿前之審判功能，亦等於陽間法院空間；地獄、城池之刑罰功能，亦等於陽間監獄、看守所空間，這一體系都歸乎在陰間地府之官僚組織系統下。而陰間地府既屬佛教，亦屬道教的說法，〔註 61〕其乃民間十王信仰的融攝性高，但重點在於強調官僚體系

陰相褒歌〉及〈孫悟空大鬧水宮歌〉為例〉，《大漢學報》第 23 期（2009 年 3 月），頁 19～20。八熱地獄各為：等活地獄、黑繩地獄、眾合地獄、號叫地獄、大叫地獄、炎熱地獄、大熱地獄、阿鼻地獄；十八層地獄各為：泥犁地獄、刀山地獄、沸沙地獄、沸屎地獄、黑身地獄、火車地獄、鑊湯地獄、鐵床地獄、（山蓋）山地獄、寒冰地獄、剝皮地獄、畜生地獄、刀兵地獄、鐵磨地獄、冰地獄、鐵冊地獄、蛆蟲地獄、烊銅地獄。

〔註 59〕 侯慧明、趙改萍：〈論漢魏六朝時期佛教的地獄思想〉，《宗教學研究》第 2008 卷 1 期（2008 年 3 月），頁 184。

〔註 60〕 同註 59，頁 184。

〔註 61〕 徐福全：〈宗教與喪禮〉，收錄於內政部編輯《禮儀民俗論述專輯（第四輯）──喪葬禮儀篇》（南投：臺灣省政府民政廳，1995 年 5 月），頁 41。

運作，同時亦放大審判功能之存在，對照佛教地獄觀而言，普遍認知上雖不排斥十王信仰之官僚組織及審判作用，但卻更強調地獄苦難業報。因為就佛教地獄觀多重的空間和層次而言，區別不在空間的上下，而在於時間和內容上的不同，尤其時間上，根據不同程度的罪惡墮入不同層次的地獄，不同層次的受苦時間也不同，觸犯的罪孽越重，承受刑罰的程度和時間也越長，在地獄所處層級也越深。〔註62〕站在純粹教義角度而言，其說法更能引發信眾向佛之可能性，同時亦強化宗教的存在和延續性，但若是佛教同時放大審判功能和官僚組織之運作，信仰動搖之變化亦有可能隨之產生。

第五節　小　結

　　此章總共分為四大面向探討，第一，就釋教作為泛佛信仰之一的民間宗教，為說明其宗教與民間之深層互動，進而從寓言故事角度切入，從釋教科儀上立足，首先以「過橋」科儀之曾二娘典故為例，從民間歌仔冊和釋教使用文本對照，可以看到書寫角度上之差異，即生前觀點與死後觀點，釋教明顯為後者，並藉由故事內容強化地獄業報。而「打枉死城」、「打血盆」及「挑經」科儀之目連救母故事，從目連和地藏王菩薩身分混淆進行疏理，並強化其救贖與渡化之功用，對照地獄觀亦突顯寓言教育真理，正視科儀渡化亡魂亦同時渡化世人心靈。第二，就司法立場對立觀點探討上，首先就十殿明王之審判功能，以及釋教「放赦」科儀進行對照，說明兩者之間相異關係，並從情理面觀點突顯十殿明王審判之意義。而十殿明王之審判功能和地藏王菩薩之救贖功能，亦將兩者功能對立進行分析，藉此清楚說明兩方存在立場。最後並從功德觀念之建立，以及十殿明王與之權衡量刑功能論上，突顯釋教在此議題與佛教之差異，同時亦區別兩者地獄觀之立基點。第三，就目連破獄之意象，對照釋教「打血盆」、「打枉死城」科儀象徵意義，先就「打血盆」科儀對照民間流傳之血盆空間，得出釋教在該科儀進行時，象徵破除形式與民眾期待心理之呼應關係，突顯破獄背後代表之道德價值。而「打枉死城」科儀從民間認知上，將枉死空間作用之不同說法與功能進行釐清，同時亦透過民眾期待之對應關係，進而突顯釋教破獄科儀法事中，背後代表的人性情

〔註62〕周文：〈「地獄」源流考〉，《湖北社會科學》第2009卷7期（2009年7月），
　　　　頁135。

理，說明破獄科儀為「過程論」而非「結果論」。第四，就陰間地府官僚組織
化之系統，說明釋教地獄觀對於十王信仰態度上，稍異於佛教而偏向民間系
統之發展，從民間對於十王功能論之傳統習俗上，對照釋教之做七、做旬及
庫銀之文化風俗，區別釋教與佛教不同之十王信仰色彩。同時就空間意象之
分立及隸屬上，強調透過組織系統分明，亦突顯空間功能之不同，以此強化
十王信仰審判功能之存在，並進而突顯釋教和佛教之地獄觀，對於十王信仰
定義及功能上之分野。

第五章 結 論

　　釋教萌生於民間，形成來源非常多元，首先是釋教為泛佛信仰背景，故和「佛教」、「齋教龍華派」關係相近。釋教強調「入世法」修行，雖然和「齋教龍華派」在這部分相似，但由於釋教神職者的職業特性，平日沒有持齋教規，加上多有武科動作呈現，亦是「齋教龍華派」所不以為然之噱頭，這和「齋教龍華派」則有些許差異。而在釋教之客家與閩南兩系發展之中，亦有客家先於閩南，以及漳州盛於泉州說法產生，廣東梅州客家族群之「香花佛事」，在文化上和釋教多有相似之處，就地緣關係探討，由廣東梅州發展至最近區域的閩南漳州，而後再輸入影響至閩南泉州，從前後發展對應關係上，釋教與廣東梅州香花佛事的關係又更貼近，同時強化釋教客家先於閩南、漳州盛於泉州說法。若從法脈溯源層面推論釋教形成，其禪宗認同基點與「齋教龍華派」的共通最直接，雖然釋教在法事亦會使用「齋教龍華派」的龍華科儀，其可能為臺灣民間「釋齋交流」現象，部分釋教人士認同源流自「齋教龍華派」說法，亦可能為禪宗思想認同的依歸，是否有直接法脈溯源需要再做深入佐證。而在「釋道交流」的現象探討上，不能直接論證最初釋教之萌生必定受到道教武科影響，但由於現今釋教壇與道教壇之間，亦時有教學相長、各取所需現象發生，故而釋教歷史形成進程中，道教文化滲入之可能性為高。另外在中國大陸「師公文化」方面，雖有部分武科呈現相似，但在法脈認同及信仰背景和釋教文化差異甚大，故具有法事表演功能之宗教神職者──師公，充其量只能算是文化現象的通稱。透過上述整理，可以發現民間宗教混雜相融現象產生，來自於民間對他們需求之投射，因為只要支持他們的信仰群體存在，就說明這個宗教得以延續之事實，而民間需求投射的共

同立基點，更是受到中國長久儒家意識之影響，因為儒家訴求要慎終追遠、及時行孝的道理，這些在釋教喪葬活動整體呈現上，亦可時時看到這樣的寓意。

　　單就儒家思想議題上，不陷入意識型態去爭論儒家是否足為一個宗教，一來是這方面之學術研究已非常豐富，二來是單就其研究議題上，無法幫助說明釋教文化中之儒家原型。在儒家是否為哲學或宗教的議題或研究上，從前人研究之論述中統整分析，以此點出並放大儒家思想的哲學功用和宗教功用，因為兩者功用並存，則無絕對價值之樹立與單一功能性。同時亦提及漢人千百年來文化中，儒家思想之根深蒂固是不容忽略的現象，其影響勢力除了文化之外，舉凡歷史、宗教、生活型態、道德價值等，儒家思想滲入都有非常強大的影響關係，對於宗教發展議題的探討上，更是不能忽略它的存在，並同時從哲學性和宗教性兩大主軸發展進行論述。談到釋教作為一個以泛佛信仰為背景之民間宗教，在大前提之下必定先就佛教東傳中國之原型和儒家的衝突進行討論，前人學者在這方面的研究成果其實已非常豐碩，在此點出其現象之最大作用，並非想針對儒佛對立故事做細部探討，而是想突顯宗教在中國發展的共同現象，即是外來宗教之萌生欠缺漢人文化的形成背景，因此外來宗教卻在中國遍布發展，必定和漢人文化有所聯繫，而儒家思想則是彼此之間的最大共鳴。就哲學和宗教兩大功能發揮上，佛教和儒家皆各自有所欠缺之立論，兩者相輔相承，於是在中國歷史及文化發展之下，民間宗教在其對應上更能自然承繼，同時在儒家思想倡導上，民間宗教更是突顯放大其特色。針對民間宗教發展之現象上，亦得到一個重要結論，即是民間宗教彼此之間的交流、融攝現象，比一般正信宗教更顯得廣泛，所以民間宗教決定融攝其他宗教文化色彩的前提關鍵，即在於彼此文化融攝後是否能得到普遍民眾之認同及共鳴，站在宗教勸世教化立場，儒家思想之禮孝精神則是最好運用之素材，亦同時是漢人文化中之思想共性，同時亦決定民間宗教日後發展之預設。

　　談到民間宗教以儒家思想作為發展之前提，釋教作為一個民間發展的宗教，儒家思想在其宗教科儀進行落實體現，因為和民眾有文化共鳴，於是在勸世教化的角色扮演上，在社會立足之最大實質作用何在，同時儒家思想之存在又有何呼應關係，更是值得深入分析之部分。一來釋教存在、流行、接納於民間，釋教師公本身發展在社會隸屬之地位，往往不限制於像一般正信

宗教的既定框架，亦沒有像得道高僧難以接近之層級差距，它不僅主動貼近、走進人民，同時也願意讓人民自然走進它的世界，所以它扮演的角色除了勸世教化的宗教神職者之外，同時亦有傾聽和撫慰人心的心理諮商師角色，讓人民以最直接的方式宣洩情緒。但由於釋教拉近和民眾文化思想上之共鳴性，同時以不同功能角色去貼近民眾，所以在法事科儀上以戲劇象徵之呈現更是它最大特點，以最直接且生動之情境帶領，讓民眾感念父母長輩在世可貴和及時行孝之重要性，同時用觸景生情方式讓民眾宣洩喪親之痛。對照佛教和齋教龍華派批判釋教師公科儀形式過於花俏，轉換角度思考，其正是彌補佛教和齋教龍華派過於講求莊嚴場面，民眾在喪事期間隱忍哀傷情緒的不足之處，亦是值得給予釋教師公文化肯定之處。

對同是泛佛信仰之佛教和釋教而言，其地獄觀雖有相似之處，但當中亦有需要進行釐清之議題，同時釋教以其民間宗教恣態立足於社會，不僅宗教特色符合民眾期待之外，宗教文化亦兼雜儒釋道色彩，故而從其對照地獄觀之生成，其中諸多切入觀點之異亦是值得討論和區分。本文一再強調釋教之十王信仰偏向於民間發展系統，乃在於佛教和釋教之地獄觀雖都強調業報懲罰，但前者忽略審判功用，後者則更強調審判功用。從空間概念而言，佛教一概以地獄涵蓋整體死後歸屬空間，地獄對佛教而言正是受苦罪之處，故而讓世人認為死後即要下地獄受輪迴業報，雖然不否認十殿明王之審判功能，但亦不會特別突顯，因為從佛教之出世法而言，唯有民眾供養佛法僧才有宗教存續和發展的可能，故此審判意義較不被重視；相較釋教偏向民間系統之十王信仰，因而在其民間系統運作與民眾期待下，基本精神與科儀形式較有其情理面，同時入世法不需被民間供養之條件下，其審判與服刑之功能皆能同時注重，由於正視審判功能存在，故而十殿明王之官僚組織系統被強化，亡者死後歸屬亦不只有地獄，而是歷經明王殿前審判之後，才有發配各大小地獄受刑罰之可能。從科儀進行儀式而言，雖然亡者生前所種之因，及至發配地獄受刑之果已無法一筆勾銷，但透過其科儀進行，藉以達到親屬為亡者進行補救之心理，亦是人性情理面之考量，更是釋教與佛教在地獄觀建構上之差異。由於強調亡魂必需經由審判，釋教神職者因應親屬之補償心理而進行科儀，形式向十殿明王呈送牒文並訴請權衡量刑，動作完結達到慰勞親屬喪親之哀效果，亦不影響其地獄觀強調之審判及服刑，故而說明釋教強調「過程論」，其過程論乃突顯先審再判之功能，因此一再提及釋教地獄觀的重點，

即在於較貼近民間系統之十王信仰。對照釋教科儀功能與地獄觀之生成，其過程論不僅爲合乎民間期待的情理面之外，結果論亦是間接教育並告誡民衆，世間爲人若是不懂行善立孝，抑或者是不懂得待人接物處事，結果論之報應亦不是不報。

　　本文從三大要點切入，探討釋教師公文化形成觀點，分別爲「釋教文化之交流」、「釋教文化與儒家思想之融攝」及「地獄思想之警惕勸世」，透過上述整理及分析，亦進一步認爲釋教作爲泛佛信仰之一的民間宗教，故而就其文化色彩上，雖是以釋迦牟尼佛爲宗主，但卻又同時兼雜其他宗教之特色。對照釋教在於儒家精神之提倡，亦進一步認爲民間宗教兼雜其他宗教色彩之前提，正是以儒家思想爲統整依歸，即在於融合其他宗教文化的同時，是否有合乎儒家思想之準則，因爲民間宗教流行於民間，在決定融合其他宗教色彩之同時，勢必考量能否得到民衆認同，而儒家思想具有漢人文化的共鳴性，以此爲標準而交流融攝亦有其合理性。若說民間宗教彼此之間的文化交流，是爲其「發展現象」，彼此間文化交流以儒家思想爲依歸，則爲其「發展標準」，及至最後以地獄觀闡揚宗教價值眞理，可謂爲「發展方法」，同時釋教強調之十王信仰地獄觀，亦是較偏向民間系統發展之十王信仰，因此更能得到民間支持及共鳴。因此就其民間宗教之「發展現象」、「發展標準」及「發展方法」，進而談論釋教文化在現今社會之存在狀況，亦是本文想要突顯之研究重點。

附錄一　慧德壇吳氏父子學藝師承表

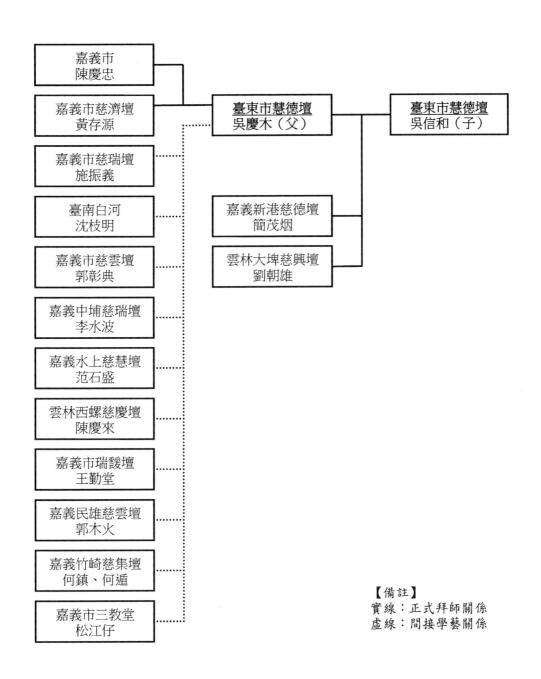

附錄二　慧德壇出山功德壇場空間圖

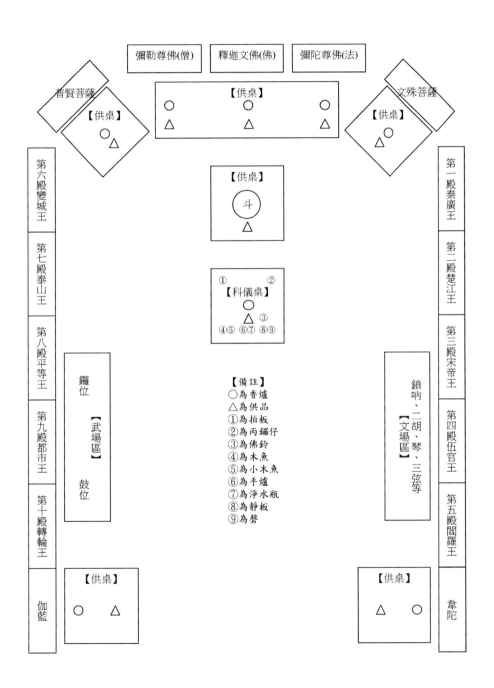

彌勒尊佛(僧)　釋迦文佛(佛)　彌陀尊佛(法)

普賢菩薩　　　　　　　　　　文殊菩薩

【供桌】
○
【供桌】
○　　○　　○
△　　△　　△

【供桌】
○
△

第六殿變城王
第七殿泰山王
第八殿平等王
第九殿都市王
第十殿轉輪王
伽藍

第一殿秦廣王
第二殿楚江王
第三殿宋帝王
第四殿伍官王
第五殿閻羅王
韋陀

【供桌】
斗
△

① 　　　②
【科儀桌】
○
△　　③
④⑤ ⑥⑦ ⑧⑨

【備註】
○為香爐
△為供品
①為拍板
②為丙鑼仔
③為佛鈴
④為木魚
⑤為小木魚
⑥為手爐
⑦為淨水瓶
⑧為靜板
⑨為磬

鑼位
【武場區】
鼓位

鎖吶、二胡、琴、三弦等
【文場區】

【供桌】
○　　△

【供桌】
△　　○

附錄三　泛佛宗教出山功德科儀比較彙整

臺灣閩南釋教——慧德壇〔註1〕			齋教龍華派——彰化朝天堂〔註2〕	佛教——一般出家僧眾〔註3〕
一朝法事	午夜法事	冥路法事		
起鼓(前夜正子時)	起鼓	起鼓		
雷通（正寅時）				
發章馱表(正卯時)	發表		發關科	
請神	請神	請神	啓請科	請佛
引魂（含造靈、入厝）	引魂（含造靈、入厝）	引魂（含造靈、入厝）	引魂科	引魂
沐浴（含頂禮、路關、五方）	沐浴（含頂禮、路關、五方）	沐浴（含頂禮、路關、五方）	沐浴科	
			頂禮科	
			造靈科	
午敬			供養三寶（午供）	
			誦經（梁王懺）〔註4〕	

〔註1〕其法事科儀程序爲吳信和提供。
〔註2〕林美容：《臺灣的齋堂與巖仔：民間佛教的視角》（臺北：臺灣書房，2008年12月），頁100～101。
〔註3〕佛教僧侶功德儀式程序，爲吳信和工作經驗分享。
〔註4〕臺灣閩南釋教的「誦梁王懺」，慧德壇在二朝宿啓或三朝法事才有進行。

臺灣閩南釋教——慧德壇〔註1〕			齋教龍華派 ——彰化 朝天堂〔註2〕	佛教—— 一般出家僧眾 〔註3〕
一朝法事	午夜法事	冥路法事		
			入厝	
對卷(金剛科儀寶卷)	對卷(金剛科儀寶卷)		誦經（三昧水懺、阿彌陀經、金剛科儀寶卷）	誦經（水懺或藥懺）
	拜門口(依家屬需求)			
水懺				
			薦祖〔註5〕	
晚敬				
扮仙				
鬧靈				
走赦	走赦			
藥懺	藥懺	藥懺		
十王懺				
燒庫錢	燒庫錢	燒庫錢		
雷通(第二天寅時)				
解口願	解口願			
乞米(依家屬需求)	乞米(依家屬需求)			
	十王懺	十王懺		
打枉死城(非正常壽終者)	打枉死城(非正常壽終者)	打枉死城(非正常壽終者)		
打沙(亡逝年限推算入「地鬼畜」道者)	打沙(亡逝年限推算入「地鬼畜」道者)	打沙(亡逝年限推算入「地鬼畜」道者)		
打血盆(亡者為生產過之女性)	打血盆(亡者為生產過之女性)	打血盆(亡者為生產過之女性)		

〔註5〕齋教龍華派之「薦祖」，亦類似於釋教慧德壇之「寄荐」，只是慧德壇並非列為獨立科儀，乃依據家屬需求，在各個誦念經卷懺本相關的科儀後段，順便為祖先「寄荐」做功德。

臺灣閩南釋教——慧德壇〔註1〕			齋教龍華派——彰化朝天堂〔註2〕	佛教——一般出家僧眾〔註3〕
一朝法事	午夜法事	冥路法事		
轉血車藏（難產死亡者）	轉血車藏（難產死亡者）	轉血車藏（難產死亡者）		
轉水車藏（溺水死亡者）	轉水車藏（溺水死亡者）	轉水車藏（溺水死亡者）		
挑經	挑經			
過橋	過橋			
午敬				
鬧座棚				
登座				
普施（蒙山施食科儀）			施食（蒙山施食科儀）	
			完懺科	
			還庫科	
謝壇	謝壇	謝壇	謝佛科	送佛
祭三煞（家中一年有兩位親人往生）	祭三煞（家中一年有兩位親人往生）	祭三煞（家中一年有兩位親人往生）		

附錄四　釋教、齋教龍華派及佛教之文化內涵比較彙整

	臺灣閩南釋教	齋教龍華派——彰化朝天堂〔註1〕	佛教
主奉神祇	釋迦牟尼佛（兼融民間信仰）	釋迦牟尼佛（兼融民間信仰）	釋迦牟尼佛
圓顱蓄髮	蓄髮	蓄髮	圓顱
娶妻生子	可	可	不可
信仰型態	入世法（在家修）	入世法（在家修）	出世法（出家修）
宗教型態	民間宗教	民間宗教	正信宗教
民間傳統風俗例行	有	有	無
儀式表演呈現	文科、武科交替	文科、武科交替	多文科呈現
信仰系統	禪宗南派六祖惠能、羅祖	禪宗南派六祖惠能	三論宗、涅槃宗、地論宗、攝論宗、天台宗（法華宗）、淨土宗、律宗、禪宗、法相宗（唯識宗，慈恩宗）、華嚴宗（賢首宗）、密宗（真言宗）、俱舍宗、成實宗等

〔註 1〕林美容：《臺灣的齋堂與巖仔：民間佛教的視角》（臺北：臺灣書房，2008 年12 月），頁 84～113。其列表由此書歸納統整。

釋名僧號	釋○○	○普○	釋○○
茹素吃葷	多數吃葷	茹素	茹素
法脈上溯	六祖惠能、羅祖	先天初祖	釋迦牟尼佛
組織行號	○○壇	○○堂	○○寺
泛佛派門	多屬於緇門	齋門	沙門

附錄五　田野調查記錄表

日期	時間	地點	對象	記錄方式
2010.5.2	16:00～18:00	臺東市慧德壇	吳信和	筆記
2010.7.6	09:00～11:00	臺東市慧德壇	吳慶木	筆記
2011.5.22	15:00～17:00	臺東市慧德壇	吳信和	筆記、錄音
2011.11.30	13:00～15:00	臺東市慧德壇	吳信和	筆記、錄音
2011.12.2	08:00～12:00	臺東市新園里 王府喪事奠禮〔註1〕		筆記、拍照
2012.3.4	13:00～15:00	臺東市慧德壇	吳信和	筆記、錄音
2012.3.5	08:00～23:00	臺東市豐樂里 洪府喪禮報恩法會〔註2〕		筆記、拍照、錄影
2012.5.13	21:00～22:00	臺東市慧德壇	吳慶木 吳信和	筆記

〔註 1〕當天流程：「點主」約 5 分鐘、「家祭」約 40 分、「姻親奠祭」約 10 分、「公祭」約 30 分、「自由捻香」約 20 分、「誦經」約 10 分、「封釘」約 5 分、「發引」。

〔註 2〕當天流程：「起鼓」約 20 分、「發表」約 40 分、「請神」約 30 分、「引魂（含造靈、入厝）」約 40 分、「沐浴（含頂禮、路關、五方）」約 50 分、「對卷」約 3 小時、「拜門口」約 40 分、「燒庫錢」約 50 分、「走赦」約 70 分、「藥懺」約 1.5 小時、「挑經」約 1.5 小時、「過橋」約 1 小時、「謝壇」20 分。

附錄六　慧德壇及其法事科儀照片

圖 1、臺東市慧德壇外觀

圖 2、簡茂烟為吳信和取釋子名

圖3、民眾贈與吳慶木之匾額

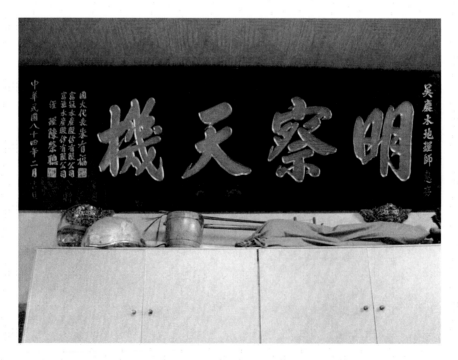

圖4、民眾贈與吳慶木之匾額

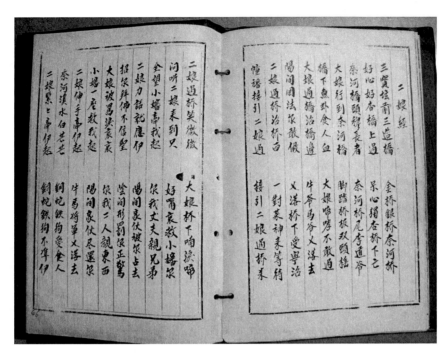

圖5、珍藏二娘經稿本

圖6、珍藏十勸娘稿本

圖7、珍藏龍華科儀本

圖8、第一殿秦廣王漆畫

圖9、第二殿楚江王漆畫

圖10、第三殿宋帝王漆畫

圖11、第四殿伍官王漆畫

圖12、第五殿閻羅王漆畫

圖13、第六殿變城王漆畫

圖14、第七殿泰山王漆畫

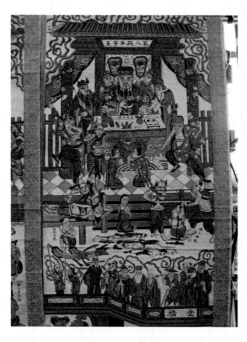

圖 15、第八殿平等王漆畫　　　　圖 16、第九殿都市王漆畫

圖 17、第十殿轉輪王漆畫　　　　圖 18、韋陀漆畫

圖19、伽藍（關公）漆畫　　　圖20、庫錢牒文

圖21、普賢菩薩、三寶佛（彌勒尊佛、釋迦文佛、彌陀尊佛）、文殊菩薩漆畫

圖 22、安葬日課

圖 23、2012.3.5 臺東市豐樂里洪府喪禮報恩法會，吳慶木（左）與吳信和（右）
武場擊奏

圖 24、2012.3.5 臺東市豐樂里洪府喪禮報恩法會，文場嗩吶吹奏

圖 25、2012.3.5 臺東市豐樂里洪府喪禮報恩法會，發表科儀，中間為吳信和

圖 26、2012.3.5 臺東市豐樂里洪府喪禮報恩法會，請神科儀，中間為吳信和

圖 27、2012.3.5 臺東市豐樂里洪府喪禮報恩法會，吳信和進行引魂科儀

圖28、2012.3.5 臺東市豐樂里洪府喪禮報恩法會，吳信和引領親屬進行沐浴
　　　科儀

圖29、2012.3.5 臺東市豐樂里洪府喪禮報恩法會，吳信和進行入厝科儀

圖 30、慧德壇製作紙糊靈厝

圖 31、2012.3.5 臺東市豐樂里洪府喪禮報恩法會，對卷科儀，左二為吳慶木，
　　　左三為吳信和

圖 32、2012.3.5 臺東市豐樂里洪府喪禮報恩法會，拜門口科儀

圖 33、2012.3.5 臺東市豐樂里洪府喪禮報恩法會，燒庫錢科儀，黑衣者為吳
　　　信和

圖 34、2012.3.5 臺東市豐樂里洪府喪禮報恩法會，放赦科儀，左為吳信和

圖 35、2012.3.5 臺東市豐樂里洪府喪禮報恩法會，藥懺科儀

圖36、2012.3.5 臺東市豐樂里洪府喪禮報恩法會，吳信和進行挑經科儀

圖37、2012.3.5 臺東市豐樂里洪府
　　　喪禮報恩法會，吳信和進行
　　　過橋科儀

圖 38、吳信和昔日練習騎獨輪車
　　　（弄鐃）情形

圖 39、吳信和昔日練習騎獨輪車（弄鐃）情形

圖 40、吳慶木 23 至 24 歲弄鐃情形

圖 41、吳慶木 23 至 24 歲弄鐃情形

圖 42、吳慶木 23 至 24 歲弄鐃情形

圖 43、吳慶木 23 至 24 歲弄鐃情形

圖 44、吳慶木 23 至 24 歲弄鐃情形

圖 45、吳慶木 23 至 24 歲弄鐃情形

圖 46、吳慶木 23 至 24 歲弄鐃情形　　圖 47、吳慶木 23 至 24 歲弄鐃情形

圖 48、吳慶木 23 至 24 歲弄鐃情形

圖 49、吳慶木 23 至 24 歲弄鐃情形

圖 50、吳慶木 23 至 24 歲弄鐃情形

圖 51、吳慶木 23 至 24 歲弄鐃情形　　圖 52、吳慶木 23 至 24 歲弄鐃情形

圖 53、吳慶木 23 至 24 歲弄鐃情形

圖 54、吳慶木 23 至 24 歲弄鐃情形

圖 55、吳慶木早期弄鐃情形

圖 56、吳慶木（黃衣者）早期挑經情形

圖 57、吳慶木（右四）青年時與嘉義釋教耆老於嘉義大埔合影，嘉義竹崎慈
　　　集壇何鎮（左二）與何遁（左四），昔日曾傳授技藝予吳慶木

參考文獻

一、學位論文類

1. 林清芬：《《長阿含世記經》〈地獄品〉的地獄思想研究》（臺北：華梵大學東方人文思想研究所碩士論文，2011）
2. 林淑琴：《有關地獄之歌仔冊的語言研究及其反映的宗教觀》（臺北：國立臺灣師範大學臺灣文化及語言文學研究所碩士論文，2009）
3. 林怡吟：《臺灣北部釋教儀式之南曲研究》（臺北：國立臺北藝術大學音樂學系研究所碩士論文，2004年）
4. 陳碧苓：《台灣鸞書的死後世界觀——以天堂遊記與地獄遊記為例》（嘉義：南華大學生死學研究所碩士論文，2001年）
5. 陳錦霞：《地藏菩薩感應故事研究》（嘉義：國立中正大學中國文學研究所碩士論文，2009）
6. 邱達能：《先秦儒家喪葬思想研究》（臺北：華梵大學，東方人文思想研究所博士論文，2009年）
7. 邱宜玲：《臺灣北部釋教的儀式與音樂》（臺北：國立臺灣師範大學音樂研究所碩士論文，1996年）
8. 楊士賢：《釋教喪葬拔渡法事及其民間文學研究——以閩南釋教系統為例》（花蓮：國立東華大學民間文學研究所博士論文，2010年）
9. 楊士賢：《釋教喪葬拔渡法事及其儀式戲劇研究——以花蓮縣閩南釋教系統之冥路法事為例》（花蓮：國立東華大學中國語文學系碩士論文，2005）
10. 吳升元：《臺灣龍華派司公壇之研究——以苗栗苑裡地區為中心》（臺中：逢甲大學歷史與文物管理研究所碩士論文，2007年）
11. 王怡仁：《中國先民敬天宗教觀與先秦儒家敬天文化之探討——兼論當代

社會天心之失落》（臺中：東海大學宗教研究所碩士論文，2004 年）

12. 王育仁：《十殿閻王之研究──以臺南縣道壇彩繪為例》（嘉義：南華大學生死學研究所碩士論文，2007 年）

二、專著書籍類

1. 不著輯人：《安平縣雜記》（臺北：成文出版社，1983 年 3 月，影印清光緒 23 年輯抄本）

2. 馬西沙：《中國民間宗教簡史》（上海：上海人民出版社，2005 年）

3. 馬振鋒：《儒家文明》（北京：中國社會科學出版社，1999 年 9 月）

4. 馮佐哲、李富華著：《中國民間宗教史》（臺北：文津出版社，1994 年）

5. 董芳苑：《臺灣宗教大觀》（臺北：前衛出版社，2008 年 8 月）

6. 臺灣省政府民政廳：《民政叢書宗教禮俗系列之六──喪葬禮儀範本》（南投：臺灣省政府民政廳，1994 年 5 月）

7. 湯一介、張耀南、方銘主編：《中國儒學文化大觀》（北京：北京大學出版社，2001 年 1 月）

8. 李世偉：《臺灣佛教、儒教與民間信仰》（臺北：博揚文化，2008 年 8 月）

9. 李世偉主編：《臺灣宗教閱覽》（臺北：博揚文化，2002 年 7 月）

10. 李亦園：《宗教與神話論集》（臺北：立緒文化，1998 年）

11. 劉登翰：《南少林之謎》（臺北：幼獅文化，2001 年 3 月）

12. 劉述先：《當代儒學論集：傳統與創新》（臺北：中研院文哲所，1995 年）

13. 林美容：《臺灣的齋堂與巖仔：民間佛教的視角》（臺北：臺灣書房，2008 年 12 月）

14. 林再復：《閩南人》（臺北：三民書局，1996 年 7 月）

15. 鈴木清一朗原著、馮作民譯：《增訂臺灣舊慣習俗信仰》（臺北：眾文圖書，1989 年）

16. 羅光：《儒家哲學的體系》（臺北：臺灣學生書局，1983 年）

17. 呂宗力：《中國歷代官制大辭典》（北京：北京出版社，1994 年）

18. 郭齊勇：《儒學與儒學史新論》（臺北：臺灣學生書局，2002 年）

19. 和裕出版社：《玉曆寶鈔──附現代因果報應錄》（臺南：和裕出版社，2007 年）

20. 江逸子：《因果圖鑑──地獄變相圖、釋文》（臺北：華藏淨宗學會，2005 年）

21. 謝宗榮：《臺灣傳統宗教文化》（臺中：晨星出版社，2003 年）

22. 蕭登福：《東方長樂世界──太乙救苦天尊與道教之地獄救贖》（高雄：九陽道善堂，2008 年 5 月）

23. 蕭登福：《漢魏六朝佛道兩教之天堂地獄說》（臺北：臺灣學生書局，1989年）

24. 徐福全：《福全臺諺語典》（臺北：徐福全，1998年）

25. 莊明興：《中國中古的地藏信仰》（臺北：臺大出版委員會，1999年）

26. 張麗珠：《中國哲學史三十講》（臺北：里仁書局，2007年8月）

27. 張珣、江燦騰合編：《當代臺灣本土宗教研究導論》（臺北：南天書局，2001年）

28. 鄭志明：《臺灣民間宗教結社》（嘉義：南華管理學院，1998年）

29. 鄭志明：《臺灣新興宗教現象——傳統信仰篇》（嘉義：南華管理學院，1998年）

30. 鄭志明：《臺灣傳統信仰的鬼神崇拜》（臺北：大元書局，2005年）

31. 鄭志明：《儒學的現世性與宗教性》（嘉義：南華管理學院，1998年）

32. 陳芳英：《目連救母故事之演進及其有關文學之研究》（臺北：國立臺灣大學出版委員會，1983年6月）

33. 陳來：《古代宗教與原理：儒家思想的根源》（臺北：允晨文化，2005）

34. 陳瑞隆、魏英滿：《臺灣鄉鎮地名源由》（臺南：裕文堂書局，2006年9月）

35. 陳瑞隆、魏英滿：《慎終追遠——臺灣喪葬禮俗源由》（臺南：世峰出版社，2009年10月）

36. 施懿琳等編撰：《全臺詩（第伍冊）》（臺南：國家臺灣文學館，2004年1月）

37. 蔡仁厚：《儒家哲學與文化真理》（香港：人生出版社，1967年10月）

38. 蔡仁厚：《儒家思想的現代意義》（臺北：文津出版社，1987年5月）

39. 宋文和：《曾二娘燒好香歌——上本》（嘉義：玉珍漢書部，1934年2月）

40. 宋文和：《曾二娘遊地府歌——下本》（嘉義：玉珍漢書部，1934年2月）

41. 佚名：《何仙姑經上下卷曾二娘經共本》（鼓山湧泉禪寺藏版，1915年）

42. 楊仲揆：《儒家文化區初探》（臺北：國立編譯館，1994年）

43. 楊家駱主編：《敦煌變文（下）》（臺北：世界書局，1980年）

44. 楊士賢：《臺灣閩南喪禮文化與民間文學》（臺北：博揚文化，2011年8月）

45. 楊士賢：《慎終追遠——圖說臺灣喪禮》（臺北：博揚文化，2008年11月）

46. 吳敏霞：《日據時期的臺灣佛教》（臺中：太平慈光寺，2007年）

47. 汪毅夫：《閩臺緣與閩南風——閩臺關係、閩臺社會與閩南文化研究》（福

建：福建教育出版社，2006 年）

48. 王秋桂、李豐楙主編：《中國民間信仰資料彙編（第 1 輯第 3 冊）》（臺北：
臺灣學生書局，1989 年）

三、單篇專著類

1. 楊惠南：〈臺灣佛教的出世性格與派系之爭〉，《當代佛教思想展望》（臺
北：東大圖書公司，1991 年）

2. 葉明生、劉遠等：〈關於閭山教與師公戲之探討〉，收錄於《福建龍巖市
蘇邦村上元建醮與龍巖師公戲》（臺北：施合鄭民俗文化基金會，1997
年）

3. 徐福全：〈宗教與喪禮〉，收錄於內政部編輯《禮儀民俗論述專輯（第四
輯）——喪葬禮儀篇》（南投：臺灣省政府民政廳，1995 年 5 月）

四、翻譯專著類

1. 路先・列維—布留爾（丁由譯）：《原始思維》（臺北：臺灣商務，2001
年）

2. 莫里斯・哈布瓦赫（華然、郭金華譯）：《論集體記憶》（上海：上海人民
出版社，2002 年 10 月）

五、單篇論文類

1. 牟鐘鑒：〈儒學非哲學非宗教，有哲學有宗教——儒學是什麼樣的學
問？〉，收錄於蔡德麟、景海峰主編：《全球化時代的儒家倫理》（北京：
清華大學出版社，2007 年 2 月）

2. 莫幼政：〈壯族師公教開喪儀式及其文化思考〉，《河池學院學報》第 29
卷 1 期（2009 年 2 月）

3. 戴岳弦：〈臺灣民間的喪葬道場畫——十殿閻王圖〉，《新使者》第 42 期
（1997 年 10 月）

4. 李錦全：〈是吸取宗教的哲理，還是儒學的宗教化〉，收錄於任繼愈主編：
《儒教問題爭論集》（北京：宗教文化出版社，2000 年 11 月）

5. 李晴：〈被世俗理性利用的神靈們——淺析儒家文化對中國民眾宗教信仰
的影響〉，《河南理工大學學報》第 7 卷 3 期（2006 年 8 月）

6. 李慶：〈「儒教」還是「儒學」？——關於近年中日兩國的「儒教」說〉，
《深圳大學學報》第 24 卷 4 期（2007 年 7 月）

7. 李芝瑩：〈中國冥界觀及其在臺灣歌仔中的呈現——以〈十殿閻君〉、〈最
新落陰相褒歌〉及〈孫悟空大鬧水宮歌〉為例〉，《大漢學報》第 23 期（2009
年 3 月）

8. 劉遠：〈龍巖市民間道壇演出的戲劇——師公戲〉，《戲劇藝術》第 1 期

（2000 年）

9. 劉玲娣：〈漢魏六朝道教的孝道〉，《南都學壇》第 27 卷 1 期（2007 年 1 月）

10. 盧秀滿：〈地獄「十王信仰」研究──以宋代文言小說爲探討中心〉，《應華學報》第 8 期（2010 年 12 月）

11. 羅薇：〈香花佛事的宗教文化意義和族群標識──以粵東客家地區爲中心的考察〉，《廣西民族大學學報》第 32 卷 3 期（2010 年 5 月）

12. 羅莞翎：〈試論〈伍子胥變文〉儒家思想與宗教信仰〉，《有鳳初鳴年刊》第 2 期（2006 年 7 月）

13. 賴功歐：〈儒家「以道德代宗教」的思想特質及其現代反思──兼論現代新儒家的「人文宗教」觀〉，《江西社會科學》第 2008 卷 8 期（2008 年 8 月）

14. 郭秀芝：〈廣西師公戲及與中原儺文化的關係〉，《民俗曲藝》第 70 期（1991 年 3 月）

15. 孔慶茂：〈中國民間宗教藝術初探〉，《江西社會科學》第 2008 卷 2 期（2008 年 2 月）

16. 侯慧明、趙改萍：〈論漢魏六朝時期佛教的地獄思想〉，《宗教學研究》第 2008 卷 1 期（2008 年 3 月）

17. 韓坤：〈衝突與對話──早期佛教對儒家孝道思想的融會〉，《萍鄉高等專科學校學報》第 27 卷 5 期（2010 年 10 月）

18. 黃俊傑：〈試論儒學的宗教性內涵〉，《臺大歷史學報》第 23 期（1999 年 6 月）

19. 姜守誠：〈「業鏡」小考〉，《成大歷史學報》第 37 期（2009 年 12 月）

20. 姜守誠：〈「業秤」小考〉，《成大歷史學報》第 34 期（2008 年 6 月）

21. 錢征：〈九華山地藏菩薩與大願文化的由來〉，《池州學院學報》第 24 卷 4 期（2010 年 8 月）

22. 徐朝旭：〈論儒學對民間神明信仰的影響──以閩臺民間神明信仰爲例〉，《宗教學研究》第 2007 卷 2 期（2007 年 6 月）

23. 朱嵐：〈論儒佛孝道觀的歧異〉，《世界宗教研究》第 2008 卷 1 期（2008 年 3 月）

24. 朱恆夫：〈論《慈悲目連寶懺》對目連戲生成的影響〉，《教育文化論壇》第 2 卷 3 期（2010 年 6 月）

25. 莊吉發：〈清代民間宗教信仰的社會功能〉，《國立中央圖書館館刊》新 18 卷 2 期（1985 年 12 月）

26. 周文：〈「地獄」源流考〉，《湖北社會科學》第 2009 卷 7 期（2009 年 7

月）

27. 鄭志明：〈唐君毅與牟宗三宗教觀的比較〉，《鵝湖月刊》第 423 期（2010 年 9 月）

28. 車錫倫：〈鄭因百先生舊藏《目犍連尊者救母出離地獄生天寶卷》〉，《書目季刊》第 41 卷 2 期（2007 年 9 月）

29. 陳敬勝、胡鐵強：〈梧州瑤族師公傳度儀式的文化解釋──以湖南省江華瑤族自治縣爲例〉，《湖南環境生物職業技術學院學報》第 16 卷 4 期（2010 年 12 月）

30 楊樹喆：〈桂中上林縣西燕鎮壯族民間師公教基本要素的田野考察〉，《文化遺產》第 4 期（2008 年）

31. 楊樹喆：〈壯族民間師公教：巫儺道釋儒的交融與整合〉，《中央民族大學學報》第 28 卷 4 期（2001 年）

32. 楊樹喆：〈試論壯族師公的「師」是壯語 sae 的音譯──壯族師公文化研究之二〉，《廣西民族研究》第 2 期（2001 年）

33. 葉明生：〈媽祖信仰與道教文化──民間道壇之媽祖信仰相關科儀及文化形態考探〉，《福建師範大學學報》第 3 期（2009 年 5 月）

34. 葉明生：〈試論瑜伽教之衍變及其世俗化事項〉，《佛學研究》第 8 期（1999 年）

35. 吳秀玲：〈泉州打城戲初探〉，《民俗曲藝》第 139 期（2003 年 3 月）

36. 王馗：〈梅州佛教香花的結構、文本與變體〉，《民俗曲藝》第 158 期（2007 年 12 月）

37. 王馗：〈香花佛事──廣東省梅州市的民間超度儀式〉，《民俗曲藝》第 134 期（2001 年）

38. 王馗：〈粵東梅州「香花佛事」中的「目連救母」〉，《戲曲研究》第 2 期（2005 年）

六、研討會論文類

1. 林美容、連運輝：〈在家佛教：臺灣彰化朝天堂所傳的龍華派齋教現況〉，收錄於江騰燦、王見川主編：《臺灣齋教的歷史觀察與展望：首屆臺灣齋教學術研討會論文集》（臺北：新文豐出版社，1994 年）

2. 吳信漢：〈從哈布瓦赫集體記憶理論探討大甲鎮瀾宮的型塑〉，收錄於中華河洛文化研究會、中華僑聯總會編《河洛文化與臺灣文化》（鄭州：河南人民出版社，2011 年 4 月）

七、期刊報紙類

1. 洪清風：〈何爲釋教？〉，《釋教會訊》第 2 屆第 1 季（2010 年）

2. 高有智等彙整：〈菜公菜姑好修行　齋戒誦經撫人心〉,《中國時報》,第 A6 版,2010 年 8 月 15 日

八、網路資料

1. http://www.youtube.com/watch?v=ACQzyodwr7g

屏東縣牡丹鄉排灣族
祭祀經文語言結構及文化意涵之研究

潘君瑜　著

作者簡介

潘君瑜，屏東牡丹排灣族人，國立東華大學民族語言與傳播學系，國立高雄師範大學臺灣文化及語言研究所。從有記憶以來，家中持續進行排灣族傳統祭祀儀式至今，但隨著外來宗教的傳入，傳統祭祀儀式逐漸式微，驚覺再不積極將祭祀經文做文字紀錄與學習，排灣族深層文化將會消逝，更期盼能將排灣族精緻細膩的文化讓更多人知曉。

提　　要

　　本論文主要以牡丹鄉石門及牡丹兩村共八個部落的排灣族傳統宗教祭祀經文為主，此研究區域共有三種祭祀經文（稱 lada），第一種是 paliljaliljaw 系統牡丹社群保留僅存的三章祭祀經文，其他的則已失傳；第二種是由獅子鄉 tja'uvu'uvulj 系統傳入十二章的祭祀經文；最後一種則是迎神珠的祭祀經文。牡丹鄉有三種祭祀經文是主要原因是因由獅子鄉的移民進而傳入而增加。

　　本研究探參與觀察（participant observation）的方式參與祭祀儀式與焦點訪談（focused interview）及非結構性訪談（nonstructural interview）兩種訪談的田野調查工作中，將排灣族傳統宗教祭祀經文做一紀錄分析兼採用三角交叉驗證法（triangulation）做客觀的分析。以祭祀經文為研究分析的主體，用語言學的客觀且科學角度為研究分析的主幹，並輔以文化人類學的觀點，做通盤性祭祀經文的意涵的解構與評析。

　　本論文共五章，各章節區分如下：第壹章為緒論，將研究背景、研究動機及目的、研究方法及架構研究範圍及限制詳述，將研究的主題與區域做一整理敘述。第貳章為文獻探討，旨在說明排灣族宗教觀念及神祇的種類，進而將神鬼與人之間的溝通者——靈媒的角色抽出來詳加說明，最後，更以排灣族的語言結構作為本論文主要的分析研究工具。更討論其他關於排灣族祭祀經文的研究。第參章為討論排灣族的祭祀儀式，藉由儀式的過程及法器的運用更深化對傳統宗教儀式的特殊性及複雜性。並以儀式的禁忌及神罰突顯儀式的神聖性。第肆章為本論文的主角，將研究區域之祭祀經文做整理分類，用較為科學的方式以語言學的方法來分析祭詞的語言結構，輔以文化面詮釋祭祀經文。且從艱澀難懂的經文中找出祭祀儀式專門用語及祭祀儀式轉喻用語與委婉語。第五章為結論，其研究發現有四，分別為祭祀經文語詞的選用是依附在經驗主義的譬喻思維之下；其二為祭祀經文語詞的內涵皆表示整體的觀念；其三為祭祀經文使用的語詞是包含神靈與人間三度空間的兩人三方性的對話。最後，從靈媒進行儀式的動作、手勢、表情及聲音可以很容易看說話者的角色並找出適當的詮釋。雖然排灣族一字多義的詞彙相當多，但藉由儀式的觀察，可以更加深刻了解語言與文化相互承載的緊密關係。

　　排灣族精緻豐富的文化可以從語言的詮釋中展現，無論是在日常生活中的言談或是歌謠中內斂的歌詞，甚至是較為莊嚴的 lada（祭祀經文）或是祭祀禱詞。在用字遣詞的揀選無不與文化、宗教脫離關係，此兩者是息息相關、環環相扣。語言承載著文化也遵守禁忌的道德規範，期盼藉由此研究能夠進入排灣族的祭祀經文語言結構及文化意涵的深層思維。

謝　誌

　　這篇論文眞的是爲它傷透了腦筋，在田調的過程當中，常常聽到發音人口中說出「pazangal aicu a lada」（這個祭祀經文太難了）或是「pazangal a patalevan ta lada」（這個祭祀經文太難解釋了），甚至是我最不想聽見的「anema ta sikeljan tu anemanemaya」（我們怎麼知道是什麼意思）。但是，儘管在田調中遇到種種的困難，我想，qadaw naqemati（太陽神）將在前方指引著我完成這艱困的任務。

　　要感謝的人太多，因爲在這段日子中，幫忙我祭祀儀式田調、解讀祭祀經文的人太多，所有內心的一切感動，多到無法用言語來表達，只能用此拙作來回報大家對我的期待與用心。

　　筆者在做有關牡丹鄉靈媒的論文研究之前，曾詢問牡丹村的 ligu，請她代爲請示詢問 qadaw naqemati 是否可以研究該論文題目，經請示許可後，方爲開始著手進行本論文相關田野調查。還記得詢問時內心緊張及害怕，緊張的是；若不能進行田調研究，那筆者想爲自己 Kawac 家族盡心力的心情無處抒發，害怕的是；筆者自己對於神、鬼之事有著敬畏與少碰爲妙的心態。但在這樣的內心反覆掙扎許久後，仍然堅定執行的重要意念，除了獲得 qadaw naqemati 的同意之外，更重要的的是得到家人與 pulingaw 的支持。

　　首先，我要感謝我的家人，爲了這個論文的田調，我們幾乎是全家總動員，我的爺爺（kapi）、奶奶（ljumeg）、外公（kalausan）、外婆（djupelang）、爸爸（paljaljim）、媽媽（kedrekedr）及我的小妹（drenger），除了在金錢上無條件的支持我外，更重要的是在精神上的鼓勵與陪伴。在翻譯這艱澀的 lada 時，媽媽總是陪我從黑夜到天明，常常聽 lada 聽到起雞皮疙瘩，甚至是有頭暈的現象。如此不斷反覆的看著一次又一次的訪問帶。將這本拙作的核心一

點一滴從無到有的建立。而在這段期間我們母女倆的對話幾乎都是「這段經文所要表達的是不是這樣」、「這段翻譯是不是指……」，每天的話題都環繞著 pulingaw、qadaw naqemati 等等。

再者，感謝的是幫助我的 pulingaw 們，有 vuvu kivi（朱玉枝）、vuvu vais（張玉葉）、vuvu sauljaljui（劉天妹）、tai sauljaljui（曹錦霞）、vuvu saljeljeng（曹美惠）五位現職的 pulingaw。當然，vuvu 們除了在收集祭祀儀式與 palisi 的禮儀田調的協助外，也曾個別接受我兩次以上的焦點訪談。除此之外，更重要的是 vuvu vais 她不厭其煩一遍又一遍的向我解釋 lada，每次訪問的時間幾乎都是兩小時左右，連我自己都已經產生疲態，但是 vuvu vais 她仍滔滔不絕的解釋 lada 的深層意涵。當 vuvu 看到我皺緊眉頭時，她就會用她生澀的中文再次解釋，深怕我會聽不懂。所以在這訪問的過程當中是族語與中文夾雜，也很感謝 vuvu 一家人，當我與媽媽無法了解 vuvu 的解釋時，她的兒子 kuliu（張福義）與媳婦 ljaljava（葉金秀）就會在一旁幫忙解釋，幫助我更能了解 lada 的內容與意涵。

要想了解排灣族的祭祀經文，在收集 lada 的同時，我也帶著我拍攝的訪問帶前去請教部落的耆老，這裡，我要特別感謝常常幫助我做任何田野收集，舉凡是語言、文化她都盡她所能的將她所知的智慧不吝嗇的全盤托出——vuvu 'uljingai（高初代）以及她的家人高明主任、溫素珍老師。真的很感謝 vuvu 一家人對我的照顧，真的是非常感謝。常常被我打擾的還有華阿財老師及其女兒 kivi（華加靖），在訪問的過程中，華阿財老師不斷的建構我排灣族的語言及文化思維，更指導糾正我的族語拼音，完整呈現南排灣牡丹鄉的記音，也從華阿財老師的身上學到學問是融會貫通環環相扣。因此，從他身上獲得很多我以前未曾發現的排灣族深層的文化。

還有，協助我翻譯狩獵祭祀經文的拍攝訪問帶還有平和部落獵人家族的長輩們，kama 鄭尾葉、鄭清安，kina 林貴鳳、孔秀華，kaka 鄭美蘭、謝水能、孔愛花以及我在牡丹部落的三姨丈劉昭山與三阿姨尤秀宜。除了親戚的幫忙之外，還有向我媽媽古樓的好朋友，曾擔任五次古樓部落的五年祭祭司 vuvu 卓白倚、夫人高菊梅及女兒卓秀花，還有古樓的 pulingaw 鄧玉雪、先生蔣義盛。他們將獵人的狩獵知識講述於我，讓我在翻譯狩獵的祭祀經文時更能夠到位，不致偏頗，畢竟女生是禁止參與狩獵的活動也禁止觸碰獵具，因此當沒有實際接觸的經驗時，自己很容易憑空想像，陷入自以為是的事實建構，

造成翻譯上的謬誤。

在祭祀儀式田調儀式主家也是不可或缺的角色，若沒有他們不避諱的讓我收拍攝，我想我對排灣族傳統宗教祭祀的儀式仍然是一知半解，雖然家中常舉行祭祀儀式，但若不深入研究探討，仍舊是無法開啟這具有意義的神秘面紗。

在高師大研究所求學的過程當中，所長劉正元教授與所上教授的教導與關心以及助理玫君姐常常提醒我注意論文的事項。這些的種種貼心的關懷，讓我在這三年感受到如家人般的溫暖。我的指導教授吳中杰教授，在做學問的當中給我相當大的發揮空間，讓我在我的研究上暢所欲言，但他仍在旁小心督促，甚至是激發我的研究潛力。我的導師魏廷冀教授，在原住民的句法、詞彙、語言分析上的指導，對我的論文紮下穩健的根基，使我對自己族群的語言分析拿捏得宜。更有我大學時期的老師：童春發教授、簡月真教授及林蒔慧教授對我的鼓勵，支持我研究自己族群的語言與文化。其中相當感謝童春發教授擔任我論文的口考委員，針對排灣族語及排灣族的文化給予批評指教，使論文更臻於完美。在此，也特別感謝齊莉莎教授在一次台師大舉辦的論文發表會時，聽說我的論文題目後，贈與我 Josiane Cauquelin. *Ritual Tests of Last Traditional Practitioners of Nanwang Puyuma.* 一書，讓我真切感受到處處是老師，處處是朋友。

最後，一定還是要感謝陪在我身邊的同學們、朋友們，大家相互鼓勵成長、督促彼此，讓各自的研究得以出世。在這裡感謝學長姐 Grace、建豪、bali、小新；同學采萍、薰葵、孝麟、美蓮、阿福、義軒、綉青、欣慧、育菁。還有東華的學姊布漾星、一萬星、寶珠、曉佩、學妹 aruai。還要特別感謝我的救命恩人——Amoy（趙宇函），因為當我獨自田調的往返車程中，她就從出發地陪我聊天到目的地，聊天的時間總是在一個小時以上。幸好有她的陪伴，我都能夠平安的回到家中，完成我今天的田調行程。

一個人的成功，絕非單打獨鬥就能完成，而是透過大家的幫忙與合作，才有成功的可能。非常感謝及感恩每一位在我身旁鼓勵我、支持我的人，更感謝給我指教與建議的師長與朋友。Selep 我一定會繼續朝著語言與文化領域努力，以回饋所有關心我的親朋好友們，最後，再次的說聲：「感謝的感謝。」

masalu a mapuljat

目次

圖目次

Abbreviations

1	first person	第一人稱
2	second person	第二人稱
3	third person	第三人稱
Acc	Accusative	受格
Act	Activating morpheme	主動語素
AF	Agent focus	主事者焦點
BF	Beneficiary focus	受惠焦點
Caus	Causative	使動、使役
Excl	Exclusive	排除式
Ecl	Exclamative	感嘆
Fut	Future	未來
Gen	Genitive case	屬格
Hab	Habitual	習慣
IF	Instrument focus	工具格
Incl	Inclusive	包含式
Imp	Imperative	命令
LF	Locative focus	處所焦點
Link	Linker	連繫詞
Loc	Location maker	處所格
LRtF	Locative Focus and Result Focus	處所結果焦點
Neg	Negative	否定詞

Nmlz	Nominalization	名物化
Nom	Nominative case	主格
Obl	Oblique case	斜格
PAS	Past tense	過去式
PF	Patient focus	受事者焦點
PL	Plural	複數
Poss	Possessive	所有格
Perf	Perfect	完成式
Prs	Present tense	現在式
Prog	Progressive	現在進行式
Q-Part	Question Particle	疑問助詞
RE	Reduplication	重疊
SG	Singular	單數

第壹章　緒　論

第一節　研究背景

　　排灣族精緻豐富的文化可以從語言的詮釋中展現，無論是在日常生活中的言談或是歌謠中內斂的歌詞，甚至是較為莊嚴的 lada（祭祀經文）或是祭祀禱詞〔註1〕。在用字遣詞的運用上無不與文化、宗教脫離關係兩者息息相關。語言承載著文化也遵守禁忌的道德規範，希冀藉由此研究來探討排灣族的祭祀經文語言結構及文化意涵。

　　隨著時間步伐不停歇的前進，排灣族傳統的宗教信仰面臨到存亡的關鍵時刻，外來宗教的傳入與政治力量的介入，無不對傳統信仰產生不容小覷的威脅。一般普羅大眾對原住民宗教信仰的認知，大多數認為原住民以信奉基督教或天主教為主，但殊不知在臺灣最南端的牡丹鄉，它的宗教信仰多為傳統信仰、臺灣民間信仰及少數的基督宗教信仰。牡丹鄉臺灣民間信仰的廟宇大多集中在石門村，有齊天宮、福龍宮、天德宮、關聖宮、聖安宮、一貫道等廟宇〔註2〕。信仰的轉變可能與漢人接觸頻繁有關。再者，鄉內的教會規模

〔註1〕　林二郎（2005：65）提到「經文」是神職人員、法師、道士所唸誦的一段或一篇文字或是具有特定意義、又足以辨識的符碼所書寫的文章，供神職人員或巫師唸誦以達到晉德、修練、袪邪、祈福的目的，是一個被書寫成既定形式的文本。本論文所提 lada（祭祀經文）是指靈媒在成為靈媒之前所要唱的經文文本。「祈禱文」、「祈禱詞」或「祝禱詞」是宗教信仰活動、公眾場合中，依據現場狀況與當時心理需求，由神職人員、巫師或主事者，為了儀禮的特定目的，或滿足大眾集體意圖與期望所誦唸的語詞。本論文所提祭祀禱詞是指靈媒在進行各項祭儀所唸之祝禱詞。

〔註2〕　陳梅卿總編纂，《牡丹鄉志》，牡丹鄉公所：屏東，2000，頁441～443。

都較小，信仰基督宗教的牡丹鄉族人信徒不多。這些基督宗教的教會則集中在牡丹村及石門村，當地教會有天主教、長老教會、中華循理會、中央教會、曠野協會、安息日、浸信會、耶和華見證人等。但每個教會的信徒大約都是在 20 戶左右〔註3〕，甚至更少且人數不多。換句話說，牡丹鄉仍是有多數的人信仰原住民傳統信仰。

石門及牡丹兩村的族人大多是以傳統的宗教信仰為主，至今仍會請pulingaw〔註4〕為部落性的祭儀或是個人性的生命祭儀進行傳統的祭祀儀式。這些傳統宗教儀式或許已在其他排灣族部落甚至是其他族群日漸消失，但在這兒卻是見怪不怪的事，在部落經常會看見左右鄰居及全家族的人皆紛紛的來幫忙處理準備儀式中所需祭祀物品及祭祀用豬，由此可見排灣族傳統信仰的祭祀活動仍在我的家鄉——牡丹鄉繼續的呼吸著、延續著。

在種種客觀環境與主觀意向的變遷，部落已不再是個封閉的區域，部落不曾停止接到由外來不同文化面向的衝擊與刺激。傳統的信仰及社會結構面臨解構及重新調整建構的階段。

自經過外來政權多次的轉變及引進多元信仰充斥整個社會，排灣族的社會結構及宗教信仰受到前所未有的衝擊與挑戰。牡丹鄉因為地緣關係早與漢人接觸，其中又以牡丹鄉石門村最外圍的大梅部落影響尤甚，該部落於 1895年創建福龍宮，信奉福德正神〔註5〕，可見牡丹鄉在日治時期之前就已傳入漢人的傳統信仰，族人的信仰開始產生變化，此時的原住民信仰漸漸看見混合型宗教的雛型。

在荷蘭與西班牙在臺時期，不可否認原住民的傳統宗教信仰逐漸開始受到威脅與弱化，雖然此時期的改變並不顯著，但也讓族人接收到新文化、新宗教的刺激。日治時期實施的皇民化政策，破除迷信是理蕃政策的主要工作之一。禁止部落所有的祭典儀式，造成傳統宗教方式的祭典儀式日趨減少。同樣地，這也代表著削弱了部落 mazazangiljan、pulingaw 與 parakaljai 的重要性。原住民傳統信仰被日本國家神道宗教取代。建神社是為改變原住

〔註3〕 陳梅卿總編纂，《牡丹鄉志》，牡丹鄉公所：屏東，2000，頁438～440。

〔註4〕 排灣語 pulingaw 稱為靈媒，意指主持宗教儀式的女性（female of shaman），身為人與在、神、鬼、人之間做溝通的媒介及橋樑，她們專門為人治病（虛／實）。是在傳統宗教儀式中不可或缺的角色。另外，pulingaw 在北排灣稱為malada。

〔註5〕 陳梅卿總編纂，《牡丹鄉志》，牡丹鄉公所：屏東，2000，頁441。

民祭拜的地點與方式，部落宗教的改變也象徵信仰中心的置換，讓原本的泛靈信仰與祖靈信仰轉為信奉日本天皇的宗教信仰。不僅如此，階級制度中掌有大權的 mazazangiljan 也遭到警察制度更替〔註6〕，將原住民傳統的社會文化結構解構後並將之重整，重整成具日本味的原鄉文化。日本戰敗後，使得當初被禁止的基督傳教工作再次運作，當然本鄉也不例外。最早進入牡丹鄉的是基督長老教會，其信徒與教堂數也最多；其次有天主教、中華循理會、中央教會、曠野協會、安息日、浸信會、耶和華見證人等規模較小的教會〔註7〕。

　　排灣族傳統宗教的考驗隨著新文化的進入與接觸，它是不停的在轉化、蛻變，有日治時期的強制性及基督宗教信仰的溫和性的兩種方式進入部落，與部落傳統宗教相互對立與轉變之後，重新建構傳統宗教的新面貌。

　　石門及牡丹兩村的族人大多是以傳統的宗教信仰為主，尤以牡丹村村民仍會請靈媒為部落性的祭儀、家庭性的祭儀或是個人生命祭儀進行祭祀儀式，而且牡丹村的 tjaljunai（女仍小社）有一位 ligu〔註8〕可以幫人跟神溝通問 kamalaw〔註9〕，故牡丹村請靈媒舉行儀式較石門村盛行。

　　在多元的宗教信仰充斥的牡丹鄉，多面向的宗教思想影響著牡丹鄉的鄉民，再則又因很早就與漢人接觸頻繁，漢人的民間信仰也很早就傳入牡丹鄉，甚至比基督宗教都還來得早，使得部分鄉民信奉漢人的民間信仰。以下就探討傳統宗教變遷之原因，使族人們思考排灣族的傳統宗教信仰存在族群的重要性。

一、傳統宗教變遷之原因

　　不論主觀或客觀的原因，不可否認的是傳統宗教已逐漸在部落中消失，除了政治上強硬的打壓之外，更有其他多樣的宗教可以選擇。傳統宗教開始走向成為歷史的記憶，成為在文獻中的照片與資料，成為現在或日後「曾經」的字句與回憶。傳統宗教沒落的原因有很多種，我們應檢討與自我省

〔註6〕　童春發，2001，《台灣原住民史——排灣族史篇》，台灣省文獻委員會，頁162。
〔註7〕　陳梅卿總編纂，《牡丹鄉志》，牡丹鄉公所：屏東，2000，頁433。
〔註8〕　ligu：是靈媒的一種，她是可以幫人向太陽神詢問此人的因果（kamalaw），並告知其他靈媒要如何幫助他及問事人該如何處理。在 Ferrell（1982：160）排灣語詞典中也提及 ligu 為先知者、超能力者及傳達神旨的人。
〔註9〕　排灣語 kamalaw 意指人因冒犯神靈或觸犯禁忌的產生的業障。

思沒落的原因，是什麼原因阻礙了傳統宗教信仰命脈的前進，其主要原因基本上不脫離以下三點因素，而這三點要素相互牽引、連結，彼此息息相關。

（一）語言

排灣族的祭祀經文與祭祀禱詞皆為艱澀難懂的排灣語，其中更蘊含著大量的祭祀禁忌語與委婉語，在祭祀經文與祭祀禱詞中有很多詞彙都是需要靈媒來作解釋或者是經常舉辦傳統祭儀及對傳統宗教文化有深入研究的族人也有可能略懂一些。況且臺灣在經過多國的治理以及多次語言的轉換的歷史足跡，其語言難免會有變異。除此之外，祭祀經文的傳唱是只有靈媒才可以學習，且學習祭祀經文只是用耳朵記憶與不斷的練習，有可能會因為在傳唱的過程中有發音不準而導致錯誤的情形發生。還有靈媒在唸祭祀禱詞時，那流暢的語調，速度之快，聽得令人頭昏眼花，趕不上進度。隨著現在的靈媒的年紀都是超過六十、七十歲以上的老年人，新一代的靈媒要學習祭祀經文與祭祀禱詞其首要及根本的要求是需要流利的排灣族語能力；其次還要對傳統宗教文化有深入研究。

現在族語流失的速度比不上搶救的速度，一般日常性的對話與儀式性的對話有很多不一樣的詞彙，除了不會使用的禁忌語外，當中所使用的委婉語也與文化經驗有關。若無流利的語言能力與熟稔排灣族內在深層文化是很難瞭解祭祀經文與祭祀禱詞。況且語言能力的優劣直接影響到新一代的靈媒傳承問題與祭祀經文的傳唱及祭祀禱詞的唸誦的正確性與流暢度。

（二）經濟性

經濟性所牽涉的範圍較廣，可以從便利性、方便性、時間性及金錢面等等。排灣族的傳統儀式是相當複雜且繁瑣的，從事傳統宗教儀式除了要準備諸多的儀式祭品外，更有禁忌要遵守與儀式該注意的細節。如此繁瑣的工作不論是祭祀儀式的便利性、儀式祭品取材的方便性及舉行儀式靈媒與辦事主家的時間點上的配合外，更重要的是，需要為數不貲的經費來支持舉辦一次的傳統祭祀儀式。

舉辦祭祀儀式主要的目的就是為了要祈求平安、消除 kamalaw 請求神靈的原諒。以現今講求快速、便利的速食年代，覺得請靈媒來舉辦祭祀儀式是既費時又費力，換句話說就是勞民傷財。再者，舉辦祭祀儀式要遵守很多的

禁忌與細節。如果是舉辦家庭性的祭儀時，祭祀的主家的家人需要全員到齊，若是無法到者，則將準備此人的衣服表示參加，並在儀式過後穿上。其次是時間上的配合，這點不僅僅是祭祀主家與靈媒的時間配合，更重要的是因應舉行儀式的種類不同而有不同的時間，有的時候祭祀儀式是需要一整天的時間。如果是 bulai a palisi（好的祭祀儀式），如 pinaiskiyazaw（部落祖靈屋落成儀式），它是要在初一到十五（上弦月至滿月）的時間內才可進行。倘若碰到 pulingaw 或辦事主家部落有人去世而尚未下葬時，則須擇日再辦，而所要求的時間規則是一樣的。舉例來說，筆者的部落祖靈屋落成因為 pulingaw 與筆者部落各有一次去世而尚未下葬需延期的原因外，再加上 pulingaw 生病等種種因素，導致部落祖靈屋落成時間一延再延，可見要舉行傳統的祭祀儀式是相當困難的。因此很多族人為貪求便利而不舉辦儀式或是轉而改用其他宗教信仰簡單方便的祭祀儀式，進而直接影響祭祀儀式的應用。

（三）效益性

談到傳統宗教儀式的效益性，其實是一件因人而異的主觀看法。會舉辦祭祀儀式的活動，追根究底就是要祈求平安、消除業障因果（kamalaw）請求神靈的原諒為目的。所以儀式過後的所產生效益性的高低，實屬較為空泛的說詞。但是不可否認的一點是經過祭祀儀式後，著實能撫慰儀式主家人的心理層面。

在筆者訪問所有舉辦祭祀儀式主家的過程中，幾乎都會提到我們排灣族就是要用自己的方式祭拜（palisi）或者是說哪位的靈媒的法力較好等等，在儀式的觀察當中不乏舉辦過一次以上的儀式主家。〔註10〕所以，筆者大膽假設，會持續舉行傳統祭祀儀式的族人基本上是認同傳統宗教的祭祀儀式是有效的，故會請靈媒辦理家庭性的祭祀儀式。但這並不表示說不採用傳統祭祀儀式及信仰其他宗教的族人是不相信祭祀儀式後的效益。簡單的說，就是要有祭祀儀式經驗的主家才能判定儀式後效益性的高低。

（四）pulingaw 養成困難

根據筆者訪談現職五位 pulingaw 的養成過程顯示，每一位靈媒產生都是非自願性的，她們都是因為神擇的理由進而成為靈媒。她們表示自己雖有承

〔註10〕筆者田調時間從 2008 年 10 月至 2009 年 6 月，共參與 12 次祭祀儀式與三次問神儀式（pa'ivadaq）。

接靈媒的命脈，但都意願不高。若非因靈祲現象〔註 11〕導致無法正常作息，否則也不會接受成爲靈媒。換句話說，成爲靈媒主要目的只是要減緩靈祲現象，甚至是解除。

在經由占卜確認預備成爲靈媒後，開始向老師學習所有的祭祀禮儀、經文等，這樣需要數年的見習時間，況且在以前的年代並無文字紀錄，所以要學習艱澀難懂的經文與繁瑣的 pazangal〔註 12〕（祭祀禮儀），只能靠靈媒不斷的練習、揣摩及背誦外，別無他法。但是，不敵大社會貨幣經濟的現實狀況之下的新一代靈媒，要能專注學習靈媒所有的技能更是難上加難。除了學習的困難外，現職靈媒也必須遵守傳統信仰的戒條。當靈媒幫人辦過五次不好的祭祀，包括三次死亡二次意外死亡的祭祀儀式，這時她們必須要殺一隻豬來爲自己舉行淨身儀式，否則，將不利於往後的儀式。除上述可見之顯形的困難外，最主要導致靈媒養成的困難的是族群內在深層文化因外來宗教侵入導致的弱化現象，當愈來愈少族人去重視族群文化內部的深層結構時，新文化或混合型文化也就因應而生。

傳統信仰會逐漸變遷的原因，除了上面所提語言、經濟、效益及靈媒養成困難四大點外，還有諸多隱藏內外在的因素，此章節所探討部落宗教型態的融合與轉變以及變遷的主因。其目的是希望族人們可以藉此思考排灣族的傳統宗教信仰存在的重要性作一連貫性的省思。倘若要使排灣族傳統宗教信仰復甦，首要工作就是部落中要有靈媒與祭祀儀式的共存現象，這兩個「供」、「需」元素要同時存在，才能繼續讓排灣族的傳統宗教信仰持續在部落中呼吸著。

第二節　研究動機及目的

雖然牡丹鄉仍有在進行傳統的宗教儀式，但不可否認今非昔比，現在的靈媒的年紀都是超過六十、七十歲以上的老年人，排灣族 pulingaw 的祭祀經文與祭祀禱詞皆爲艱澀難懂的排灣語，況且臺灣在經過多國的統治以及多次

〔註 11〕　林二郎（2005：90）提出「靈祲現象」爲一種「狀態」，是「害病的過程中、原因與現象的總結」，而不是一個生病的原因。

〔註 12〕　譚昌國（2007：3）提到排灣族將「困難」的事爲 pazangal，指巫師需專注謹慎的舉行祭儀、巫師學習複雜艱澀難懂的經語、男人們稱他們結婚成家和建立家屋的事及基督徒禱告奉獻的事。

語言的轉換，且在轉換的過程中語言難免變異，不難發現許多借代的語詞（日文、閩南語）充斥其中。但其中影響最深的莫過於日治時期及國民政府來臺的初期的語言政策，日治的皇民化時期（1937～1945）及國民政府推行語言政策第二期的貫徹國語推行凝聚國家意識的「計畫貫徹期」（1970～1987）即國語獨尊，壓抑方言的時期。〔註 13〕這兩個時期嚴重影響到排灣語的原始性（primitive language），況且現在的中堅份子（30～40歲）甚至連簡單的排灣語都聽不懂，更遑論是要能說排灣語。這時，傳統信仰儀式人與 cemas〔註 14〕（神）溝通最重要的橋樑──pulingaw 的傳承就受到嚴重的威脅。排灣族道德的守護者──pulingaw 的殞落，代表著失去與神溝通的媒介，更失去維持部落道德規範平衡的守門員，排灣族再豐富的文化也將蒙上一層灰。

筆者從儀式及訪談的田野調查工作中，將排灣族傳統宗教祭祀經文做紀錄分析，嘗試用語言學的觀點來分析祭祀經文的結構，輔以文化的角度來詮釋祭祀經文的內在意涵，將排灣族傳統宗教祭祀經文做完善的保存，讓傳統宗教的精髓得以延續。

選定這個論文題目已是我研究所第二年即將接近尾聲的時候，當初本想寫有關排灣族族語教學的論文，但在這研究所二年當中的研究報告卻常常指引著我寫自己部落的儀式性的語言，或是相關傳統的祭祀文化，在這當中深感祭祀經文消失就不會再回來了的無奈。在田野調查的期間，聞牡丹社群的祭祀經文已剩下三段經文，想著，若是再繼續忽視它的保存與紀錄，後代的子孫將不復見排灣族傳統的宗教儀式。相對於族語教學卻是日益蓬勃發展且政府投以重視及呵護般的進行，在兩者相較拉扯中，選擇了較為艱困的道路，但筆者撰寫此論文的主要關鍵是在一次筆者的家祭中，聽聞自己的 sevalitan（祖先）跟我們說：「我們這一代有人要當 pulingaw，因為我們家有這 djalan（使命）。」這番話讓我震驚了許久，有種好奇卻又敬畏的情緒油然而生，如果這個使命是在我們這一代延續，那我更不可以忽視他在我生命中的必然存在的重要，也許承接使命的不是我，但能為自己 Kawac〔註 15〕家族盡一份心力，也不愧身為 Kawac 家族的'alaingan（長嗣）。希冀經由祭祀經文的研究分析，能使該區域的排灣族人更加的認識排灣深層的文化，將文化內化於生活

〔註 13〕陳美如，1998，《臺灣語言教育政策之回顧與展望》，高雄：復文，頁 10～38。
〔註 14〕排灣語 cemas 意指神、鬼及靈魂。
〔註 15〕Kawac 為筆者家的家名，位牡丹鄉石門村大梅（pungudan）部落。

之中，提升族群認同感。

第三節　研究方法及架構

　　筆者在做有關牡丹鄉靈媒的論文研究之前，曾詢問牡丹村的 ligu（靈媒的一種），請她代爲請示詢問 qadaw naqemati（太陽神）是否可以研究該論文題目，經請示許可後，方爲開始著手進行本論文相關田野調查。還記得詢問時內心緊張及害怕，緊張的是，若不行進行田調研究，那筆者想爲自己 Kawac 家族盡心力的心情無處抒發；害怕的是，筆者自己對於神、鬼之事有著敬畏與少碰微妙的心態。在這樣的內心反覆掙扎許久後仍然堅定執行的重要意念，除了獲得 qadaw naqemati 的同意之外，更重要的的是得到家人的支持。

　　筆者家因信奉傳統宗教與道教，故常常會舉辦家庭性的祭儀。其中筆者的小姑姑因幼年時期經常生病，爺爺奶奶認爲她的 kamalaw 深重，故家裡常常請 pulingaw 來辦祭祀儀式，且這些祭祀儀式都是需要殺豬的祓禳儀式。除了基本的祓禳儀式外，又因筆者家有祖傳的 sauzayan〔註 16〕，當它要從一地遷移到另一地時都要舉辦祭祀儀式。由此可見，筆者家族是相當重視排灣族的傳統宗教儀式。由於家中相當重視傳統信仰的這層關係，筆者認爲有必要先請示太陽神請求同意並祈求在研究過程得以順利。

一、研究方法

　　本論文主要以牡丹鄉石門及牡丹兩村共八個部落的排灣族傳統宗教祭祀經文爲主，依祭祀經文的族群分爲兩類：paliljaliljaw 群及 tja'uvu'vulj 群，再依儀式種類加以細分。paliljaliljaw 群的牡丹群社共有兩種祭祀經文，第一種是靈媒資格授證儀式僅存的三章祭祀經文；第二種迎神珠（si-kavukavulj ta zaqu）的祭祀經文。另一類是由獅子鄉 tja'uvu'uvulj 群傳入的祭祀經文，第一

〔註 16〕 sauzayan 是家族的財產或稱護身符，實際的樣式只有當家的長嗣本身才資格
　　　　擁有（目睹），其他的人甚至包括家人都不能觀看，否則會招致不幸。sauzayan
　　　　有兩種，一種是稱作 pula 的珠子，另一種則是稱作 vunaw 的珠子，這種珠子
　　　　是會詛咒他人的珠子，相當靈驗，就連有些 pulingaw 都不太敢碰觸它。倘若
　　　　該頭目家族擁有 sauzayan，則該家族的 alaingan，男生則是 cemacugan；女生
　　　　則是 pulingaw。在早期舉辦五年祭的時，sauzayan 它是串成珠子，佩帶在頭
　　　　目身上，保護頭目家族之用。

種是靈媒資格授證儀式吟唱的六章祭祀經文。第二種迎神珠的祭祀經文。最後，第三種則是六章狩獵祭祀經文，這首祭祀經文所使用的時間是一年一次的獵區整地，或獵人很久都獵不到獵物，祈求狩獵順利平安而吟唱，但現已不再吟唱了。

　　牡丹鄉有三種 lada 是主要原因是因由獅子鄉的移民傳入而增加。筆者嘗試用語言學的觀點來分析 lada 的結構，輔以文化的角度來詮釋祭祀經文的內在意涵，並採用三角交叉驗證法（triangulation）做客觀的分析。

（一）研究工具（tools）

　　拜科技進步之便，本研究以收集祭祀經文語料（data）為首要工作，筆者藉由錄音、錄影及現場紀錄筆記的方式以不失真的狀態紀錄保存，以排灣族語拼音文字書寫〔註17〕紀錄傳統祭祀經文並加以分析之。

（二）研究方法（method）〔註18〕

1. 資料收集

（1）質性研究法

　　採用田野調查法（field research）及參與觀察法（participant observation），經由實地的田野調查做觀察與紀錄並且以參與觀察者的角度來收集祭祀經文的語料。徵求 pulingaw 及主事家的同意後，使得參與儀式進行的流程，於儀式進行當中謹守參與觀察者的角色，善用研究工具的輔佐，將祭祀經文語料完整收集。若有缺漏或無法理解的部分，於事後的焦點訪談或非結構性訪談中獲取解答。

（2）調查研究法

　　採用焦點訪談（focused interview）及非結構性訪談（nonstructural interview）兩種。焦點訪談（focused interview）於五位研究區域內的 pulingaw，因研究區域有多位 pulingaw 且可分為兩大宗：一宗是牡丹群；另一宗是由 tja'uvu'uvulj（現獅子鄉）傳入。筆者也藉由部落長者的建議及現在還持續進行傳統宗教儀式的五位靈媒及五位對傳統文化、宗教信仰的部落耆老或文化工

〔註17〕本論文的排灣族族語拼音書寫系統為行政院原住民族委員會於 94 年 12 月 15號所頒布之排灣語書寫系統。

〔註18〕潘明宏、陳志瑋譯，Chava Frankfort-Nachmias David Nachmias 著，《最新社會科學研究方法》，韋伯文化：台北，2003。

作者。非結構性訪談（nonstructural interview）則在自然不受問題的侷限下自在的談天，可在儀式中間休息的片刻或是於結束後跟 pulingaw 或與辦事主家聊天，讓受訪者可以自由發揮心之所想，反而會有意想不到的收穫。

（3）文獻資料

將文獻資料分成兩大類，一類是文化類，針對排灣族傳統宗教的文化及宗教、祭儀、儀式等相關書面資料；另一類則是排灣語的語言結構文獻資料。將文獻資料做分類、整理，以利撰寫論文時的參考及佐證，便於讀者更快進入祭祀經文所要表達之意念。

（三）研究對象

本文將研究對象分為三組，第一組是由仍持續進行傳統宗教儀式的 pulingaw；第二組是對排灣族傳統文化、傳統信仰及熟稔部落事務及歷史的耆老或文化工作者。最後，第三組則是辦事主家的家人，每家一至三人進行訪問選用傳統宗教儀式的原因及其經濟性與效益性。

（四）研究分析（analysis of research）

主要以祭祀經文為研究分析的主體，用語言學的客觀且科學角度為研析的主幹，並輔以文化人類學的觀點，做通盤性祭祀經文的意涵的解構與評析。

二、研究架構

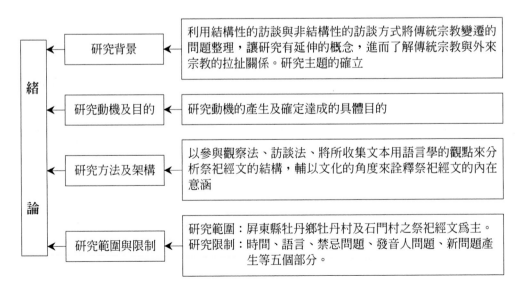

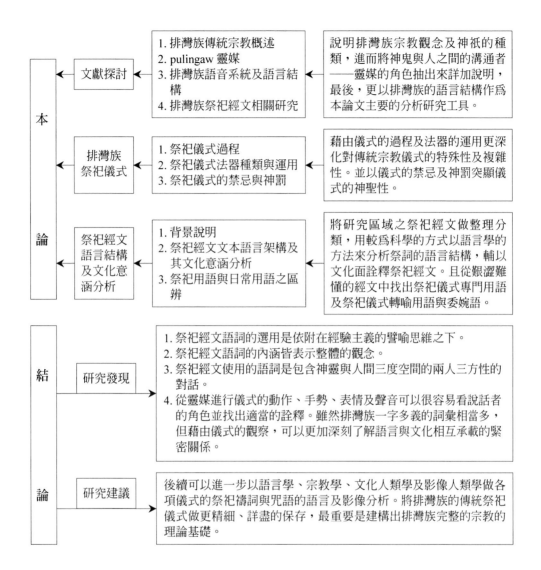

		1.排灣族傳統宗教概述	說明排灣族宗教觀念及神祇的種
	文獻探討	2. pulingaw 靈媒 3.排灣族語音系統及語言結構 4.排灣族祭祀經文相關研究	類,進而將神鬼與人之間的溝通者 ——靈媒的角色抽出來詳加說明, 最後,更以排灣族的語言結構作為 本論文主要的分析研究工具。

本論

排灣族祭祀儀式	1.祭祀儀式過程 2.祭祀儀式法器種類與運用 3.祭祀儀式的禁忌與神罰	藉由儀式的過程及法器的運用更深 化對傳統宗教儀式的特殊性及複雜 性。並以儀式的禁忌及神罰突顯儀 式的神聖性。

祭祀經文語言結構及文化意涵分析	1.背景說明 2.祭祀經文文本語言架構及其文化意涵分析 3.祭祀用語與日常用語之區辨	將研究區域之祭祀經文做整理分 類,用較為科學的方式以語言學的 方法來分析祭詞的語言結構,輔以 文化面詮釋祭祀經文。且從艱澀難 懂的經文中找出祭祀儀式專門用語 及祭祀儀式轉喻用語與委婉語。

結論

研究發現	1.祭祀經文語詞的選用是依附在經驗主義的譬喻思維之下。 2.祭祀經文語詞的內涵皆表示整體的觀念。 3.祭祀經文使用的語詞是包含神靈與人間三度空間的兩人三方性的對話。 4.從靈媒進行儀式的動作、手勢、表情及聲音可以很容易看說話者的角色並找出適當的詮釋。雖然排灣族一字多義的詞彙相當多,但藉由儀式的觀察,可以更加深刻了解語言與文化相互承載的緊密關係。

研究建議	後續可以進一步以語言學、宗教學、文化人類學及影像人類學做各項儀式的祭祀禱詞與咒語的語言及影像分析。將排灣族的傳統祭祀儀式做更精細、詳盡的保存,最重要是建構出排灣族完整的宗教的理論基礎。

第四節　研究範圍及限制

一、研究範圍

　　排灣族（Paiwan）為臺灣原住民第二大族群,位於臺灣的南部與東部地區。北起大母母山向南延伸至大武山的南端到恆春半島的山區,現有人口近達十萬人〔註 19〕。排灣族分布範圍可分為兩種劃分方式。一為行政區域可

〔註19〕民國 104 年 11 月原住民人口數統計資料,行政院原住民族委員會係依據內政部戶政司公佈資訊。http://www.apc.gov.tw。

劃分爲屏東縣及臺東縣兩縣〔註20〕。以日本學者移川子之藏（1935：265）劃分排灣族爲兩大亞族：拉瓦爾亞族（Ravar）〔註21〕及布曹爾亞族（Butsul）〔註22〕，又布曹爾亞族（Butsul）可細分巴武馬群（Paumaumaq）、查敖保爾群（Caupupulj）、巴利澤利敖群（Paljizaljizaw）及巴卡羅群（Paqaloqalo）四群〔註23〕。而在番族慣習調查報告書〔第五卷〕（第一冊）〔註24〕將排灣族分爲在西部（阿緱聽下）的林仔邊溪的支流內設溪爲界，以北稱 calisian，以南稱 sepaiwan 及在東部（台東廳下）以知本爲溪爲界，以北稱 puyuma 或 seqalu，以南稱 sepaiwan，但居住在大湳溪流域者稱爲 calisian。以下是【表1-1】排灣族分群圖。

【表 1-1】排灣族分群圖

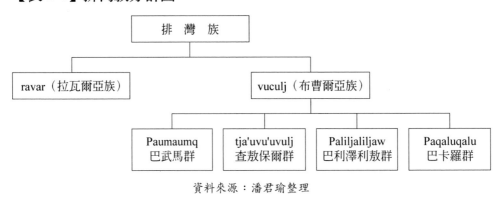

資料來源：潘君瑜整理

〔註20〕 行政區域劃分：屏東縣三地門鄉、瑪家鄉、泰武鄉、來義鄉、春日鄉、獅子鄉、牡丹鄉、滿州鄉及臺東縣達仁鄉、大武鄉、金峰鄉、太麻里鄉及台東市新園里等區域。

〔註21〕 拉瓦爾亞族（Ravar）：ravar 現屏東縣三地門鄉以北之區域。

〔註22〕 布曹爾亞族（Butsul）：vuculj 可細分爲四群如下，巴武馬群（paumaumaq）：現今三地門鄉南部區域、瑪家鄉、泰武鄉、來義鄉及春日鄉北部區域（南北大武山以西至力里溪以北）、查敖保爾群（tjakuvukuvulj 或 tja'uvu'uvulj）：現今春日鄉南部及獅子鄉、巴利澤利敖群（paliljaliljaw）：現今牡丹鄉、滿洲鄉及恆春鎮，亦可說是整個恆春半島。及巴卡羅群（paqaluqalu）：現今臺東縣金峰鄉、達仁鄉、大武鄉、太麻里鄉（由大武山的東部延伸至東海岸）。上述拼音皆以原民會頒布的版本從新拼音校正，正文中引用的拼音部份是保留該作者的拼音，爾後將以註腳的的校正拼音論述。

〔註23〕 童春發，《台灣原住民史——排灣族史篇》，台灣省文獻委員會，2001，頁12～18。

〔註24〕 小島由道，1920，《番族慣習調查報告書‧第五卷之一，排灣族》，臺灣總督府臨時臺灣舊慣調查會原著；台北：中央研究院民族學研究所編譯，頁5～8。

　　論文研究區域的牡丹鄉位於屏東縣的東南方恆春半島的山區，北與獅子鄉及臺東達仁鄉為界，西與車城鄉為鄰，東臨太平洋，南接滿州鄉與恆春鎮。牡丹鄉以行政區域劃分共有六個村落，分別為石門、牡丹、東源、旭海、高士及四林六個村。本文研究區域為布曹爾亞族（vuculj）的巴利澤利敖

【圖 1-1】排灣族領域圖

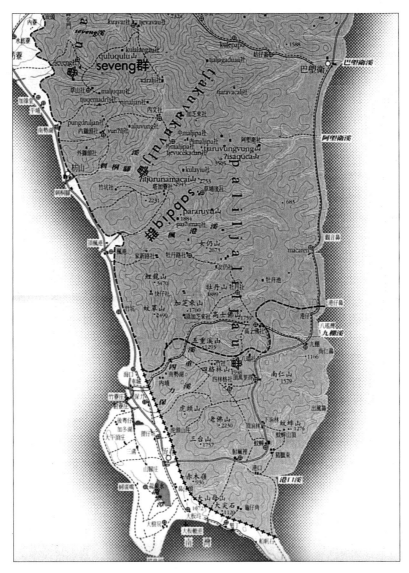

資料來源：《台灣總督府臨時台灣舊慣調查會——番族慣習調查報告書‧第五卷第一冊》，中央研究院民族學研究所，2004，排灣族領域圖。

群（paliljaliljaw）中的加芝來社與牡丹社群兩社群〔註25〕以及由獅子鄉移民至牡丹鄉的查敖保爾群（tja'uvu'uvulj），今牡丹鄉石門村及牡丹村 pulingaw 的祭祀經文。

　　筆者更一步的把排灣族的活動圈（童春發，2001：29）及（高加馨，2001：21）來更加聚焦本文研究區域的範圍。研究區域為第四活動空間 Caquvuquvul（tja'uvu'uvul）群移至牡丹鄉與第五活動空間的 Parilarilao（paliljaliljaw）群。

【圖1-2】排灣族活動圈圖

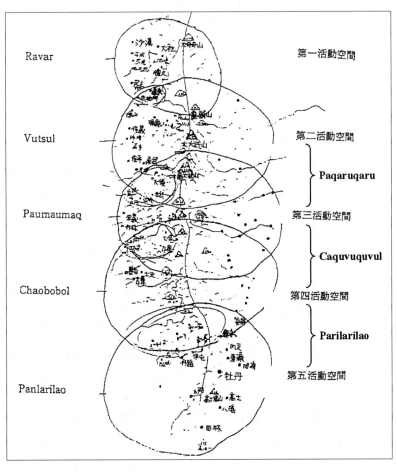

資料來源：童春發，1998，〈建構排灣族歷史——初探〉，《台灣原住民歷史文化學術研究會論文集》，南投：台灣省文獻委員會。

〔註25〕小島由道，1920，《番族慣習調查報告書・第五卷之三，排灣族》，臺灣總督府臨時臺灣舊慣調查會原著：台北：中央研究院民族學研究所編譯，頁34～35。

　　又依台灣總督府臨時台灣舊慣調查會——番族慣習調查報告書〔第五卷（第一冊）〕一書的分類，本文的研究範圍為加芝來社及牡丹群社兩區域及從內文社移至牡丹鄉的 tja'uvu'uvulj 群。加芝來社位於車城溪上游右岸，可分為兩社。一為頂加芝來社（tjuqaculjai）位於車城溪上游右岸。二為外加芝來社（pungudan）位於大尖山（tjaljagaduan）山麓，面臨加芝來溪，該社為頂加芝來之分社，但又較接近平地，故漢人稱之為外加芝來社。牡丹社群為在車城溪上游流域分成三社。一為牡丹社（sini-vaudjan）位於牡丹溪（車城溪支流）上游右岸牡丹山的山頂及山麓，該社社名是指砍除葛藤後之地（vaudjan），因牡丹是漢人所稱之名，故稱之牡丹社。二為中社（tjakudrakudral），位於女仍溪（車城溪支流）右岸 tjavangavangasan 山頭。該社命名是從 kudral（大之意）而來，因其山嶺支大而得名，中社為漢人所命之名，概因本社位於牡丹大社與女仍小社之間。三為女仍小社（tjaljunai），位於女仍溪（車城溪上游）之右岸，該社命名於 ljinai（斗笠）一詞，因部落後之山形像斗笠而得此名。〔註26〕從舊內文社（tja'uvu'uvulj）及舊內獅（tjubuq）移至牡丹鄉的群散居在牡丹鄉東源村、石門、大梅、茄芝路、中間路、鐵線橋等部落。

　　本文研究的範圍以現行行政區域為牡丹鄉石門及牡丹兩村，因石門村與牡丹村位於牡丹鄉西側且相互接鄰，石門村有四個部落分別為石門（tjaqaciljay）、大梅（pungudan）、茄芝路（前段 savalivali；後段 cisavan）及中間路（malingalingac）；牡丹村〔註27〕為上牡丹（sevaralji）、中牡丹（setjaciqa）、下牡丹（setaveluwan）及鐵線橋（tjuwatjakedri）四部落，兩村共八個部落。該八個部落至今仍然保存著傳統信仰及傳統祭祀儀式，更有諸位的 pulingaw，該兩村的居民多半採用傳統信仰的儀式來祈福或消災解厄，尤以牡丹村仍有傳統部落性的祭儀活動，如水稻收穫儀式（masupadai）於每年的 11 月下旬舉行〔註28〕。石門村與牡丹村因相互接鄰，故宗教信仰及生活習慣較為相近，在進行 palisi〔註29〕時兩村的 pulingaw 也會相互支援。以目前來說，牡丹村的 pulingaw 數量多於石門村且牡丹村有一位 kaseraringan〔註30〕

〔註26〕小島由道，1920，《番族慣習調查報告書・第五卷之三，排灣族》，臺灣總督府臨時臺灣舊慣調查會原著；台北：中央研究院民族學研究所編譯，頁34～35。
〔註27〕高加馨、黃琼如，《寄遇者》，屏東縣牡丹鄉公所，2006，頁22。
〔註28〕高加馨、黃琼如，《寄遇者》，屏東縣牡丹鄉公所，2006，頁61～63。
〔註29〕palisi 意指禁忌（taboo）或宗教儀式（religious rites）。
〔註30〕陳梅卿總編纂，《牡丹鄉志》，牡丹鄉公所：屏東，2000，頁429。指眾靈媒當

（女靈媒師），指眾 pulingaw 當中地位最高的人，擁有傳授靈術的資格，一般的靈媒只能執行祭儀但無傳授之權。

以下為牡丹鄉的地理位置圖及現行行政區域圖，以求更為詳細說明此研究的區域。

【圖 1-3】牡丹鄉地理位置圖

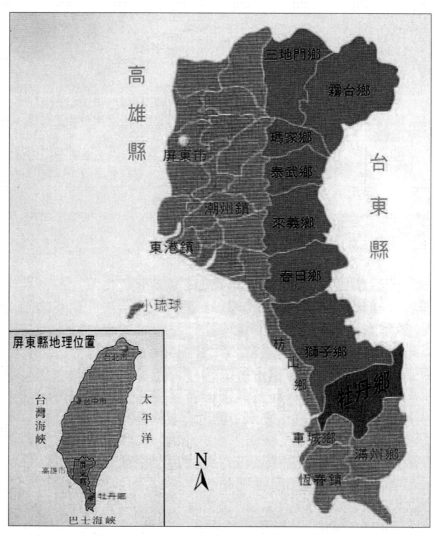

資料來源：牡丹鄉簡介，牡丹鄉公所編印，2005。

中地位最高者，具有傳授巫術的資格，一般的靈媒只能執行祭儀但無傳授之權。

【圖 1-4】牡丹鄉行政區域圖

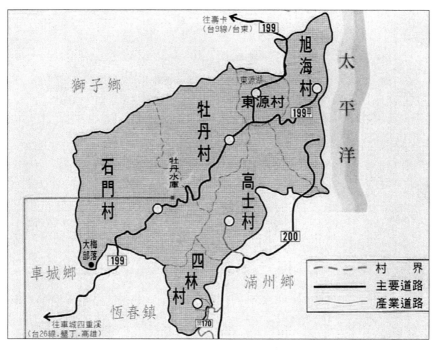

資料來源：牡丹鄉簡介，牡丹鄉公所編印，2005。

二、研究限制

本論文有五點研究限制，分別為時間、語言、禁忌問題、發音人問題、新問題產生部分。以下茲逐一說明：

（一）時間

筆者在收集的時間只有短短不到的一年時間（97 年 10 月～98 年 7 月）收集祭祀經文，就時間上略顯匆促，而儀式的選定不能依筆者的喜好而自訂，只能被動的接受舉辦儀式的時間及項目，而且並不是任何儀式都會吟唱祭祀經文，主要是以祝禱詞的方式呈現，除非是很難處理的儀式才會吟唱祭祀經文請求幫忙。但筆者仍會以焦點訪談（focused interview）的方式盡己所能的使祭祀經文做一完整的統整及分析。

（二）語言

排灣族博大精深的文化，藉著語言的承載與使用，可分為一般日常生活所使用的白話文、歌謠及祭祀經文或祝禱詞為較艱澀的文言文。筆者雖為排

灣族人，但對於較爲艱澀祭祀經文的文言文，甚至是只出現在儀式當中的禁忌語（taboo language）語彙，仍需要向祖父母輩的老人家詢問其涵義，故在採集的過程中，筆者幾乎是聽不懂祭祀經文的意思，只能於事後以逐字稿的方式一一紀錄，並尋求其意涵。

（三）禁忌問題

因祭祀經文是具有神聖性的，在非儀式時是不可以請靈媒吟唱祭祀經文。經筆者請 ligu 詢問 qadaw naqemati（太陽神）時，太陽神表示如果在非儀式的時間請靈媒吟唱經文則會導致該靈媒往後任何的祭祀儀式的進行將會不順利（matengez）〔註31〕，所以只能在儀式進行的時間採集，若要私下請靈媒詢問祭祀經文時，只能以唸的方式採集。

（四）發音人問題

pulingaw 爲此次研究收集語料最爲關鍵性的人物，唯她們才有資格述說及吟唱祭祀經文及祭祀禱詞。而發音人的主要兩個問題如下：

1. 排灣族的祭祀經文及祭祀禱詞都是由口傳的方式傳承，使得有些pulingaw 只會吟唱及述說卻不知其涵意，更遑論是要翻譯經文。
2. 代代經由口傳的方式會因傳承者的發音錯誤而會使記音的紀錄及內容意涵翻譯錯誤，況且當 pulingaw 被附體時，週遭所發生的事物皆已不清楚，而紀錄者難以分辨 pulingaw 是清醒或是以被附體的狀態。
3. 採集祭祀經文語料時，因祭祀經文可分爲吟唱或唸兩種，發音人有時候祭祀經文的段落會有增減的部份，導致收集的語料時前後會不一致的情形發生。

（五）新問題產生

時間的年輪不斷往前邁進，而新問題卻層出不窮的出現，不論是儀式祭儀的改變或是宗教選擇的變異甚至是語言的流失都是問題的產生，而這種難以抵擋阻礙也是筆者最深感無奈的地方，因爲傳統儀式祭儀是因爲族人的需求而存在，倘若外來宗教不斷的併食傳統宗教，那未來就幾乎不再有傳統宗教儀式的進行。當把持排灣族內在心靈的道德觀易主，也象徵的排灣族道德標竿的移轉。

〔註31〕matengez：指遮蔽看不見，意指所有祭祀活動宛如前方有遮蔽物使之進行不順利。

第貳章　文獻探討

第一節　排灣族傳統宗教概述

一、概說

　　排灣族的的宗教觀念及祭祀習俗相當繁瑣、嚴謹及深奧〔註1〕，採祖先崇拜（Ancestor Worship）〔註2〕和泛靈信仰（Animism）〔註3〕的觀點，萬物皆有靈魂、有生命，萬物有造物主，日月、山川、河流都有神祇，房屋有守護神，對於祖先也信奉祖先崇拜，以至於排灣族人對於人、神及萬物有其一定的敬畏、規範與禁忌。排灣族泛靈崇拜的祭祀對象以善靈和惡靈為主。

　　善靈即 naqemati（造物神）、qadaw（太陽神）〔註4〕、sevalitan（祖靈）；而 qaqetitan〔註5〕、pakenin〔註6〕（惡靈）以鬼為主。傳統的信仰裡很清楚的表明，人是受到了左右靈魂的支配，正魂在左邊、惡魂在右邊〔註7〕，因循著

〔註1〕 小島由道，1920，《番族慣習調查報告書・第五卷之三，排灣族》，臺灣總督府臨時臺灣舊慣調查會原著；台北：中央研究院民族學研究所編譯，頁42。

〔註2〕 祖先崇拜（Ancestor Worship）：敬拜及取悅祖先，尤其是依法人繼嗣羣而組成的社會所特有。

〔註3〕 泛靈信仰（Animism）：認為自然界的物體或現象都有著精靈在內的信仰。

〔註4〕 文中 naqemati（造物神）、qadaw（太陽神）其實是指 qadaw naqemati（太陽造物神），而不是區分開來的兩種神祇。

〔註5〕 排灣語 qaqetitan 指意外死亡的惡靈。

〔註6〕 排灣語 pakenin 指會嚇人的鬼魂。

〔註7〕 小島由道，1920，《番族慣習調查報告書・第五卷之三，排灣族》，臺灣總督府臨時臺灣舊慣調查會原著；台北：中央研究院民族學研究所編譯。

這樣的原則，排灣族人認為善死者，也就是指自然死亡者，如老死，靈魂會往排灣族的發源地 kavulungan（大武山）歸去，並成為族人所信奉的祖靈；惡死者，指意外死亡，如自殺、他殺、車禍等等，不是自然死亡者，便會成為鬼，但生前被馘首的則往 tjagaravus（天空）。再則，《台灣省通志稿》也提到，排灣族死後的靈分兩類，一為善死者的善靈；二為橫死者的惡靈。善靈歸為大武山去，惡靈則徘徊在臨死之地，成為惡鬼危害人間〔註8〕。根據《番族慣習調查報告書》〔第五卷〕表示，排灣族在宗教的觀念有四大要項如下：

（一）對靈的觀念

排灣族相信靈魂的存在，不論是在世或是以死亡的人都認為靈魂存於世，尤其靈魂會左右還在世人的禍福。自然界的天地日月山川都有精靈的依附，因此，排灣族在出於敬畏神祇之心下，本族在祭祀神祇和驅攘的儀式相當繁雜多樣。

（二）palisi（祈禱之方式）及 tapau na palisi（祭屋）

因祈禱方式非一般人所能從事的工作，需要有專業的 pulingaw（祈禱者；巫）及 parakaljai（司祭者；祝）從事之，專業的祈禱者及司祭者必須是由神選定且此人家族也有人從事祈禱者及司祭者的工作，故不是一般人所可以從事祭祀之工作。同樣地，做為 pulingaw 及 parakaljai 都有一定的規章及禁忌，本論文著重於靈媒的論述說明。

（三）禁忌之權威

禁忌是排灣族的宗教信條，亦可以說是排灣族不成文的法律，有著社會法治的權威特性，也是道德規範的準則。因萬物皆有靈，倘若人故意或無意觸犯到禁忌而觸怒神靈招致不幸時，可以請求靈媒為此人進行驅攘儀式，逢凶化吉。

（四）兆象及占卜

兆象亦可稱為徵兆，如夜晚雞蹄，表示社內必有凶事發生。若有蛇橫阻去路，表禍將臨頭。利用自然現象和事物的變化提示將致發生的事情，其他族群如布農族要在狩獵或出門前會如有鳥從右邊往左邊飛時則表示此次狩獵將會空手而回，出門也可能會招致馘首，皆有相同的意思。再者，用

〔註 8〕 衛惠林，1965，《台灣省通志稿》〈同冑志〉，南投：台灣省文獻會。

raruquwan（葫蘆的弧面）可見【圖 3-2】放置 zaqu（無患子的種子）可見【圖
3-1】，根據 zaqu 是否停滯或滑落弧面來判斷吉凶，是本族特有的占卜方式，
稱為 paitilju（瓢卜），其儀式過程可三參見第參章第一節。現在 pulingaw 在葫
蘆弧面上占卜用的是無患子的果實，顏色為黑色。兆象及占卜這兩種都是神
靈的顯現。兆象是神靈主動告知族人吉凶的徵兆，而占卜則是族人主動請示
神靈而給的意象。

二、神祇的種類

　　排灣族認為萬物皆有靈的族群，排灣族的神祇大致可分兩類：一類是自
然體的精靈，一類為祖先的靈魂。自然體的精靈是屬於較為神化的神祇，為
萬物中的神靈；然而祖先的靈魂就較為大家所熟悉，如 paliljau 番（seqalu 部
落除外）稱祖先的靈魂為 saumai 為 cemas na hungki（靈之皇帝），奉置在諸神
的最上位〔註9〕，hungki 一詞可能是由閩南語借代而來，本研究區域稱祖先的
靈魂為 sevalitan 而不是 cemas na hungki。

　　神祇的種類因地域而有些微的差異，因此依照論文所研究的區域兩種祭
祀經文的 kuvulj 番內文社及 paliljau 番 sabdiq 群社為主，以下根據番族慣習調
查報告書〔第五卷〕排灣族的的分類作為參考，在自然體的精靈可再細分為
六種神，且眾神各司其職，庇祐協助本族人〔註10〕。

　　（一）太陽（qadau）：有四位男神，長為 qadau；次為 kanavayan；
　　　　　三為 qalimac；四為 laqesan。

　　（二）月（qiljas）：有四位女神，長為 civid；次為 pavada；三為
　　　　　sulegina；四為 pavada。長神和次神兩位入婦人腹中做胎兒稱
　　　　　為 naqemati。上記日月兩神，經常在天上監視番人，善行者
　　　　　賜予幸福，惡行者給予懲罰。

　　（三）saljimlji 及 saumai：saljimlji 是居住在天上的暴神，一旦發怒，
　　　　　即會發生地震，saumai 雖是南方之神，但是性質不詳。

　　（四）saluqeman、puvusam、?upunayan、tjaljalu、?imasangas 皆在
　　　　　天上，專司農耕。其中 puvusam 專司粟種，tjaljalu 是最初傳

〔註9〕　小島由道，1920，《番族慣習調查報告書・第五卷之三，排灣族》，臺灣總督府
　　　　臨時臺灣舊慣調查會原著；台北：中央研究院民族學研究所編譯，頁5。
〔註10〕　小島由道，1920，《番族慣習調查報告書・第五卷之三，排灣族》，臺灣總督府
　　　　臨時臺灣舊慣調查會原著；台北：中央研究院民族學研究所編譯，頁10～11。

授芋種給我們祖先的神。

（五）pulaljengan、puqayaqayam、parasiljan 皆爲專司狩獵之神。

（六）tisacungudj pinavavu?acan 之頭目，身高及天，瞳孔巨大如壁鐘，首長大如箕簍。全身長毛，從毛孔出汗如流水不止。此神常告誡部屬不可做壞事，不可竊盜，不可做不法之事。如有違犯則殺之。有告誡社民聽其言，需同心協力，五年祭時勿遲誤日期，若有供祭的粟糕或豬肉，需公平分給他人。然五年祭時，他自身並不前來，而由 pinarutaba?an 與 saljimlji 兩人代理前來。

第二節　pulingaw（靈媒）

人、神、鬼與其他的精靈雖然並存在這世界上，但一般人無法知道瞭解祂們的想法，又因爲祂們想法往往是最直接影響到人們的日常生活作息及心靈層面的慰藉，所以在一個族群裡往往都會有一個角色扮演著靈、神、鬼、人之間做溝通的媒介、橋樑，族人們在透過媒介了解祂們的想法與意圖，而各種儀式就是爲了滿足這種相互溝通的需求相應產生。

排灣族的靈媒在排灣族社會中佔據相當重要的位置，她們可以請神靈與亡靈附體於己身亦可以爲人治病，故排灣族的靈媒可以說是神靈的代言人。以董芳苑（1991：58）將巫師（magician）分爲薩滿巫（shaman）、法師（sorcerer）、巫醫（witch doctor, or medicine man）及靈媒（spirit-medium）。

薩滿巫（shaman）：指薩滿教巫師，按滿——通古斯語解釋，是激動不安或瘋狂亂舞，並含有占卜之意。作爲巫師，被認爲是人和神的中介，傳遞神靈指意，溝通人間和鬼神世界。〔註11〕簡單的說就是經由 ljintekuwan「入神狀態」（ecstatic state）成爲神的代言人，故學者將會處於入神狀態的的巫師稱爲薩滿巫。

法師（sorcerer）：別於薩滿巫的是作法時，不用處於入神狀態即可幫忙處理事情，他們可以單獨驅魔做法亦可與薩滿巫搭配，所以是「術士「（magician）或「驅邪師」（exorcist）。精通符咒、占卜、解夢、預言等巫術。

〔註11〕中國大百科全書出版社編輯，1992，《中國大百科全書，第五冊：宗教》，台北市：錦繡，頁 325。

巫醫（witch doctor, or medicine man）：指精通巫術與草藥為人治病的原始醫師，原始社會相信生病為魔鬼邪靈作祟，故用巫術治病；時會配特殊藥方、或為人做某種外科手術。排灣族對「生病」的認知，通常多半是指已明顯危害及個人生命安全，此時，族人才將稱之為生病，遂請巫醫予以治療。（鄭惠珠，1992：55）所以排灣族的「巫醫」可謂是現代的心理醫師及外科醫師。

靈媒（spirit-medium）：別於薩滿巫的地方是，薩滿巫職司「降神」，而靈媒則是「通靈」，指亡靈的代言人。此種人物在臺灣的民間信仰稱之為「尪姨」的女性，以亡靈的身分發言及接受亡靈親人的質問。

綜觀上述對巫師的分類，排灣族的 pulingaw 是上述四項的綜合體，倘若部落沒有靈媒，那麼就喪失與神、鬼溝通的橋樑，部落的生命氣息就處於停滯的狀態，甚至，對未來有太多無法排解的未知及恐慌。以下就以董芳苑（1991：58）將巫師劃分的四類與排灣族的 pulingaw 做一對照表如下。

【表 2-1】pulingaw 功能對照表

巫師（magician）	溝通對象	pulingaw（靈媒）
薩滿巫（shaman）	神	pulingaw（ligu）
法師（sorcerer）	神	pulingaw
巫醫（witch doctor/medicine man）	（虛／實）病症	pulingaw
靈媒（spirit-medium）	亡靈	pulingaw

資料來源：潘君瑜整理製表

一、執行儀式的專業人員

在排灣族人的心目中，執行儀式的專業人員有 pulingaw（靈媒）和 parakaljai（祭司）兩種。專門為人治病（虛／實）的叫做 pulingaw。排灣族相信疾病大多數因為鬼與靈的作祟所引起的，若要治好人的疾病，必須與靈溝通，使其達到目的或其要求，進而把鬼與靈驅除離開生病者。儀式的主要功能是為達到安撫神明與鬼神的目的，進而使人們的生活不受到那些看不到也摸不著的東西的干擾。進行儀式是需要具有別於常人的特殊能力，這種能力可能是先天由神賜予，也可能是後天跟隨其他 pulingaw 替人治病而學習的。

前者會有 cemas 顯示的癥兆，後者只需要的到老靈媒的認可。cemas 顯示的癥兆就是要告訴大家此人具有成爲 pulingaw 的資格。這是一個很複雜的過程，當中的神兆大多是由生病或是 cemas 附身顯現，還有一些將成爲 pulingaw 的人在日常生活中發生異於常人的表現。

　　另一種儀式執行的專業人員叫做 parakaljai（祭司）。parakaljai 不需要特殊的靈力只需要熟悉整個儀式的程序與儀式中所需的經文。parakaljai 又可分爲兩種，爲整個部落執行儀式的人叫部落祭司，是需要靈媒在公開的場合通過儀式的挑選後始能擔任，如 maljeveq（五年祭）；一般家庭的祭司則由家長或者其他的祭司擔任。本論文以 pulingaw 爲本論文的重點之一，故在此不贅述 parakaljai 的部分。

二、pulingaw（靈媒）的條件

　　當然，成爲一位可以替人消災解厄的 pulingaw 是需要別於一般人的特有條件，這種條件奠定了 pulingaw 的特殊性及崇高性外，更有著不可替代性。pulingaw 之所以爲神靈的橋樑，是因爲她擔任著人與靈（自然體的精靈及祖先的靈魂）的溝通者，兩者間的溝通必須經由 pulingaw 這個媒介進行，故要成爲神的代言人就須有三大條件〔註12〕。

（一）cemas（神擇）

　　如何判斷是神所選定的人，神會先利用 zaqu（無患子）出現在此人的週遭來告知，一旦被神選定時，就不可拒絕。若被神擇之人仍然沒有意會自己可能將成靈媒，此人則開始出現找不出病因的怪病或是劇烈頭痛的靈祟現象。林二郎（2005：83）提及徵兆經驗，基本上還是屬於前段所討論靈觸範圍的通靈經驗，是神與人（巫）之間，主動與被動接觸的過程、反應、結果的現象總結。這中間不同的是，短暫的「靈觸反應」或是致病的「靈祟現象」等通靈經驗，一般是用在形容或解釋凡俗的通靈、受巫、治癒的過程。而「徵兆經驗」則是專指巫師成巫的「通靈經驗」的過程回顧。換句話說，經過資深女巫的鑑定，能夠確定是被神靈挑選而成巫者，其通靈經驗及爲所謂的徵兆，是神靈一種意有所圖的預告。若出現以上所述之徵兆時，可以尋找部落

〔註12〕小島由道，1920，《番族慣習調查報告書‧第五卷之三，排灣族》，臺灣總督府臨時臺灣舊慣調查會原著；台北：中央研究院民族學研究所編譯，頁23～24。
　　　　及高加馨、黃瓊如，《寄遇者》，屏東縣牡丹鄉公所，2006，頁36～40。

pulingaw 詢問，是否被 cemas 選定為預備靈媒者。

（二）定為女性

pulingaw 定為女性，不受年齡的限制亦不論是已婚或是未婚，只要是被神選上成為 pulingaw 者，即開始向現職的 pulingaw 學習祭祀經文及儀式進而成為 pulingaw。若未婚的女子成為靈媒後，他日成婚後則無法生子，若有也必夭折。

（三）隔代遺傳

家族若有人是 pulingaw，表示該家族有 pulingaw 的血統體系，成為 pulingaw 的機會就相對提高，但須特別注意的是傳承的路徑忌諱由母親直接傳給女兒，或是姊妹同為 pulingaw 也是禁忌，此傳承路徑是由祖孫輩接承。

上述三個條件缺一不可，尤以第一個為最主要的條件，成為 pulingaw 最主要的源頭就是要由神所揀選，其後兩個條件才相應成立。經由神擇的認證後，族人也較為相信此 pulingaw 具有法力，可以為人趨吉避凶、治病。

三、pulingaw 的類型

pulingaw 是身為人與在、神、鬼、人之間做溝通的媒介，她們專門為人治病（虛／實）。排灣族相信疾病引起的原因大多數因為鬼與靈的作祟而來，若要治好人的疾病，必須與鬼和靈溝通，使其達到目的或其要求，進而將鬼與靈驅離生病的人即可復癒。

pulingaw 能為人治病是因為身附特殊能力，可能是先天由神賜的，也可能是後天跟隨其他 pulingaw 替人治病而學習的。前者會有神顯示的癥兆，後者只需要的到巫老〔註 13〕或稱 kaseraringan（師巫）的認可。神顯示的癥兆就是要告訴大家此人具有成為靈媒的資格。靈媒的類型可分為三種〔註 14〕：

　　（一）ligu：從小身邊也會出現 zaqu，她也是要向老師學習，和其
　　　　　　他的 pulingau 一樣，經過成巫儀式，但是他特別的地方是會
　　　　　　被 cemas 附身，來從事各項祭儀活動，ligu 可以直接跟 cemas
　　　　　　（祖靈）傳達族人的請求與溝通。ligu 是具有未卜先知的能

〔註 13〕 小島由道，1920，《番族慣習調查報告書・第五卷之三，排灣族》，臺灣總督府臨時臺灣舊慣調查會原著；台北：中央研究院民族學研究所編譯，頁 23。指祭團內最受到眾靈媒所尊重的首長。

〔註 14〕 高加馨、黃瓊如，《寄遇者》，屏東縣牡丹鄉公所，2006，頁 49～54。

力，是從外地所傳來的。

（二）pucemas：即一般所稱的 pulingau。由 cemas 所選定，主要使用 zaqu 來從事各項祭儀活動，由年長有經驗的 pulingau 帶領學習，學成後邊行程巫儀式告知族人後，可單獨執行 palisi 的相關工作。pucemas 靠 zaqu 召喚 cemas，主要從事幫族人執行生命禮俗、驅邪、治病、解惑等工作。通常家中有人曾為 pulingau 者較易成為傳承者。

（三）valjakavak：是自己自願學習開始，利用唸術語與動作來執行祭儀活動。平時向 pulingau 學習與模仿，沒有正式的訓練與成巫儀式，法力較弱，多是擔任 pucemas 的助手，因為他沒有召喚 cemas 的能力，也不會唱 isazazatja，只能從事較簡單的 palisi 工作，一般也是家中有人曾為 pulingau 者較易成為 valjakavak 的傳承者。

就上述做一階層的關係圖：

【圖 2-1】pulingaw 階層的關係圖

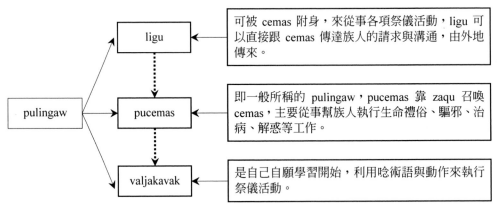

資料來源：潘君瑜整理

三、祭祀種類

經由 pulingaw 與神靈、鬼的溝通與協商，排灣族人在得知兆象的原因。透過儀式之後，排灣族人藉由 pulingaw 與神靈、鬼的溝通達到共識，使得雙方面處於和平與合諧狀態。在排灣族繁複諸多的儀式過程中，排灣族人會因溝通對象的不同而影響溝通的態度，對祖先與神靈多用祈求的態度；反之，

對鬼靈則用利誘與威脅的態度〔註15〕。

綜觀排灣族人的祭儀，我們可以把他分為兩大類〔註16〕：積極的與消極的兩個層面。積極的祭儀又可區分為兩種型態：基本型與輔助型。前者是經常性的儀式，如以生命禮俗與歲時祭儀等；後者則視臨時情況需要所舉行的儀式，如祈雨祭、祈晴祭、治病等。在消極的儀式中人們不能有表現，就是我們一般說的禁忌。

通常我們又把積極的祭儀分為三大類，排灣族人的祭儀可概括區分為部落性的祭儀，家庭性的祭儀與個人性的祭儀三大類。第一類為部落性的儀式：凡與大眾利益的事務有關，如五年祭、祈雨祭、祈晴祭、治病等。第二類為家庭性祭儀：家庭乃是一個共同生產共同消費的社會單位，所以會舉行有關經濟性的祭祀活動，如歲時祭儀等。第三類則是以個人為中心的個人性祭儀：如出生、婚禮、葬禮等屬於生命禮俗等祭儀。

傳統信仰的祭祀儀式在排灣族群是扮演著具足輕重的角色，人的一生和部落的祭儀宛如傳統信仰的祭祀儀式的縮影。排灣族人在一生當中從出生到死亡，皆會面臨與宗教種種儀式相互牽制層層相疊，該傳統信仰相關的祭祀儀式，我們概可分為三大類〔註17〕，整理說明如下：

　　（一）生命祭儀：指關於人從出生到死亡的祭儀。如有關生、老、病、
　　　　　死、婚姻等各項屬於個人性祭儀。

　　（二）歲時祭儀：指關於部落社內定期所舉辦的祭儀。如五年祭
　　　　　（maljeveq）、有關土地及部落之祭祀、有關農作物之祭祀、有關
　　　　　馘首、狩獵及漁撈之祭祀。小米收穫祭（masalut）。

　　（三）臨時祭儀：指非固定時間、事項的祭儀，主要是屬臨時性的天災
　　　　　人禍及驅禳迎福的儀式。如有關天候之祭祀、有關家畜之祭祀、
　　　　　有關建築物之祭祀、有關器具之祭祀。

〔註15〕　陳梅卿總編纂，《牡丹鄉志》，牡丹鄉公所：屏東，2000，頁450。
〔註16〕　石磊，1999《台東南島文化節學術演講活動──排灣族》，台東：台東縣政府，頁22。
〔註17〕　高加馨、黃瓊如，《寄遇者》，屏東縣牡丹鄉公所，2006，頁57～63。及陳梅卿總編纂，《牡丹鄉志》，牡丹鄉公所：屏東，2000，頁467～476。

【表 2-2】祭儀種類表

祭儀類別	祭　儀　名　稱
生命祭儀	1. semuciluq（滿月儀式）
	2. sipapuljialjiak（讓人知道孩子出生）
	3. pina-secacikel-anga ta qadau（流產祭）
	4. semupuljuwan（除喪儀式）
	5. manetjimuluyan / pa'atjaqadau（治喪祭）
	6. 'inasikuyan（意外治喪儀式）
	7. semupaljiq（祓契儀式）
歲時祭儀	1. masupadai（水稻收穫祭）
	2. palisi ta vaqu（小米祭）：（1）qipabuljadjek（播種祭） 　　　　　　　　　　　（2）patjikabukabuan（播種後祭） 　　　　　　　　　　　（3）palisi ta sunusaui（除草祭） 　　　　　　　　　　　（4）收穫前祭 　　　　　　　　　　　（5）masalut（收穫祭）
	3. maljeveq（五年祭）
臨時祭儀	1. semanekadjunangan（風水儀式）
	2. ipatjaracekelj（家庭儀式）
	3. pacengelaw（祈晴祭）
	4. paqudjalj（祈雨祭）
	5. palisi tua qatjuvitjuvi/kulavaw（除蟲／鼠祭）
	6. palisi ta malup（狩獵祭）
	7. semawutaljayar（防疫祭）
	8. kiqulu（馘首祭）
	9. semaqaljai ta kadjunangan（破土祭）
	10. masiljaviya（落成祭）

資料來源：潘君瑜整理製表

第三節　排灣族語音系統及語言結構

　　排灣語在南島語族當中占舉足輕重的地位，根據白樂思（Blust，1985）提出的臺灣學說及何大安、楊秀芳（2000）的歸類，除了古南島語的祖居地（homeland）和擴散中心是臺灣外，古南島語的四個語群中（泰雅語群、鄒語群、排灣語群、馬來玻里尼西雅語群），見【表2-3】，排灣語則在古南島語的排灣語群中，可見排灣語在南島語言研究上的重要性及存古性。

【圖2-2】南島語族的地理分布

資料來源：張秀絹，《排灣語參考語法》，台北：遠流，2000，頁32。

【表2-3】南島語分群圖

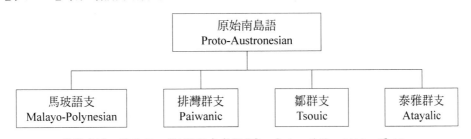

資料來源：張秀絹，《排灣語參考語法》，台北：遠流，2000，頁16。

　　排灣語的使用範圍為屏東縣及臺東縣兩地區。排灣語的分類有兩種，其一是以亞群分類〔註18〕；另一則是以語音做分類。根據日本學者移川子之藏

〔註18〕移川子之藏、宮本延人、馬淵東一合著，《台灣高砂族系統所屬の研究》，台北帝國大學，土俗人種學研究室，1935。

（1935：265）的分類，將排灣族分為拉瓦爾亞族（ravar）及布曹爾亞族（vuculj），又以布曹爾亞族（vuculj）可細分巴武馬群（paumaumaq）、查敖保爾群（tja'uvu'uvulj）、巴利澤利敖群（paliljaliljaw）及巴卡羅群（paqaluqalu）四群。若以語音做分類則分為西北部方言群（無舌面音 tj、dj〔註19〕兩音）及東南部方言群（有舌面音 tj、dj 兩音）。〔註20〕本研究論文所研究區域的語言根據上述分類為東南方言的巴利澤利敖群（paliljaliljaw）有舌面音 tj、dj 方言。以下就以李壬癸所著《台灣原住民史》〈語言篇〉（1911）及張秀絹所著《排灣語參考語法》做排灣族語言結構的文獻探討，並以 Josiane Cauquelin 所著《Ritual Texts of the Last Traditional Practitioners of Nanwang Puyuma》（2008）為輔。以臺灣原住民族詳細論述儀式性語言作為專書的目前只見 Josiane Cauquelin（2008）所著一書，但就目前研究排灣族儀式性語言則可見小島由道（1920）《番族慣習調查報告書‧第五卷之三，排灣族》一書、胡台麗（1998、1999、2007、2008）與邱新雲（2008）所發表的期刊論文中。

三、排灣族語音系統

依據行政院原住民族委員會於 94 年 12 月 15 號所頒布之排灣語書寫系統為說明語言系統基底。本論文研究區域方言為南排灣語，故南排灣之語音系統，計有 23 個輔音（不包括外來語音／h／）以及四個元音。

【表 2-4】南排灣的語音系統

輔音（Consonants）：

發音方法 ＼ 發音部位		雙唇（Bilabial）	唇齒（Labiodental）	齒齦（Alveolar）	硬顎（Palatal）	舌根（Velar）	捲舌（Retroflex）	小舌（Uvular）	喉音（Glottal）
塞音（Stop）	清	p		t	tj	k		q	'
	濁	b		d	dj	g	dr		
擦音（Fricative）	清			s					
	濁		v	z					
塞擦音（Affricate）				c					

〔註19〕Hua, Jia-jing and Elizabeth Zeitoun. 2005 A Note on Paiwan tj,dj,and lj. *Language and Linguistics* 6（3），499-504.

〔註20〕陳康、馬榮生，《高山族語簡志》（排灣語），民族出版社，1986。

鼻音（Nasal）	m		n		ng
邊音（lateral approximant）				lj	l
顫音（Trill）			r		
滑音（Glide）	w			y	

元音（Vowels）：

	前	央	後
高	i		u
中		ə	
低			a

說明：

(1) 南排灣語中的／h／音僅出現在日語的借詞中，如：hana（花）、hikuki（飛機）。

(2) 在西北方言的舌尖顫音／r／音在東南方言的南排灣語會發出小舌擦音，如 aravac（非常地）。

(3) ／c／音在南排灣是不送氣音，但在北排灣則是送氣音。

(4) tja'uvu'uvulj 群將舌根塞音／k／或小舌塞音／q／發爲喉塞音／'／，如：kaka→'a'a（兄弟姊妹）、qayaqayam→'aya'ayam（小鳥）。

(5) 半母音／y／通常只出現在字中及字尾，除非是外來的借詞，才會出在在字首的位置，如：yuhani（約翰）、yugi（跳舞）。

【表 2-5】南排灣語輔音及元音的分布

輔音	字首	釋意	字中	釋意	字尾	釋意
p	pana	河邊	cempu	編織	djaraljap	榕樹
b	bulai	漂亮	bubung	泡沫	semukub	敬禮
t	takec	山羌	kitulu	學習	kivalit	換
d	dangas	懸崖	qadau	太陽	lumamad	嬰兒
dr	dridri	豬	qadris	雄鷹	piyadr	器皿（盆）
tj	tjelu	三	lutjuk	兔子	cemalivatj	經過
dj	djalan	路	madjulu	便宜	parimasudj	整理收拾
k	kasusu	親戚	kakesan	廚房	camak	男子名
g	gadu	山上	gemgem	握拳頭	calag	脊椎骨
q	qaciljai	石頭	paqenetj	記憶	djamuq	血

'	'aljak	小孩	tja'uvulj	內文		
c	calinga	耳朵	gacalju	起身	lukuc	山蘇
v	vasa	芋頭	lava	飛鼠	tarev	女婿
s	sapui	火	gusam	種子	djulis	紅藜
z	zaljum	水	pazangal	困難	kapaz	樹根
m	maca	眼睛	cemapa	燒烤	macam	辣的
n	nasi	氣息	banal	禿頭	pacun	看
ng	ngadan	名字	cungal	膝蓋	burung	洞
r	runi	絲瓜	paramur	過分	maciyur	結伴同行
l	lima	手	kiluvad	減少	gacel	癢
lj	ljisu	桑葉	gemalju	慢	vangalj	果實
w			vuwas	葫蘆	kasiw	樹
y	yisu	耶穌	ljezaya	上坡	mavaday	分手
元音	字　首	釋　意	字　中	釋　意	字　尾	釋　意
a	alu	八	cemavu	包紮	drusa	二
i	imaza	在這裡	pida	多少	taidai	百
e	esau	去煮菜	mavetu	吃飽		
u	umaq	家屋	maculja	飢餓	pitju	七

四、排灣語句法結構概述

　　筆者依張秀絹（1992、2000）的排灣語句法結構為基模（schemes），在依研究區域的方言做微調，形成符合研究區域所使用的語法結構，包括詞序（word order）、格位標記系統（system of the case marker）、代名詞系統（system of pronoun）、焦點系統（focus system）、時貌（語氣）系統（tense／aspect system）、存在句（方位句、所有句）結構、祈使句結構（imperative structure）、否定句結構（negative structure）、疑問句結構（interrogative construction）等，茲一說明：

（一）詞序（word order）

　　一般來說，排灣語是動詞（verb）在句首的架構，其詞序為 VOS 或 VSO

架構。除了否定詞（Negative）的 maya、ini、inika 或表未來式的助動詞（Auxiliary）（m）uri 放於句首外，則排灣語的詞序皆不變動，詳見以下例句〔註21〕。

1. p-in-avay-an-a'en　　ni　ina　tu　tjelu　a　　puluq　ta　valjitjuq
PF-給-LF-1SG.Nom　Gen 媽媽 TU 三　　Link 十　　Obl 元
si-veli　tua　alju.
BF-買　Obl　糖果
媽媽給我三十元買糖果。

2.（m）uri-v-en-eli-a'en　　ta　tjukap　tu　tjelu　a　　kuzulj.
FUT-AF-買-1SG.Nom　Obl 鞋子　Part 3　　Link 1000
我想要買 3000 元的鞋子。

（二）格位標記系統（The system of the case marker）

【表 2-6】格位標記系統

名　　詞		主格（Nominative）	屬格（Genitive）	斜格（Oblique）
人稱專有名詞	單數	ti	ni	tjai
	複數	tia	nia	tjai
普通名詞		a	nu / nua	ta / tua

3. na-p-en-angul　ti　　　kapi　　tjai　　umi.
PAS-AF-打　　Nom　　男子名　Obl　　女子名
kapi 打了 umi。

4. na-k-em-ac　　　a　　　vatu　　tua　　qatjuvi.
PAS-AF-咬　　　Nom　　狗　　Obl　　蛇
狗咬蛇。

5. na-t-em-ekel　　ti　　　kapi　　tua　　vava
PAS-AF-喝　　　Nom　　男子名　OBL　　酒
kapi 喝了酒。

〔註21〕 吳欣慧、潘君瑜，《排灣語的數詞及量詞初探——以屏東縣牡丹鄉爲例》，第七屆臺灣語言及其教學國際學術研討會，2008。

6. na-t-em-ekel   tia   kapi   tua   vava

PAS-AF-喝   Nom.Pl   男子名   Obl   酒

kapi 他們喝了酒。

7. na-vaik-anga   ni   kapi   a   kina

Perf-AF-走   Gen   男子名   Nom   媽媽

kapi 的媽媽已經走了。

（三）代名詞系統（The system of pronoun）

1. 人稱代名詞

【表 2-7】人稱代名詞系統

人稱代名詞		主　格		屬　格		斜　格
人　稱		附著式	自由式	附著式	自由式	自由式
單數	一	-a'en	tiya'en	u-	niya'en	tjanua'en
	二	-sun	tisun	su-	nisun	tjanusun
	三		timadju		nimadju	tjaimadju
複數	一（包含式）	-itjen	titjen timitja	tja-	nitjen nimitja	tjanuitjen
	一（排除式）	-amen	tiamen	nia-	niamen	tjanuamen
	二	-mun	timun	nu-	nimun	tjanumun
	三		tiamadju		niamadju	tjaimadju

8. na-tjengelay   tjanua'en   ti   kapi.

PAS.喜歡   1SG.   Nom   男子名

kapi 喜歡我。

9. na-k-em-an-anga-sun?

Perf-AF 吃-2SG.Nom

你吃過了嗎？

10. na matjalaw-a'en   timadju

PAS.生氣 1SG.Nom 3SG.

我討厭他。

2. 指示代名詞

【表 2-8】指示代名詞系統

這	那
icu	zua

11. pavay-an　　a　　icu　　tjaimadju.
　　給-LRtF　　Nom　這　　他
　　把這個給他。

12. pavay-an　　a　　zua　　tjaimadju.
　　給-LRtF　　Nom　那　　他
　　把那個給他。

（四）焦點系統（focus system）

【表 2-9】焦點系統

焦　點	主事者（AF）	受事者（PF）	處所（LF）	工具／受惠者（IF／BF）
動詞詞綴	ma; -em-; -en-, m-	-en; -in	-an ka-...-an	si-
例	ma-pulaw 酒醉 k-em-an 吃 b-en-ulu 打球 m-alap 拿	v-en-eli 買 t-in-kel 喝	qumaq-an 屋內 ka-ki-tulu-an 學習的地方 ka-taqed-an 睡覺的地方	si-kesa 用來煮的 si-ceviq 用來切的

13. na-k-em-an-anga-a'en
　　Perf-AF-吃-1SG..Nom
　　我已經吃過了

14. na-ma-pulaw-anga　ti　　kapi.
　　Perf-AF-喝醉　　　Nom　人名
　　kapi 已經喝醉了

15. anema　　　su-t-in-kel?
　　Nom.什麼　2SG-PAS-喝
　　你喝了什麼？

16. ka-ki-tulu-an　　　　ta　k-em-esa　a　　ka-kesa-an

Act-獲得-學習-LRnF　Obl　AF-煮　　Nom　Act-煮-LF

廚房是學習烹飪的地方

17. ka-taqed-an　　a　　　　taqtaq

Act-睡-LF　　Nom　床鋪

床鋪是睡覺的地方

18. si-ceviq　ta　saviki　ni　　vuvu　a　　siqunu.

IF-切　　Obl　檳榔　Gen　奶奶　Nom　小刀

奶奶用刀切檳榔

（五）時貌（語氣）系統（Tense / Aspect system）

【表 2-10】時貌（語氣）系統

時貌語氣 焦點		現　實　狀						非現實狀	
		過　去		習慣性		現在進行		未　來	
主事者		na-	na-vaik-anga	ru-	ru-vaik	RE	vai-vaik	uri	uri vaik
				RE	vai-vaik				
				TA					
非主事者	受事者	-in- -en	v-in-aik	RE	vai-vaik-en	RE	vai-vaik-en	uri	uri vaik-en
				TA					
	工具 / 受惠者	-in-	s-in-i-vaik	RE	si-vai-vaik	RE	si-vai-vaik	uri	uri si-vaik
				TA					

19. na-vaik-anga　ti-madju

Perf-走　　　Nom.3SG

他已經走了

20. ru-vai-vaik　a　　s-em-enai　ti-madju.

Hab-AF-走　Link　AF-唱　　　Nom-3SG

他常去唱歌

21. vai-vaik-a'en

RE-走-1SG..Nom

我先走

22. uri   vaik-a'en   sema   gadu.
    Fut 去-1SG.Nom   去   山上

    我要去山上

23. u   v-in-aik-anga s-em-atez ta   ka-kan-en.
    1SG Pref-去   AF-送   Obl   Act-吃-Nmlz

    我已經去送吃的東西了。

24. vai-vaik-en   a   lj-em-ilji ni-madju ti   vuvu.
    RE-AF-去   Hab Lnik AF-探望   Gen-3SG Nom 爺爺奶奶

    她常常去探望爺爺奶奶

25. s-in-i-vaik   ni-madju a   pa-pu-cemel ti   kapi
    BIRnF-Pas-去 Gen.3SG Link Caus-藥   Nom kapi

    他帶 kapi 去那邊看病

（六）存在句、方位句、所有句結構

　　表示存在及方位的句子，根據張（2000）指出北排灣的存在句及所有句的句首都有 izua（有）的動詞。而方位句則是在句中有表處所格（Loc）i（在……某處）於句中，若要表示否定則在句首加上 neka（沒有）代替 izua（有）。以下是以東南部方言所造之例子。

26. izuwa malje-tapuluq a   kakedriyan.（所有句）
    有   Hum-十   Nom 孩童

    有十個孩童。

27. izuwa ti   kapi？（存在句）
    有   Nom 男子名

    kapi 在嗎？

28. tjuruvu a   caucau i   maza.（方位句）
    很多   Nom 人   Loc 這裡

    這裡有很多人。

29. neka   nu   caucau i   maza.（否定存在句）
    Neg   Gen 人   Loc 這裡

    沒有人在這裡。

（七）祈使句結構（imperative structure）

祈使句有兩種形式：分為包含式（inclusive）及排除式（exclusive）。而表現命令句則由動詞在句首表現之，倘若要表示否定則在動詞前加上 maya（不要）的否定詞。

【表2-11】祈使句結構

祈使句式 焦點重心	否定式	排 除 式		包 含 式	
主事者焦點	maya	-u	vaik-u	-i	vaik-i
受事者焦點		-u -i	vaik-u（無動作者） vaik-i（表禮貌）	----------	
處所／工具焦點 受事者焦點		-an	kes-an	----------	

30. maya   vaik.
    Neg.Imp   走
    不要去。

31. vaik-u   a   k-em-an.
    Imp-Excl-去   Link   AF-吃
    你去吃。

32. vaik-i   a   k-em-an.
    Imp-Incl-去   Link   AF-吃
    我們去吃。

33. ka-kes-an   ni   kina   tua   vurasi
    Act-煮-LF   Gen   媽媽   Obl   地瓜
    廚房是媽媽煮地瓜的地方。

（八）否定句結構（negative structure）

否定句有直述句、存在句（所有句、方位句）、祈使句三種句式，在直述句句首出現 ini-ka（沒／不），若 ini-ka 後面所接動詞為完成貌（perfective）時，此時 ini-ka 則表示「沒」之意。若 ini-ka 後面所接動詞為非完成貌（imperfective）時，則表示「不」之意。它可以出現在各種的焦點結構中，

或者是出現在主格的附著式代名詞前。存在句及所有句的句首加上 neka 的否定詞來取代 izua（有），即可表示否定之意；而表否定方位句則是在句首加上 ini-ka 表現之。最後，否定祈使句則是在句首加上否定詞 maya（不要），以下以例句視之，更加了解排灣語的否定結構。

【表 2-12】否定句結構

句　式	位　置	備　　　　　註
直述句	ini-ka	1. ini-ka＋動詞為完成貌（perfective）時，此時 ini-ka 則表示「沒」之意。 2. ini-ka＋動詞為非完成貌（imperfective）時，則表示「不」之意。
存在句、所有句	neka	neka 的否定詞來取代 izua（有）
方位句	ini-ka	有表方位標記 i 於方位詞前
祈使句	maya	
其　他	uri（表未來）＋ini-ka：不會、不要	
	uri（表可能性）＋ini-ka：不可能	
	ini-ka＋anan：還沒、尚未	
	ini-ka＋anga：現在已經沒有了	
	問句：ini-ka 答句：ini	
本身具有否定意味的詞	nakuya（不要）、suqelam（不喜歡）、salekuya（不好）	

34. ini-ka　saigu　a　　　s-em-enai
　　Neg　　會　　Nom　AF-唱
　　不會唱歌。

35. neka nu　kama　nimadju.
　　Neg　　爸爸　Gen.3SG
　　他沒有爸爸。

36. ini-ka　s-em-ua-suap　i　　casaw　ti　　　ina.
　　Neg　　AF-掃-RE　　　Loc　外面　Nom　媽媽
　　媽媽沒有在外面掃地。

37. maya　vaik.

Neg　　走

不要走。

38. ini(-ka)-anan　sa　　　　　vaik-a'en.

Neg　　　　　加強語氣　走-Nom.1SG

我還不想走。

39. ini-ka　tjengelai-anga　s-em-enai　timadju.

Neg　喜歡-Perf　　　AF-唱　　　Nom.3SG

他已經不喜歡唱歌了。

40. suqelam-a'en　　ki-dja-djalan　tjaimadju.

Neg-Nom.1SG　Caus-RE-路　　Obl.3SG

我不想與他同行。

（九）疑問句結構（interrogative construction）

根據張（2000）與黃（1999）等將疑問句分三種句式，分別爲是非問句（Yes-No Questions）、選擇問句（Alternative Questions）及疑問詞問句（Special Questions），以下分別介紹之：

1. 是非問句（Yes-No Questions）

是非問句有兩種形成方式，一是將句子中最後一字的最後一個音節音調上揚即可，而此種句子的表現方式與陳述句並無不同，是表面相同但音調不同。其二則是利用疑問助詞（Question Particle; Q-Part），如 pai，這些疑問助詞只要加在陳述句句末且在 i 處音調上升即可，見例句表較。

41a. pu-vuvu-anga-sun.（陳述句）

獲得-孫子女-Perf　Nom.2SG

你有孫子女了。

41b. pu-vuvu-anga-sun.（是非問句）

獲得-孫子女-Perf　Nom.2SG

你有孫子女了嗎？

42. pu-vuvu-anga-sun, pa i?

獲得-孫子女-Perf　Nom.2SG　Q-Part

你有孫子女了吧？

2. 選擇問句（Alternative Questions）

顧名思義，該問句有選擇之意味，選擇問句是以 manu（還是）來引導兩個或兩個以上名詞組或完整句的選擇項目。值得注意的是問句本身的句末及其選擇項目之音調皆要上揚，見例句。

43. uri　　k-em-an-sun　　　ta　vurasi　manu　vasa
　　Fut.　AF-吃-Nom.2SG　　Obl　地瓜　　還是　芋頭
　　你要吃地瓜還是芋頭？

3. 疑問詞問句（Special Questions）

疑問詞問句可分為三類：第一類為名詞性疑問詞；第二類為動詞性疑問詞；第三類為副詞性疑問詞。又副詞性疑問詞有可細分為空間性、時間性、原因性的疑問詞。以下分類說明之：

（1）名詞性疑問詞（Nominal Interrogatives）

名詞性疑問詞有三種類型，其特性與名詞相同，需帶有格位標記。第一，如 ima（誰）是指涉人的部分，帶有表人稱專有的格位標記，故與 ti（主格單數）、tjai（斜格單數）、tia（主格複數）、tjai（斜格複數）做結合。而指涉物的 nema（什麼）則與普通名詞的格位標記 a 做結合。第二，疑問詞 inu（哪裡／哪一個）也是需要格位標記，但若是表地點則沒有格位標記。第三，用於非人的 pida（多少）與屬人的 ma-pida（多少），其結構與數詞一樣，當屬人時則加前綴 ma-，見例句如下：

44. ti　　ima　su-ngadan?
　　Nom　誰　2SG-名字
　　你叫什麼名字？

45. a　　nema　su-ka-kan-en？
　　Nom　什麼　2SG-RE-吃-AF
　　你正在吃什麼？

46. a   inu   a   su-kina-sengac-an   a   itung?

Nom 那一個 Link 2SG-讓-討厭-Nmlz Link 衣服

你不喜歡哪一件衣服？

47. inu   a   ne-sun?

哪裡 Nom   2SG

你在哪裡？

48. ma-pida   a   caucau   i   casaw?

多少   Nom   人   Loc 外面

多少人在外面？

49. pida-anga su   cavilj?

多少-Perf Nom.2SG   歲

你幾歲？

（2）動詞性疑問詞（Verbial Interrogatives）

疑問動詞與動詞一樣，除了可以有焦點變化，也可以附加時態的詞綴，如詞根 kuda 做變化，則產生 k-em-uda（如何）、ma-kuda（怎樣）。見例句如下：

50. k-em-uda-kuda-sun   ta-sauni?

RE-AF-如何-Nom.2SG   PAS-剛才

你剛剛在做什麼？

51. ma-kuda   su-lima?

AF-如何   Nom.2SG-手

你的手怎麼了？

（3）副詞性疑問詞（Adverbial Interrogatives）

副詞性疑問詞有可細分為空間性、時間性、原因性的疑問詞。空間性疑問詞如 inu（哪裡）；時間性疑問詞如表過去的 ta-ngida（何時）與表未來的 nu-ngida（何時）；原因性的疑問詞 akumaya 等同 aku（為什麼），見例句如下：

52. iza   iun   a-nesun?

存在 哪裡 Nom-2SG

你在哪個方位？

53. ta-ngida　na　vaik ti　　vuvu?
　　PAS-何時 PAS　走　Nom　爺爺
　　爺爺何時走的？

54. uri　nu-ngida vaik ti　　vuvu?
　　Fut　Fut-何時　走　Nom　爺爺
　　爺爺何時會走？

55. akumaya　i　maza-sun?
　　為什麼　　Loc 這裡-Nom.2SG
　　你為什麼在這裡？

【表 2-13】疑問詞問句

疑問詞問句	排　灣　族　語		中文釋義
名詞性疑問詞	ima		誰
	nema		什麼
	inu		那一個
	pida / ma-pida		多少 / 多少人
動詞性疑問詞	k-em-uda		如何
	ma-kuda		怎麼樣
副詞性疑問詞	空間性	inu	哪裡
	時間性	ta-ngida（過去 / nu-ngida（未來）	何時
	原因性	akumaya（aku）	為什麼

三、排灣語禁忌語之型態

（一）排灣族禁忌語形成之文化背景

　　南島民族是敬天畏神的一個民族，天地萬物皆有靈論，排灣族亦是。排灣族在使用語言時，除了依據當時對話的人外，更會注意自己的言行是否觸怒神靈，然而一般人對神靈大部分都是指好的靈、好的神，但就排灣族而言，不論是好的或是不好的神靈都一律尊重。任何時間都謹言慎行。如要跟神靈對話時，都需藉由 pulingaw 或 parakaljai 來代表發言、溝通，一般人在儀式進行的當下都不可以亂說話及犯禁忌，如果在儀式中亂說話則是對神靈不

敬，則導致 penalisi（犯禁忌）。

　　「禁忌」的形成簡單的說就是冒犯神靈及人的語言或行為，「禁忌語」在排灣族也分為兩類，一是對神靈，一是對人，上述有提及到在面對神靈時是不可以亂說話，對神靈就是絕對的服從及安靜，反之，則招致厄運；對人而言，「禁忌語」是依其對話兩人之間的社會階級地位、當下情境來判斷語言的使用是否會形成禁忌語。

（二）禁忌語之定義與分類

1. 禁忌語的定義

　　語言的禁忌是由人類對未知的超自然力量的畏懼及尊敬而產生，塔布（Taboo）或（Tabu）一詞是源於南太平洋玻里尼西亞的東加（Tonga）語。「塔布」這個現象包括兩個方面：一方面是受尊敬的神物不許隨便使用，一方面是受鄙視的賤物不能隨便接觸。因此，所謂語言塔布（linguistic taboo），實質上也包括兩個方面，一是語言的靈物崇拜〔註22〕（語言拜物教），一是語言的禁用或代用（委婉語詞和鄙視語詞）。

　　排灣語的禁忌語與陳原（1998）所定義之禁忌語差異不大，唯獨在語言的靈物崇拜是有些許的不同，差別在於對神靈是絕對服從，沒有任何反駁說話的餘地，也就不會產生顯形的語言。對神靈表示語言時是用非語言的行為動作來表示之。

　　而在委婉語詞（euphemism）的部分，它是源自希臘語 euphemismos，詞綴 eu-意為 well、pleasant、good，而詞幹 phemee 音為 speech。顧名思義，委婉語就是 good / pleasant speech（好聽的話）〔註23〕。禁忌語與委婉語是一體兩面。文化社會中的溝通常常會遇到不能不提及某些禁忌語，這時改用好聽的、代用的或暗示性的語詞。就是委婉語。

2. 禁忌語之分類

　　排灣語禁忌語的產生是有其歷史根源及社會文化的脈絡，主要分兩種表

〔註22〕語言的靈物崇拜（fetishism）、語言拜物教（word fetishism）：把這兩項合一解釋為專指某些民族把無生命的東西當做崇拜的對象，認為語言具有主宰人們命運的超人的神力。參看陳原（2001），《語言與社會生活──社會語言學》，台北：台灣商務，頁33～44。

〔註23〕王銀泉，1996〈禁忌語与委婉語關系之初探〉，《四川外語學院學報》第2期，頁61。

現形式來探討人類語言的靈物崇拜和語言的禁用及代用。其中語言的靈物崇拜是以神靈來與其敬之。語言的禁用與代用是避免歧視、性、排泄有關之表達，疾病及死亡等，以下就以排灣語來逐一探討之。

（1）語言的靈物崇拜（word fetishism）

由於古代的排灣族人對未知的事物懷抱著一股畏懼及崇敬的心，對於萬物皆有靈的存在，相信神秘的超自然力量。這種超自然的力量與大洋洲的米拉尼西亞及波里尼西亞所稱的 mana 有異曲同工之處，它的觀念普遍是指非人格的「力」，這種力量是寄宿在神、人、動植物、自然現象、自然物體、人造物品等之中，而且能從一物轉移至另一物體，亦即指一種普通人類體能所不能達成效果的綜合力量。〔註 24〕這使得當時的排灣族人更以宗教為皈歸崇拜神靈。例如：在排灣族獵人外出打獵時，如果其中一人打噴嚏或是放屁就必須打道回府。還有獵人要出去巡陷阱或外出出遠門時，如果在途中遇到別人問他要去哪裡時，這樣也是犯禁忌，獵人就必須下次在另找時間出去，上述這兩種情況造成獵人犯禁忌的原因有二，其一是如果是打噴嚏或是放屁是對神靈不敬，說白一點是瞧不起神靈；二是只要有關運氣的事情也不可以說，因為說了以後好運會跑掉，所以獵人要準備出去打獵的時候是不可以跟任何人交談，這樣好運會跑掉。跟語言靈物崇拜有關的「禁忌語」是「說話」，在下一章會有更詳細的論述。

（2）語言的禁用與代用

說話者在表達時為了避免禁忌語的出現而改用代用的語詞，大多數的語言是避免歧視、性、排泄有關之表達、疾病及死亡等中可發現禁用與代用的相互關係，以下分別討論之。

①性事及排泄有關

在很多語言當中可見性事及排泄多屬禁忌有關的部份，性及排泄是屬與較私人且較為尷尬的語詞而產生較多的禁忌語。如「性交」一詞現在大多使用「做愛」或是用最新流行語「炒飯」來代用，但為避免說話者及聽話者尷尬情形的產生。在排灣語的「kiudru」「性交」則是用「i-sulid」「找朋友」或「pu-valjau」「找先生」代替之。

有關排泄的部份則是「大便」漢語通常是用「上大號」或是「上洗手間」

〔註24〕 劉其偉編譯，1991，《文化人類學》，台北市：藝術家，頁 218。

等語詞，在排灣語則是用「i-vali」「去吹風」來表示之，用「吹風」來委婉的
表示「大便」是因爲以前都在野外解放，離開群體至一地解放，所以用「去
吹風」來表示。而女性每個月都會來的月事「madjaq」，排灣語則是用
「pangtjezan」「來了」、「inaljekuyan」「不好的」或「izuanga qiljas」「月已到
來」來表示之。

②疾病、死亡及其他

生、老、病、死乃是人生必經的過程，我們皆無從抗拒，只能延緩卻不
能避免，相對的爲了延緩死亡的到來及病痛的持續，不難發現在各語言中產
生的代用語詞。如漢語最常見的「死亡」用「去世」、「駕鶴西歸」、「蒙主恩
召」等語詞來代用禁忌語。

在排灣語用來表示「macai」「死亡」也跟漢語相似，用「vaik-anga」「已
經走了」來表示。如果是因意外而去世「na-macai paqetelen」，這句最直接的
意思是「慘死」，在排灣語則用「na-maseljekuya」「死的不好」來取代慘死這
個禁忌語。

第四節　排灣族祭祀經文相關研究

排灣族的祭祀經文前人研究的部分相當稀少，比較具有代表性的爲小島
由道（1920：24～31）排灣族祭祀經文、胡台麗（1999a、2007、2008）來義
鄉古樓部落及邱新雲（2008）達仁鄉土坂部落皆有提及排灣族祭祀經文的文
本，這三種紀錄排灣族祭祀經文的文獻當中，唯獨胡台麗教授在祭祀經文有
較詳盡的分析外，其餘者皆如同走馬看花。以下就依各文獻的優缺點做一論
述亦可參見【表 2-12】。第一，小島由道所紀錄的祭祀經文只有翻譯成大意，
而不是以一字一義的翻譯方式來論述，排灣族的讀者讀起文獻相當吃力，更
何況是非排灣族人呢？但此文獻的優點則是年代較早較爲存古，受到外來
文化影響幾乎是微乎其微。第二，胡台麗教授的文章中除了以一字一義的方
式翻譯外，也有以整段式的翻譯方法，使排灣族人或非排灣族的研究者能
相當快速的進入主題。除此之外，胡台麗（2007）也將排灣古樓祭儀的祭祀
經文與傳說做一詳細的論述，可說是將古樓村的祭儀完整說明。最後，邱
新雲（2008）文中祭祀經文的部分並未加以詳述，使非排灣族的讀者閱讀困
難。但是在這圖文並茂的論文可以清楚明白靈媒授正儀式中所有儀式進行的

步驟。

　　筆者認為在解讀傳統的祭祀經文，要以語言學的方式將文本分成句子，在將句子解構成詞根（root）、詞幹（stem）、詞綴（affix）後，在重新建構成真正一字一義的更為精準的翻譯。可以清楚知道當下環境的時間與空間以及說話者的角色。上述的各項文獻中，尚未提及位於最南端的牡丹鄉，期盼可以為南排灣的祭祀經文的研究提供幫助。

【表 2-14】文獻優缺點比較

研　究　者	優　　點	缺　　點
小島由道（1920）	最為存古	無逐字、逐句翻譯
胡台麗（1999、2007）	逐字、逐句翻譯並輔以傳說故事	語言分析不夠透徹，文化面較多
邱新雲（2008）	儀式詳盡解說	無逐字、逐句翻譯
潘君瑜（2009）	以語言分析的方式逐字、逐句翻譯並輔以文化意涵	無傳說故事

資料來源：潘君瑜製表

第五節　小　結

　　從文獻的爬梳當中可知排灣族的傳統儀式祭詞與排灣語語言結構兩者宛若楚河漢界，其實，在語言的選用當中，可以了解其族群文化的內部思想及價值觀。排灣族精緻豐富的文化可從語言的詮釋中展現，不論是在日常用語或是內斂的歌詞，甚至是較為神聖的儀式祭詞。這當中的用字遣詞的揀選無不與文化、宗教脫離關係兩者息息相關。在第二章的文獻回顧中可以明顯的看出語言與文化是分類說明，而不是兩者互相作用交相說明，可見得前人的研究仍有再進步的空間，欲使得語言在文化中的應用有明顯的變化，無不需要兩者相互作用後產生的語言。語言承載著文化卻也遵守禁忌的道德規範，同樣地，語言的句法結構也遵循著其族群的句法規則。用語言學的觀點來分析祭詞的結構輔以文化的角度來詮釋祭詞的內在意涵。

第參章　排灣族祭祀儀式

第一節　祭祀儀式過程

　　排灣族的祭祀儀式會依所使用的儀式技法而使過程有不同，大致可以分為 paitilju（瓢卜）、semalaputj／semainagatj（收驚儀式）、paivadaq（求神降靈）三種，分述如下〔註1〕：

一、paitilju（瓢卜）

　　屬較重大事件或嚴重的病症所適用的儀式技法，須由靈媒藉由葫蘆及靈珠來向神靈請示，其方式是將 qalev（豬脂）塗抹於 raruquwan（葫蘆弧面）使其滑溜，一邊使靈珠在上頭滑動，一邊不斷詢問神靈發生問題的原因，若原因確定，則靈珠會停滯於葫蘆弧面中央，但若靈珠一直滑動沒有停滯時，則表示所問之諸事將有不好的結果。儀式過程為：

　　　　（一）召喚神靈（temega ta naqemati a cemas）
　　　　（二）告訴神靈請求之事（tjemumalj）
　　　　（三）pulingaw 用 vuas（葫蘆）及 zaqu（靈珠）向神靈詢問原因（remuqu）
　　　　（四）讓請求者的心情平靜（ljemaljeqel）
　　　　（五）撫慰請求者，使其身心靈的病痛得以解除（semalaput）

〔註1〕　高加馨、黃瓊如，《寄遇者》，屏東縣牡丹鄉公所，2006，頁 63～72。及小島由道，1920，《番族慣習調查報告書‧第五卷之三，排灣族》，臺灣總督府臨時臺灣舊慣調查會原著；台北：中央研究院民族學研究所編譯，頁 31～32。

二、semalaput / semainagatj（收驚儀式）兩種

semalaput 和 semainagatj 兩種收驚儀式都是針對個人輕微的病痛或問題，其進行時間沒有限制，靈媒藉著吟誦祝禱詞及象徵性的動作來解決請求者問題及病症。儀式過程為：

（一）semainagatj

靈媒指需要用切塊的豬肉及豬骨頭，吟唱祭詞並以敲擊骨頭的代稱方式，去除依附在請求者身上的惡靈或晦氣。

（二）semalaput

適用於更輕微的病痛，靈媒不需要敲擊骨頭，只需要 qaselu（雙手吹氣），然後拍拍雙手，雙手由請求者的頭部順肩而下，最後將雙手往外推，把不好的東西向外丟棄。

三、paqivadaq（求神降靈）

此儀式是請神靈降身於 ligu 身上，先請 ligu 向神靈請示後，神靈會降於 ligu 的身上進而回應請求者的問題。儀式過程為：

（一）殺豬：為求儀式需要的豬肉及骨頭，若無法殺豬的家庭就準備五種代表全豬的骨頭即可，此五樣骨頭分別為：qulu（頭顱骨）、calag（脊椎骨）、valjicak（腿骨）、ingal（臀部與大腿連接之骨）、kakerangan（肩胛骨）。

（二）請 qadaw naqemati 降靈問事

（三）請祖靈或已逝的祖先降身

（四）papuluqem（驅禳賜福）

（五）最後一次與祖靈或已逝的祖先說話（i qaqivuan a puvililj）

（六）靈媒酬勞〔註2〕點收（此時神靈還附身在靈媒身上）（pavadis）

第二節　祭祀儀式法器的種類與運用

靈媒在進行任何的祭祀儀式當中，儀式法器〔註3〕在祭祀儀式中扮演著

〔註2〕現今靈媒的酬勞（pudjalan）：豬右前腿、豬脖子、豬肋骨兩根、豬肝一小塊、糯米糕五條、酒一瓶、路費（靈媒會依照豬的大小及價錢判別，若少於新台幣 3000 元則用現金補貼）。

〔註3〕高加馨、黃琼如，《寄遇者》，屏東縣牡丹鄉公所，2006，頁 72～76。及小島

不可或缺的角色，每一種儀式法器都具有特殊的意義，更是幫助儀式順利進行的器具。

【表 3-1】祭祀儀式法器種類及運用表

器具名稱	圖　片	用　　途
zaqu 靈珠	 【圖 3-1】	神的珠子，與葫蘆一起占卜使用。將 zaqu 置於塗抹煙燻豬脂的葫蘆弧面中央，藉由 zaqu 的停滯與滑落得知神靈的回答。
vuas 葫蘆	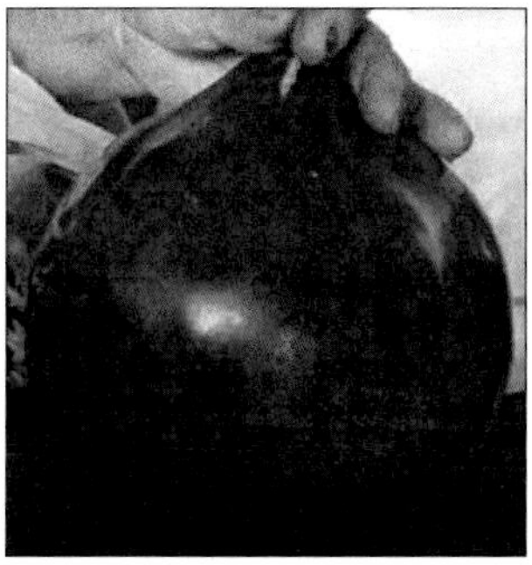 【圖 3-2】	占卜時使用的葫蘆，靈媒會自己找自己的葫蘆或是沿用祖先遺留的。左圖所示之葫蘆是祖先傳下來的。
siqunu 祭刀	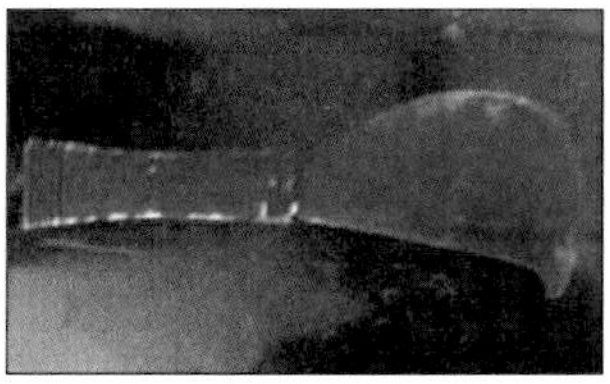 【圖 3-3】	靈媒的專門用刀，此祭刀的用途有三：刀刃為切 qalev 用；刀鋒是移動祭葉；刀鋒也具有指示的功能，例如指導祭豬的切割範圍則用計刀的刀鋒來筆劃。

由道，1920，《番族慣習調查報告書‧第五卷之三，排灣族》，臺灣總督府臨時臺灣舊慣調查會原著；台北：中央研究院民族學研究所編譯，頁 33。

kaniputj 法術袋／箱	 【圖 3-4】	放置法器的袋子或箱子，法術袋／箱一般人是不可以碰觸，碰觸法術袋／箱就如同觸犯神靈，擁有此法術袋／箱的靈媒與碰觸之人則會招致神罰，兩人皆會有頭痛、頭暈甚至會有噁心想吐的現象產生。 法術袋／箱所放置的地方不可以有 tjamaku（香菸）、qasaw na veljevelj（香蕉葉）及 qaiway（姑婆芋），若有上述三項物品則會導致靈媒祭祀儀式會 matengez（不順利）。
kulakulan 豬蹄	 【圖 3-5】	在準備開始唸儀式祭詞之前，靈媒會用祭刀再豬蹄上敲一敲，patjeqaliu（表迎神）之意，儀式也隨之開始。
tarang （calag） 脊椎骨	 【圖 3-6】	放在 kaniputj 裡的 calag 稱為 tarang，是 kaniputj 與 pulingaw 的護身符。
qalev 煙燻豬脂	 【圖 3-7】　　　【圖 3-8】	用祭刀切一些 qalev 來昭示祖靈儀式要開始了。

viyaq 祭葉	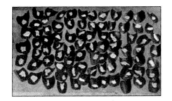 【圖 3-9】 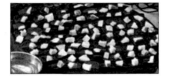 【圖 3-10】	祭葉的選定會因所進行儀式的不同而有區別，有用榕樹葉、番石榴葉、相思樹葉及桃樹葉，但因榕樹葉取得方便所以現在都普遍使用榕樹葉。左圖是 djaraljap（榕樹）葉。 祭葉上擺的是碎骨頭（未殺豬）左上圖或是豬脂（殺豬）左下圖，表示這是給祖靈的 katjutjung（杯子）。
valjitjuq 錢幣	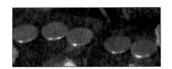 【圖 3-11】	表示 pu-djalan（請神的路費或稱酬勞），硬幣的數量會因儀式難度的高低及路途的遠近而使收取的的路費不同。有新台幣二十、三十、五十元、七十元不等。

【圖 3-12】paitilju 瓢卜
攝於牡丹鄉石門村，2008.12.13

vais‧ljivaljiv（漢名張玉葉），圖中舉行的是'ipatjaracekelj（家庭儀式），此時 pulingaw 正用靈珠占卜，詢問神靈確認儀式主家所犯錯的原因，告知問題發生的主因及解決辦法，在詢問的過程中，若靈珠停在弧面時，表示此為問題的原因。

【圖3-13】'ipatjaracekelj 家庭祭儀
攝於牡丹鄉牡丹村，2008.12.14

kivi‧pasavuta（漢名朱玉枝）pulingaw，此靈媒爲牡丹鄉的 ligu（先知者）。圖爲'ipatjaracekelj
（家庭儀式），此階段爲儀式的第二階段（sinaparutavak），先祭拜、安撫 qaqetitan（惡靈），
希望祂們不要干擾接下來的祭祀活動。

第三節　祭祀儀式的禁忌與神罰

　　禁忌與巫術是人類早期的宗教儀式，是來自人類對超自然力量的信仰，
在排灣族的祖先崇拜（Ancestor Worship）和泛靈信仰（Animism）的觀點之
下，採萬物皆有靈魂有生命，萬物有造物主，日月、山川、河流都有神祇，
房屋有守護神，對於祖先也信奉祖先崇拜，以至於排灣族人對人、神及萬
物有其一定的敬畏、規範與禁忌。遂產生積極的、主動的祭祀儀式及消極
的、被動的禁忌規範。禁忌是一種具有禁制、懲罰、災禍恐懼的超自然力
量概念，這些概念普遍成爲部落共同性的信仰或現象後，便形成具有約束
力量的律法〔註4〕，亦說禁忌系統是現代法律的原型〔註5〕而神罰則是刑罰的
原型。

〔註4〕 林二郎，2005《以大巴六九部落的實踐經驗芻建卑南族巫術的理論》，頁52。
〔註5〕 董芳苑，1991，《原始宗教》，台北市：久大文化，頁7～8。

一、venaqesing（打噴嚏）的禁忌

　　打噴嚏是一項常見的禁忌之一，在儀式進行之前打噴嚏時，則此人則要像神靈及靈媒們賠罪；若在儀式進行過程中如果有人打噴嚏，則會使該祭祀儀式降靈的神跑走，使儀式無法順利完成，也可以說是需要停止重新來過，甚至可能會招受神罰的處置。除了祭祀儀式外，在日常生活中如要出門前打噴嚏；或是獵人外出打獵前打噴嚏視做警訊，表示預要進行之事會相當不順利甚至會招致橫禍，故在進行儀式之前，靈媒及辦事主家會特別叮嚀前千萬不可以打噴嚏，尤其是對小孩子們說，更保險的做法就是較小孩子不要參與儀式活動。

二、qemetjutj（放屁）的禁忌

　　放屁是一種禁忌行為，它也是一種公共禮儀。在儀式進行中若是有人放屁，表示並不歡迎神靈或祖靈們降靈，所以才會對祂們做出不禮貌的行為。故神靈及祖靈們瞬間從靈媒身上離開，此儀式隨之告吹。之後還要先向祂們道歉，儀式方可再度進行。

三、pucuvulj（煙）的禁忌

　　只有神靈及祖靈降靈的儀式才需要遵守煙的禁忌，祂們覺得煙是很臭的氣體，舉凡是香菸、炒菜的油煙、烤肉時冒出的煙等等都不行；只有漢人的香還可以接受，但這也是最近才接受的。嚴格來說，任何一種煙都會讓祂們離開，祂們覺得煙是很臭的氣體，當我們製造祂們不喜歡的氣體，祂們認為這是不歡迎祂們的降臨，所以在儀式進行之前會特別告誡參與的族人。只要是一點點的煙味都不行，因為神靈們會藉由靈媒來表達不滿，所以煙也是一種禁忌，以下舉一祖靈不喜歡煙例子。民國 85 年研究區域大梅部落（pungudan）祖靈屋遷建主因為當地部落祖靈從舊部落牽至現在的部落時，因無搭建祖靈屋，將祖靈暫置安奉於大梅的福龍宮內，因不適漢人的香火味，經部落 pulingaw 傳達祖靈之意，遂之遷移。由上述例子可知，排灣族的祖靈不喜歡煙味，故在進行儀式時不可以製造煙的氣體，否則祖靈會因生氣而離開。

第四節　小　結

　　排灣族對人的祭祀禁忌部份與其他族群有共通禁忌，禁止參與儀式的人 venaqesing（打噴嚏）及 qemetjutj（放屁）的禁忌。可見這兩項是嚴重的禁忌。以排灣族傳統宗教方式進行的祭祀活動需要遵守很多相關禁忌規範，且儀式的過程相當繁複。靈媒們熟練的、快速的、流暢的祭祀禱詞與祭祀的法器、手勢兩者間的配合運用，且要使儀式進行順利也需要參與儀式者的配合，配合遵守儀式的種種規範，不觸犯禁忌，兩者缺一不可，方能使祭祀儀式順利地進行。反之，則招致儀式無法進行。簡單的來說，要進行一項傳統宗教的祭祀儀式是相當不容易的一件事。

第肆章　祭祀經文語言結構及
文化意涵分析

第一節　背景說明

　　當 pulingaw 產生異象或徵兆現象後，經現職 pulingaw 認定為將成神的代言人。這時，此人除了要學習並背誦祭祀經文外，還需在現職靈媒的身邊學習祭祀儀式的步驟、祭祀經文、祭祀禱詞等相關祭祀的所有知識技能數年，見習時間大約是兩三年。之後，才會為這位預備靈媒舉行靈媒資格授證儀式〔註1〕（nuri kisan pulingaw）。

　　本論文主要以牡丹鄉石門及牡丹兩村共八個部落的 paliljaliljaw 群及 tja'uvu'vulj 群的排灣族傳統宗教祭祀經文為主，此研究區域若依祭祀經文用途可分為兩類：一類為 pulingaw 資格授證儀式所使用的兩種祭祀經文；另一類則是狩獵的祭祀經文。若依祭祀經文的族群亦可分為兩類：paliljaliljaw 群及 tja'uvu'vulj 群。本文以社群為主要分類，再依儀式用途加以細分。

　　paliljaliljaw 群的牡丹社群共有兩種祭祀經文，第一種是靈媒資格授證儀式僅存的三章祭祀經文，這三章經文已修改簡化成三章，其他的則已失傳；第二種迎靈珠（si-kavukavulj ta zaqu）的祭祀經文。該社群第一種祭祀經文所吟唱的時間是從晚上的 10 點開始，持續吟唱 isazazatj 數遍至天將亮之時，而後接著唱迎神珠的祭祀經文數遍，祈求神靈給予靈珠，此時會有兩種產生靈

〔註 1〕　就先前的文獻中常用成巫儀式表示，但筆者將成巫儀式改用靈媒資格認證的儀式，主要是因為「巫」一字具有貶低的意思，且靈媒（pulingaw）在部落是扮演人神溝通不可或缺的角色，不應給予具有貶意的巫以稱之。

珠的情形，一為靈珠從天降臨，二為靈珠由其他 pulingaw 贈與，因此受證的靈媒會有一到數顆 zaqu。此時靈媒的授證儀式才算是完整的結束。另一類是由獅子鄉 tja'uvu'uvulj 群傳入的祭祀經文，第一種是靈媒資格授證儀式吟唱的六章祭祀經文。第二種迎神珠的祭祀經文。最後，第三種則是六章 qimang（狩獵祭祀經文），這首祭祀經文所使用的時間是一年一次獵區的整地或獵人很久都獵不到獵物，祈求狩獵順利平安而吟唱，但現已不再使用。綜合上述的分類的論述外，可從表【4-1】lada（祭祀經文）分類表更加清楚了解。

【表 4-1】lada（祭祀經文）分類表

社群分類	祭祀經文	祭祀經文用途	章　數
paliljaliljaw	isazazatj	pulingaw 授證儀式	3
	si-kavukavulj ta zaqu	pulingaw 授證儀式（迎靈珠）	1
tja'uvu'uvulj	isazazatj	pulingaw 授證儀式	6
	si-kavukavulj ta zaqu	pulingaw 授證儀式（迎靈珠）	1
	qimang	狩獵祭祀	6

資料來源：潘君瑜整理製表

第二節　祭祀經文文本語言結構及文化意涵分析

　　本節所討論分析的祭祀經文文本，是依祭祀經文的社群分為兩類：paliljaliljaw 群及 tja'uvu'uvulj 群，再依儀式種類加以細分。paliljaliljaw 群的牡丹社群共有兩種祭祀經文，第一種是靈媒資格授證儀式僅存的三章祭祀經文；第二種 si-kavukavulj ta zaqu（迎靈珠）的祭祀經文。靈媒資格授證儀式當晚所要吟唱的第一種及第二種祭祀經文，儀式開始的時間是從晚上的 10 點到早上 7、8 點左右，第一種 isazazatj 經文從開始持續吟唱數遍至天將亮之時，而後接著唱迎靈珠的祭祀經文數遍，祈求神靈給予靈珠，靈媒的授證儀式才算是完整的結束。另一類是由獅子鄉 tja'uvu'uvulj 群傳入的祭祀經文，第一種是靈媒資格授證儀式吟唱的六章祭祀經文。第二種迎靈珠的祭祀經文。最後，第三種則是六章狩獵祭祀經文（qimang），這首祭祀經文所使用的時間是一年一次獵區的整地或獵人很久都獵不到獵物，祈求狩獵順利平安而吟唱，但現已不再使用。

　　不論是 paliljaliljaw 群牡丹社群或是由 tja'uvu'uvulj 傳入的靈媒資格授證儀式祭祀經文，其主要的大意基本上是不脫離告知、迎神、送神的三大主體。

　　將祭祀經文文本分類以後，將經文中的語詞用語言學的句法結構做分析，將詞序（word order）、格位標記系統（system of the case marker）、代名詞系統（system of pronoun）、焦點系統（focus system）、時貌（語氣）系統（Tense／Aspect system）、存在句（方位句、所有句）結構、祈使句結構（imperative structure）、否定句結構（negative structure）、疑問句結構（interrogative construction）等作客觀且科學性的分析。先將祭祀經文的語詞單純化後，再依排灣族的傳統宗教信仰為基底的文化觀點，藉由單純化的語詞找出祭祀經文深層的內在意涵。

一、paliljaliljaw 群的牡丹社群祭祀經文

　　paliljaliljaw 群的牡丹社群共有兩種祭祀經文，第一種是靈媒資格授證儀式僅存的三章 isazazatj（祭祀經文）；第二種 si-kavukavulj ta zaqu（迎靈珠）的祭祀經文。

　　因 paliljaliljaw 群的牡丹群社祭祀經文僅剩靈媒資格授證儀式的兩種祭祀經文，故以下就依時間順序逐一分析。

（一）isazazatj（祭祀經文）

　　牡丹社群經過簡化處理後僅存三個章節的祭祀經文，第一章節主要是告知的經文，告知靈媒資格授證儀式的開始，請太陽神將所有的神靈與已去世的靈媒一同降臨此地，協助幫忙完成儀式。第二章是告知所有的神及祖靈，有一位靈媒即將誕生，為部落族人服務。結尾的第三章則是送神的部分。指受證的靈媒已完全接收靈力與法力，神靈已經離開人間。文中的說話者角色為受證靈媒的祖母，故整首祭祀經文大多是用過去式的時態來象徵授證儀式的完成與靈力、法術的交接。當中也出現祈使句的句型，表示出授證的長輩很希望自己的孫女能夠繼承自己的衣缽，將排灣族的傳統信仰一直得以傳承下去，綿延不息。

　　第一章原文：

（1）

isazazatj i　qumaqan　ipukanen　tjeqalius　seljuvaku

naqemati　a　qemadaw.

（2）

iyamada　kakeljananga　　nu　tjadalan　asitagaw
tinungedan　　　nualevelevananga.

第一章分析：

（1）

isazazatj　i　　qumaq-an　ki-pukanen　　tjeqalius　seljuvak-u
開始　　　Loc　家屋-LF　請-神的名字　順道接　　擋住-Imp.Excl

na-q-em-ati　　　a　　　q-em-adaw〔註2〕
PAS-AF-創造　　Link　　AF-太陽

（儀式在屋內要準備開始，請 pukanen 一起加入，並請 qadaw naqemati
將所有的 cemas 與已去世的 pulingaw 一同降臨此地，協助幫忙完成靈媒
資格授証儀式。）

（2）

kiyamada　　　ka-keljan-anga　　nu　　tja-dalan〔註3〕
神的名字　　　Act-知道-Perf　　當　　Inc.2Pl-路

kasi-tagaw〔註4〕　tinungedan〔註5〕　nua　leve-lev-an-anga
從-大海　　　　全部　　　　　　Gen　茫然-RE-LRtF-Perf

（神都知道我們的路，也知道所有祭祀的儀式規定與規矩。祂們從如大
海般浩瀚無邊的地方前來，當全部到達時，口說著神的話語如同亂講話
一般。）

【意譯】

　　祭祀儀式開始時，我們請求太陽神的降臨，並請太陽神帶著所有的神靈
一同降臨，協助幫忙完成靈媒資格授証儀式。我們就像剛出生的嬰兒，對所
有的祭祀儀式都摸不著頭緒，但往後祂們都會從大海般浩瀚無邊的地方前來
指引妳、幫助妳、協助妳，讓妳舉行儀式順利進行。當祂們到達時，妳口說
著神的話語就如同亂講話一般。

─────────────

〔註2〕 排灣語同 qadaw naqemati 太陽神之意。
〔註3〕 排灣語同 djalan 路之意。
〔註4〕 排灣語同 ljaveq 大海之意。
〔註5〕 排灣語同 penuljat 全部之意。

第二章原文：

(1)

a na tiyakeaken a na pai na vuvu

(2)

a na patjiyatjimu a na paravaravac a pinainukudran

(3)

a na puvuluqa'en pigadu madakesen

第二章分析：

(1)

a na tiyake-aken a na pai na vuvu
A 如果 RE-Nom.1SG. A PAS 給 這個 孫女

（我會把我所有靈媒的法力、技術給我這位孫女）

(2)

a na pa-tjiyatjimu〔註6〕 a na pa-rava-ravac a
A PAS Caus-所有事物 A PAS Caus-RE-非常 A

p-in-a-i-nu-kudran
Caus-PAS-Loc-Gen.2Pl-揹

（我非常希望把我所會的所有祭祀禮儀全部給我的孫女就像把全部的祭祀禮儀揹在身上一樣。）

(3)

a na pu-vuluq-a'en pi-gadu ma-dakesen〔註7〕
A PAS 放-長矛-1SG. 放-山上 AF-最高的地方

（我（祖母）就到 qadaw naqemati 住的地方（tjagaraus）立長矛宣示。）

【意譯】

我會把我所有的靈媒法力、技術給我這位孫女，我非常希望、渴望把我

〔註6〕 排灣語同 kakemudain 指不論是好或是壞的所有事物。
〔註7〕 根據童春發，2001，《台灣原住民史——排灣族史篇》，台灣省文獻委員會，頁295 表示。tjagaraus：雖也指大武山之意外，也泛指「天」（kalevelevan），表示大武山民族相信大武山是天地和人的連接點，是創造神的所在地，故宗教性意涵較爲重。

所會的所有祭祀禮儀全部給我的孫女並全部都學會。當妳完全接承我的法力之後，我就到 qadaw naqemati 住的地方（tjagaraus）立長矛宣示，告知所有的神及祖靈，又有一位 pulingaw 在部落中誕生，為部落服務。

第三章原文：

（1）

saseketjan　　　nu　vatjivatjan　　　tinaidai　　　tinapuluq

（2）

pinavenavuljavan　　　pinariyuveketjan

第三章分析：

（1）

sa-seketj-an〔註8〕　　nu　vatjivatj-an　　t-in-aidai　　t-in-apuluq
想-停止-LF　　　　　像　圍-LRtF　　　　PAS-百　　　PAS-十
（我們要結束了，全部的祭祀禮儀是百分之百、十分之十的吸收）

（2）

p-in-a-v-en-avuljavan　　　　　　p-in-a-riyuveketj-an
Caus-PAS-NAF-黃銅製的盆子　　　Caus-PAS-NAF-綁-LRtF
（將所有的祭祀禮儀如裝在桶子、綁在身上一樣的記起來。）

【意譯】

我們要結束了，全部的祭祀禮儀是百分之百、十分之十的吸收，完完全全的學會，就宛如將祭祀禮儀裝在桶子、綁在身上一樣牢牢的記在心裡。

（二）si-kavukavulj ta zaqu（迎靈珠）的祭祀經文

本研究區域迎神珠的六段祭祀經文基本上是相同的，唯獨最後一段送神的部分是不一樣的，第六段送神的部分是依 paliljaliljaw 群及 tja'uvu'vulj 群祭祀經文 isazazatj 最後送神的部分相同。整首祭祀經文不斷的出現 a e anga 的感嘆詞，除了表示感嘆句意外，其更突顯祈求之意，可見文中 pulingaw 深切的盼望與期待。因此這整首 lada 可見感嘆句與祈使句充斥其中，以下是 paliljaliljaw 群 si-kavukavulj ta zaqu（迎靈珠）的祭祀經文的分析。

〔註 8〕 排灣語同 semekez 指休息、停止、結束之意。

全章原文：

（1）

a e anga　drava　drinepuan.

（2）

a e anga　u　mulimulitan　a e pimakudakudan sun　u pitjainuan sun

（3）

a e anga　'isusivaikanga dremadrarian　a e anga ljemeta　paljing　a cinekeljan.

（4）

a e anga　u qaung　a　u tangic

（5）

a e　uzauzaianga　u mulimulitan a e anga　gaugavu　tavelaku

（6）

dr-in-epu-an　drava. a e anga saseketjan　nu　vatjivatjan　tinaidai tinapuluq　pinavenavuljavan　pinariuveketjan.

全章分析：

（1）

a e anga　　drava〔註9〕　　dr-in-epu-an〔註10〕.
Ecl-Perf　朋友　　　PAS-聚集-LF
（我的朋友啊！妳將要成為靈媒了）

（2）

a e anga　u-muli-mulitan〔註11〕　　a e pi-ma-kuda-kuda-n-sun
Ecl-Perf　Gen.1SG-RE-圓形物體　　Ecl 放-AF-如何-LF-Gen.2SG

u-pi-tjai-inu-an-sun
Gen.1SG-放-Obl-.位置-LF-Gen.2SG

〔註 9〕 排灣語 drava 意思是指女生對女生的朋友，稱之為 drava；男生對男生的朋友則稱之為 qali。在這邊是指靈媒對受證者說的話。

〔註10〕 drinepuwan 意指 muri kisan pulingaw sun（你將要成為靈媒）。

〔註11〕 排灣語 mulimulitan 原意指琉璃珠中最為珍貴的主珠，因 mulimulitan 是圓形的物體，故在此是指 zaqu 的意思。

（我的 zaqu 啊！我要把妳放在哪裡呢？我要把妳放在哪一個位置呢？是左邊比較好還是右邊比較好呢？）

(3)

a e anga	'i-su-si-vaik-anga	dr-em-adrari-an
Ecl-Perf	得到-Gen.2SG-IF-走-Perf	AF-隨便祭祀-LRtF

a e anga	ljeme-ta〔註12〕	paljing	a	c-in-ekelj-an.
Ecl-Perf	每-一	門	Nom	PAS-家-LRtF

（我將我的靈珠分給妳，深怕妳會隨便去別人家亂舉行祭祀儀式。）

(4)

a e anga	u-qaung-i	a	u-tangic
Ecl-Perf	Gen.1SG-哭泣、難過-Imp.Incl	Link	Gen.1SG-哀悼

（祈求妳不要將我分給妳的靈珠到處亂舉行祭祀儀式，這樣我會為我贈與妳的靈珠哀悼啊！）

(5)

a e	uza-uzai-anga〔註13〕	u-muli-muli-tan	a e anga	gaugav-u
Ecl	RE-到-Perf	Gen.1SG-RE-神珠	Ecl-Perf	接-Imp.Excl

tavelak-u
接-Imp.Excl

（我的靈珠即將來臨了，妳要承接它，把它接起來。）

(6)

dr-in-epu-an	drava
PAS-聚集-LF	朋友

（我的朋友啊！妳將要成為靈媒了。）

a e anga sa-seketj-an	nu	vatjivatj-an	t-in-aidai	t-in-apuluq
Ecl-Perf 想-休息-LF	像	圍-LRtF	PAS-百	PAS-十

（儀式已經完完全全的結束了啊！要將儀式開始之前的結界解開。）

〔註12〕 排灣語指 ljemita 表「每一個」之意，它是由'ljeme+ita'所構成。
〔註13〕 排灣語同 mantjengtjez，意指即將來臨。

p-in-a-v-en-avuljavan　　　　　　p-in-a-riuveketj-an

Caus-PAS-NAF-黃銅製的盆子　　Caus-PAS-NAF-綁-LRtF

（將如桶子密實的結界與綁在身上無形的繩子解開。）

【意譯】

我的朋友啊！妳將要成為靈媒了。而我要贈與妳我的靈珠，我要把放在哪裡呢？我是要把它放在哪一個位置呢？是在左邊比較好還是在右邊比較好呢？我將我的神珠分給你，妳千萬不要隨便到別人的家去亂舉行祭祀儀式。我如此的囑咐妳、叮嚀妳、懇求妳，如果妳將我贈與的靈珠濫用，我會為它哭泣、難過、哀悼！我的朋友啊！我的靈珠即將來臨了，妳要承接它，把它接起來。這整個靈媒資格授證儀式已經完完全全的結束了。要將儀式開始之前的結界解開，將如桶子密實的結界與綁在身上無形的繩子解開。

二、源自獅子鄉 tja'uvu'uvulj 群傳入的祭祀經文

從獅子鄉 tja'uvu'uvulj 群傳入的祭祀經文有三種，第一種是靈媒資格授證儀式吟唱的六章祭祀經文。第二種迎神珠的祭祀經文。最後，第三種則是六章 qimang〔註14〕（狩獵祭祀經文），這首祭祀經文所使用的時間是一年一次獵區的整地或獵人久未獵到獵物，祈求狩獵順利平安而吟唱。

（一）isazazatj（祭祀經文）

此祭祀經文文本共有六個章節，第一、二章節主要是告知的經文，告知所有的神靈、已去世的靈媒們，以及家中的神龕。告知靈媒資格授證儀式的開始，請求幫忙與協助。第三、四章是請神的階段，請太陽神及已經去世的頭目、靈媒、祖先們降臨人間，一起合作、幫忙完成授證儀式。最後的第五、六段則是送神的部分。主要是送神的開始與神靈已經離開人間，回到自己的地方。此祭祀經文當中常出現相同詞意的語詞接連出現，此舉呈現出緊湊的節奏與加強其重要性，若在一般的句子則可易見加強語氣詞 sa 的出現，但在此則不選用這種方式表現。在祭祀經文中也常出現表示整體概念的語詞，如 taliyan 一詞指家中內外所有事情，故在儀式當中請求庇祐所有的事情。

〔註14〕排灣語運氣之意。

第一章原文：

（1）isazazatj

isazazatj i qumaqan 'ipukanen u dresengi u cevungi

a ljau saladj sevalitan sevulatan nu lekelek a pulingaw

（2）

maru patjecesuwan tu 'initadjalan tu 'initavelak tu 'inipulavan

tu 'inivusukan nia mavunavung nu i tjaljuzanga.

第一章分析：

第一段開始進行祭祀，先行告知並且準備請神附身於靈媒身上

（1）isazazatj

isazazatj i	qumaq-an〔註15〕	'i-pukanen	u-dreseng-i
開始 Loc	家屋-LF	請-神的名字	Gen.1SG-合作-Imp.Inc

u-cevung-i	a	lja	u-saladj〔註16〕
Gen.1SG-會面-Imp.Inc	Link	讓	Gen.1SG-夥伴

se-valit-an〔註17〕	se-vulat-an	nu	lekelek
擁有某種特質-換-Nmlz	擁有某種特質-換-Nmlz	Fut-藉著	苧麻線

a	pulingaw
Link	靈媒

（儀式在屋內要準備開始，靈媒藉著苧麻線請神靈和去世的靈媒並與祖

〔註15〕 qumaqan 一詞有很多前輩學者解釋 qumaqan 的意思。以下就胡台麗（1999a）
文章中整理收錄，有許功明解釋成「家中之守護神壇」，蔣斌提出 qumaqan 為
觀念上的「家屋的家屋」，也就是家屋的「精隨」。除了這一層義意外，就像
排灣族祭儀中各種各類的 tavi 一樣，這個 tavi 也是一個和超自然實體溝通的
地方，溝通的對象，應該就包括這個家屋過去世代的祖靈（1995：202～203）。
石磊先生認為：「qumaqan 是排灣族家屋內附屬品之一，一個小型的石函，函
內無任何物品，據云是神住的地方，神也稱為 kumakan」（1966：141）。古野
清人（1972）敘述：「由 kinalan 分身的神位 komakan 在家裡的正面，在此會
放著豬骨等。人們出遠門時會像這 komakan 禱告：請保佑我的身體健康。」
別於先前將 qumaqan「物化」的解釋，胡台麗教授的主張則是 umaq／qumaqan
是人／神格化的、是有生命的、是也力量的「活的」存在。

〔註16〕 saladj 為夥伴、同伴之意，在這指在世與已去世的靈媒。

〔註17〕 sevalitan 指祖先之意。

先置換靈魂，與大家共同會面聚在一起，一起合作幫忙授證新靈媒。）

（2）

maru	patje-cesuw-an		tu	'-in-i-ta-djalan		tu	'-in-i-tavelak
宛如	引領、串聯-LRtF		TU	給予-PAS-Obl-道路		TU	給予-PAS-承接

tu	'-in-i-pulav-an		tu	'-in-i-vusuk-an
TU	給予-PAS-酒醉-LRtF		TU	給予-PAS-檳榔的醉-LRtF

nia	mavunavung〔註18〕	nu	i	tjaljuz-anga.
2PL.Gen	孩童	當	Loc	到那邊-Perf

（前方宛如有一條道路引領著我們，這條承接靈媒傳承的道路，當神靈附身時，靈媒有如喝醉般或如吃檳榔頭暈般的恍惚狀態，當神靈到達我們孩子的地方的時候。）

【意譯】

祭祀儀式正在屋內進行著，現任的靈媒們藉著苧麻線請神及已去世的靈媒們降臨，大家相聚在一起合作。當靈媒的動作舉止宛如喝醉酒及吃檳榔頭暈般的恍惚狀態，就表示神靈已經到達人間與我們一起了，此時神靈與去世的靈媒會附身在靈媒的身軀內置換合為一體時，做世代的交替與認證。

第二章原文：

（1）

kadaljavan　'iyavangan　pucevuljan　nu　taliyan

（2）

na tjaljadan　　na qemalev　na demeleng　'izemezem
i　vuasen　　　　nu　'iljavuluvulunginanga

第二章分析：
第二章告知家中神龕並請求守護家中所有事物及農務。

〔註18〕 mavunavung：指孩童之意，在這裡使用委婉語表示所有人在神靈面前都只是個孩童，表謙遜之意。

（1）

kadaljavan　'iyavangan〔註19〕　pu-cevulj-an　　nu　taliyan
神的名字　　靈龕　　　　　　　Caus-湧出-Nmlz　Fut　所有家中事情

（祈求屋內舉行的儀式可以受到家中靈龕的祝福，希望我們家中所有事情，不論是家務事、農事或是所有的工作，以及祈求今天的儀式順利且好運有如泉水般源源不絕。）

（2）

na　tja-ljadan　　　na　q-em-alev　　na　d-em-eleng　'i-z-em-ezem
PAS 1PL.Inc-人間　PAS. AF-切油脂　PAS. AF 茂盛　　使-AF-陰暗

i　vuasen　nu　'i-ljavulu-vulung-in-anga
Loc 田裡　Fut　使-附身-RE-PF-Perf 什麼都不知道

（當我附身時，希望藉由祭祀儀式將我們在田裡所種植的農作物都長得很茂盛。）

【意譯】

當我們被附身的時候，祈求屋內舉行的儀式可以受到家中靈龕的祝福，希望我們家中所有事情與今天的儀式的順利且好運有如泉水般源源不絕，希望我們在田裡所種植的農作物都長的很茂盛，茂盛到有很多陰暗的地方。

第三章原文：

（1）

tjaruljivak　'isiqalev remiumalj　remivalit　ljemedjilaq　liguan

（2）

ljapalalaut　tu　ljavaran　na rasudjan　nu　i　kauljadananga

第三章分析：

第三章是與陰間神 tjaruljivak 溝通，請去世的祖先們降靈的祭祀經文。

〔註19〕 放在家中的護身符：內部擺設有石頭三個、牛筋草（ljaqedraqedrac）、蒼耳（puluc）及脊椎骨（calag）、大腿骨（valjicak）。在臺灣總督府臨時臺灣舊慣調查會，2003，《番族慣習調查報告書〔第五卷〕排灣族（第三冊）》，台北：中央研究院民族學研究所，頁 45 中也提到。靈龕（kiyavangan）：為本族住家內後室之石壁，鑿穿一盒狀之洞，作為祖靈居處，有關於人的祈禱即在此處舉行。

（1）

tjaruljivak	'i-si-qalev	remi-umalj	remi-valit
神的名字	使-IF-煙薰油脂	重新開始	重新-換

ljeme-djilaq	ligu-an
變成-口水	先知者

（當先知者口中所說的話語開始讓我們困惑時，表示 tjaruljivak 神已經降靈，此時，祭祀儀式又將重新開始。）

（2）

lja-palalaut	tu	ljavaran	a	rasudj-an	nu	i	kauljadan-anga
讓-永遠	TU	話語	Link	合作-LRtF	如果	Loc	人間-LF-Perf

（請去世的祖先們到人間與先知者一起合作、幫忙）

【意譯】

當先知者口中所說的話語開始讓我們困惑時，當 ligu（先知者）的口中所說的話語開始讓我們困惑時，表示陰間神（tjaruljivak）已經降靈至靈媒身上，所以說的語言是我們聽不懂的話。此時表示祭祀儀式又將重新開始，開始進行請神部分。希望去世的祖先們降靈人間與所有靈媒們互相合作、幫忙，完成靈媒資格的授證儀式。

第四章原文：

（1）

pidianga　'isiljingas a　ljinaljui.

（2）

ljeqaqamid　ljeqaqecev　tjai　redaw　naqemati.
gaugavi　　tavelaki sinaliyu sivan　sinaliyu ngadan.

第四章分析：

第四章請 qadaw naqemati（太陽神）及去世的 mazazangiljan（頭目）降臨。

（1）

pidi-anga	'i-si-ljingas	a	ljinaljui
神的名字-Perf.	求得-IF-光線	Link	太陽神的名字

（太陽神已乘著太陽的光線為路，降臨人間。）

（2）

lje-qaqamid　lje-qaqecev　　　　　　　　tjai redaw　　　naqemati
讓-雙手合十　讓-雙手放在雙膝上且手心朝上 Obl 太陽神的名字　造物主
（靈媒雙手手心朝上放在雙膝迎接太陽神的降臨）

gaugav-i　　　tavelak-i　　sinaliyu　sivan　sinaliyu　ngadan.
承接-Imp.Incl　接收-Imp.Incl　一樣　　？　　一樣　　名字
（不論是哪一位太陽神或頭目下來，我們都一樣要雙手承接祂們的降臨。）

【意譯】

當靈媒的雙手顫抖時，表示太陽神已藉著太陽的光線為路，降臨人間。靈媒們雙手手心朝上放置雙膝，手持苧麻線迎接太陽神的降臨。當靈媒們用一條一條的苧麻線，一個個的唱名降臨人間的太陽神與去世頭目們的名字。不論是哪一個太陽神或頭目下來，我們都一樣要雙手承接祂們的降臨。

第五章原文：

madakai　ruaqetjaw　tjuljeveljev　tu　qemaljai　reminguljeng

第五章分析：

第五章是要與神靈、祖先們分離的序曲、前奏。

madakai　　ruaqetjaw〔註20〕　tjuljeveljev〔註21〕　tu　q-em-aljai〔註22〕
神的名字　分開、拿開　　圍　　　　　　　　TU　AF-尊敬

r-em-inguljeng
AF-圍起來
（現在我們要與神靈、祖先們分開了，祂們把我們圍起來，保護我們不要被 qaqetitan（惡靈）〔註23〕侵入阻撓。）

【意譯】

祂們現在要分開了，那圍起來保護我們不要讓惡靈（qaqetitqn）侵入的結

〔註20〕排灣語同 semualap：分開、拿開之意，在此指解除結界。
〔註21〕排灣語同 qeceng：指圍圓圈擋著、保護之意。
〔註22〕排灣語同 pinaqaljai：尊敬之意。
〔註23〕排灣語 qaqetitan：指意外死亡的惡靈。

界，在祂們走之後也隨之解開。

第六章原文：

ruvauvadayanga tu 'inipulavan tu 'inivusukan nia mavunavung nu i kauljadananga

第六章分析：

第六章是神靈、祖先們已經完全離開了。

（1）

ru〔註24〕-vau-vadai-anga　　　　tu　　　　'-in-i-pulav-an
FUT-RE-分開-Perf　　　　　　TU　　給予-PAS-酒醉-LRtF

tu　　　　'-in-i-vusuk-an
TU　　給予-PAS-檳榔的醉-LRtF

nia　　　　　mavunavung　nu　　i　　　kauljadan-anga
2PL.Gen　　孩童　　　　FUT　Loc　人間-Perf

（當神靈附體時，靈媒有如酒醉般或如吃檳榔頭暈般的恍惚狀態。現在附身在靈媒身上所有的神靈都已經離開了，我們（被附身的靈媒）回到人間。）

【意譯】

當儀式進行時，靈媒因被神靈附身呈現恍惚狀態。但神靈們現在都已經離開了回到祂們的地方。隨後，靈媒就完全清醒（脫離附身時的恍惚狀態）在人間。）

（二）si-kavukavulj ta zaqu（迎靈珠）的祭祀經文

本研究區域迎靈珠的六段祭祀經文基本上是相同的，唯獨最後一段送神的部分是不一樣的，第六段送神的部分是依 paliljaliljaw 群及 tja'uvu'vulj 群祭祀經文 isazazatj 最後送神的部分。整首祭祀經文不斷的出現 a e anga 的感嘆詞，除了表示感嘆句意外，其更突顯其求之意，可見文中 pulingaw 深切的盼望與期盼。因此這整首 lada 可見感嘆句與祈使句充斥其中。以下是 tja'uvu'vulj 群迎靈珠（si-kavukavulj ta zaqu）的祭祀經文的分析。

〔註24〕ru-等同於 muri 之意，表示未來句式。

全章原文：

（1）

a e anga   drava   drinepuan.

（2）

a e anga   u   mulimulitan   a e pimakudakudan sun   u pitjainuan sun

（3）

a e anga   'isusivaikanga   dremadrarian

a e anga ljemeta   paljing   a   cinekeljan.

（4）

a e anga   u qaung   a   u tangic

（5）

a e   uzauzaianga   u mulimulitan   a e anga   gaugavu   tavelaku

（6）

dr-in-epu-an   drava. a e anga madakai ruaqetjaw   tjuljeveljev   tu

qemaljai   reminguljeng. ruvauvadayanga tu   'inipulavan   tu   'inivusukan

nia   mavunavung   nu   i   kauljadananga

全章分析：

（1）

a e anga   drava   dr-in-epu-an.
Ecl-Perf   朋友   PAS-聚集-LF

（我的朋友啊！妳將要成為靈媒了）

（2）

a e anga   u-muli-mulitan   a e pi-ma-kuda-kuda-n-sun
Ecl-Perf   Gen.1SG-RE-圓形物體   Ecl 放-AF-如何-LF-Gen.2SG

u-pi-tjai-inu-an-sun
Gen.1SG-放-Obl-.位置-LF-Gen.2SG

（我的 zaqu 靈珠啊！我要把妳放在哪裡呢？我要把妳放在哪一個位置
呢？是左邊比較好還是右邊比較好呢？）

(3)

a e anga	'i-su-si-vaik-anga	dr-em-adrari-an
Ecl-Perf	得到-Gen.2SG-IF-走-Perf	AF-隨便祭祀-LRtF

a e anga	ljeme-ta	paljing	a	c-in-ekelj-an.
Ecl-Perf	每-一	門	Nom	PAS-家-LRtF

（我將我的靈珠分給妳，深怕妳會隨便去別人家亂舉行祭祀儀式。）

(4)

a e anga	u-qaung	a	u-tangic
Ecl-Perf	Gen.1SG-哭泣、難過	Link	Gen.1SG-哀悼

（祈求妳不要將我分給妳的靈珠到處亂舉行祭祀儀式，這樣我會為我贈與妳的靈珠哀悼啊！）

(5)

a e	uza-uzai-anga	u-muli-muli-tan	a e anga	gaugav-u	tavelak-u
Ecl	RE-到-Perf	Gen.1SG-RE-神珠	Ecl-Perf	接-Imp.Excl	接- Imp.Excl

（我的靈珠即將來臨了，妳要承接它，把它接起來。）

(6)

dr-in-epu-an	drava
PAS-聚集-LF	朋友

（我的朋友啊！妳將要成為靈媒了。）

a e anga	madakai	ruaqetjaw	tjuljeveljev	tu	q-em-aljai
Ecl-Perf	神的名字	分開、拿開	圍	TU	AF-尊敬

r-em-inguljeng	ru-vau-vadai-anga	tu	'-in-i-pulav-an
AF-圍起來	Perf-RE-離開-Perf	TU	給予-PAS-酒醉-LRtF

tu	'-in-i-vusuk-an	nia	mavunavung
TU	給予-PAS -檳榔的醉-LRtF	2PL. Gen	孩童

nu	i	kauljadan-anga
當	Loc	人間-Perf

（我們現在要離開了，那圍起來保護我們不要讓qaqetitan（惡靈）侵入的結界，在我們走之後也隨之解開。當神靈附體時，靈媒有如酒醉般或如

吃檳榔頭暈般的恍惚狀態。現在附身在靈媒身上所有的神靈都已經在陰間了。）

【意譯】

我的朋友啊！你將要成為靈媒了。而我要贈與你我的靈珠要把放在哪裡呢？我是要把它放在哪一個位置呢？是在左邊比較好還是在右邊比較好呢？我將我的靈珠分給你，你千萬不要隨便到別人的家去亂舉行祭祀儀式。我如此的囑咐你、叮嚀你、懇求你，如果你將我贈與的靈珠濫用，我會為它哭泣、難過、哀悼！我的朋友啊！我的靈珠即將來臨了，你要承接它，把它接起來。這整個靈媒資格授證儀式已經完完全全的結束了。我們現在要離開了，那圍起來保護我們不要讓 qaqetitan（惡靈）侵入的結界，在我們走之後也隨之解開。當靈媒被神靈附體時，會有如酒醉般或如吃檳榔頭暈般的恍惚狀態。現在附身在靈媒身上所有的神靈都已經在陰間了，而我們也已經清醒了。

（三）qimang（狩獵祭祀經文）

這個狩獵祭祀經文是源自獅子鄉 tja'uvu'uvulj 群，這首祭祀經文所使用的時間是一年一次的整地或是很久都獵不到獵物並祈求狩獵順利平安所吟唱。文中的句型有呈現期盼或是誘因的未來式，以此種方式請求神靈的幫忙與協助。此外，以完成式表現小心已確立的危機及叮嚀，如周邊設立的陷阱。

第一章原文：
（1）

sadrekuman i vavau i ljatjaritjuvutjuvu   'iljaungi 'iljuljevi
rucaqui ruamedi drevadisi dremaqesau

（2）

'inidjalan puvunavunan mautemaliduan nu pasaseljuvak tu paljing
i drengedrengan

第一章分析：
（1）

sadrekuman i   vavau i   lja-tja-ritjuvu-tjuvu   'i-ljaung-i
動物   Loc 上方   Loc 讓-Gen.1Pl.Incl-RE-樹梢   受-遮蔭-Imp.Incl

'i-ljuljev-i　　　　ru-caqu-i　　　　rua-medi〔註25〕　　drevadisi〔註26〕
吹-微風-Imp.Incl　FUT-會-Imp.Incl　足夠的-氣味　　　用手沾酒

dr-em-aqesau
AF-解渴

（很多動物都躲在洞穴內、遮蔭處及樹梢上。動物們會藉著微風去探尋
人的氣味，所以你要懂得將你的氣味掩藏。山上的神靈啊！請你幫助我
可以獵到獵物，相信祢們也口渴一段時日了。當我獵到獵物時，我不會
忘記祢們的幫忙。）

（2）

'-in-i-djalan　　　pu-vunavun-an　　ma(r)u-t-em-alidu-an
給予-PAS-路　　　生-種子-Loc　　　宛如-AF-熱鬧-Nmlz

nu　　pa-sa-seljuvak　　tu　paljing　i　　drenge-dreng-an〔註27〕
Fut　Caus-情形-擋住　　TU　門　　　Loc　動物的巢穴-LF

（動物們循自己家的路徑爭先恐後的竄逃，彼此竄逃到自己的家，這樣
的情形都擋住洞穴的門）

【意譯】

山上的神靈啊！請祢幫助我可以獵到獵物，因為我已經很久沒有獵到獵
物，相信祢們也口渴了一段時日。山上的神靈啊！當我獵到獵物時，我不會
忘記祢們的幫忙。所有的動物都躲在洞穴內、遮蔭處及樹梢上探頭觀望，牠
們藉著微風去探尋人的氣味，所以你要懂得將你的氣味掩藏。當牠們聞到人
類的氣味時，就會爭先恐後的躲到自己的巢穴裡。

第二章原文：

（1）

i　vavau　'ikauljadan　maru paseljivaken　i　ljaljimatengan
sinipatje　gagaduan　　tu　　gadu　i　vavaciqan

〔註25〕排灣語同 remedi：指人的體味、氣味。
〔註26〕排灣語同 vadisan：用手沾酒醮奠告知神靈，在這指分享與神靈獵物。
〔註27〕排灣語同 livu：指洞穴，野獸的家；附帶一提只有山豬才會自己製作巢穴，
　　　　其他動物的巢穴都是天然形成，而非自己建造的。

（2）

sinipaucunuq　sinipauqeceng tu qemadjai　i　ljeminguljen

第二章分析：

（1）

i　vavau　'i-kauljadan　maru　pa-seljivak-en　i　ljalji-matengan
Loc　上方　獲得-人間　宛如　Caus-AF-小心　Loc　附近周圍-陷阱

s-in-i-patje ga-gadu-an〔註28〕　tu　gadu　i　va-vaciq-an〔註29〕
IF-PAS-放　RE-山上-LF　　TU　山上　Loc　RE-切-LF

（你在打獵的時候要小心放在山上與你周圍的陷阱。）

（2）

s-in-i-pa(r)u-cunuq　s-in-i-pa(r)u-qeceng　tu　q-em-adjai
IF-PAS-就像-懸崖　IF-PAS-就像-籬笆　　TU　AF-綁

(k)i-ljemingulj-en
獲得-圍住-PF

（獵區的界線就像懸崖般的天然界線，就像籬笆的人立界線，就像用線將各自的獵區圍住，把自己的獵區區分清楚。）

【意譯】

你在打獵的時候要小心放在山上與你周圍的陷阱。獵區的界線就像懸崖般的天然界線，就像籬笆的人立界線，就像用線將各自的獵區圍住，把自己的獵區劃分清楚。你要懂得掩藏自己的氣味，避免微風將你的體味帶出。你也要懂得將自己藏起來，不要讓你變成動物們發現你，要小心不要成為動物們攻擊的目標。

第三章原文：

（1）

siniqeceng　sinitjatjas　tu　luljadan　a　lumuway　'isiljivak
k-em-ubing　nu　vali a　valekevek　'inipaljecunan　'inipatjisiazavan
nua　qayaqayam　a　zarakican

〔註28〕 gagaduwan 指獵區的意思。
〔註29〕 vavaciqan 同 qaqaljupen 指獵人們各自的獵區。

（2）

lalangan　i　ta　tautaljan　matjalja　ti lugai　arinaga　aringudai

（3）

vutjuljadan　i　　vavau　'inipaljecunan　　'inipatjesiazavan

nua　　qayaqayam　a　zarakican　nu　i　　kauljadananga

第三章分析：

（1）

s-in-i-qeceng	s-in-i-tjatjas〔註30〕	tu	luljad-an	a	lumuway
IF-PAS-籬笆	IF-PAS-立碑	TU	累-LRtF	Link	躲避

'i-si-ljivak	k-em-ubing	nu	vali	a	valekevek
獲得-IF-小心	AF-遮蔽人的眼睛	當	風	Link	動靜

'-in-i-paljecun-an	'-in-i-patje-siazavan	nua	qayaqayam〔註31〕
獲得-Perf-看-LRtF	獲得-Perf-放-心上	Gen	動物總稱

a	zarakican〔註32〕
Nom	獵物

（你要懂得掩藏自己的氣味，避免微風將你的體味帶出。你也要懂得將自己藏起來，不要讓動物們發現你，要小心不要成爲動物攻擊的目標。）

（2）

lalang〔註33〕-an	i	ta	tautaljan	matjalja〔註34〕	ti	lugai
製作-LF	Loc	Obl	敲打	意猶未盡	Nom	神的名字

adrinaga〔註35〕	adringudai〔註36〕
獵具在一起	獵物在一起

〔註30〕tjatjas：指保護獵人及獵區的石碑，這是經過 palisi 後的立碑，所以不可以任意移動，若移動會招致觸怒神靈導致神罰的情形（mapasaqetju）。

〔註31〕qayaqayam 本指鳥類的統稱，在這指所有的動物。

〔註32〕zarakican 指所有山上的獵物，如山羌（takec）、山豬（vavui）、山鹿（venan）等。

〔註33〕lalangan 同 malang 之意，指製作獵具的意思。

〔註34〕matjalja 同指 matjamalja：意猶未盡之意。

〔註35〕adrinaga：指有很多獵具。

〔註36〕adringudai：指抓到很多獵物。

（lukai 祂雖然已經獵到獵物，但祂仍意猶未盡的製作很多獵具去獵捕動物。）

（3）

vutjuljadan〔註37〕　i　　vavau　　'-in-i-paljecun-an
陷阱　　　　　　　Loc　上方　　獲得-Perf-看- LRtF

'-in-i-patje-siazavan　nu　　i　　kauljadan-anga　nua　　qayaqayam
獲得-Perf-放-心上　　FUT　Loc　人間-Perf 動物　Gen　動物總稱

a　　zarakican
Nom　獵物

（你們除了要特別放在心上，小心上方用樹枝做彈簧的陷阱還要小心、注意出來外面活動的動物攻擊。）

【意譯】

你要懂得掩藏自己的氣味，避免微風將你的體味帶出。你也要懂得將自己藏起來，不要讓動物們發現你，要小心不要成為動物攻擊的目標。lugai 祂雖然已經獵到獵物，但它仍意猶未盡的製作很多獵具去獵捕動物。你們除了要特別放在心上，小心上方用樹枝做彈簧的陷阱還要注意跑出來活動的動物們的攻擊。

第四章原文：

（1）

zaljum a liniveng mau qengljesadan mivanavan lipatengan

（2）

cukes a luangadan a mulitan teljurasi asanlimalj
rucadjau siasan valulj naqemalev nademelem.

（3）

zaljum i tjuljadrep u liyapen a paukulatan

（4）

u tjaqayaqayam pinatimaljimalji kaian a mulitan pinaqenetj a kan
piniqenetj a vu a sinitjara qaliqali tjai natema'itagilj

〔註37〕vatjuljadan 同 ladjuwan：指用樹枝做彈簧的陷阱。

第四章分析：

（1）

zaljum　a　liniveng　ma(r)u-qengljesadan　　mi-vanav-an　lipateng〔註38〕-an

水　　　Nom　水窪　好像-濺出水花　　　　　假裝-洗澡-LF　痕跡-LRtF

（動物們在小水窪地洗澡玩耍後在地上留下它們的足跡。）

（2）

cukes　a　　　luangadan　a　　mulitan　teljurasi　asan-lima-lj

箭　　　Nom　獵人　　　　　Link　頭　　　反擊　　　第五次

ru-cadjau　si-asan-valu-lj　na-q-em-alev　　　　　　na-demelem〔註39〕

FUT-遠離　BF-第八次　　　Perf-AF-切煙薰豬脂　Perf-陰暗

（現在我往深山處祭拜，當獵人用箭射動物的頭時，牠會反擊很多次，所以你要遠離牠們反擊時造成的傷害。）

（3）

zaljum　i　　tjuljadrep　u　liyapen　　　　a　　pa(r)u-kulat-an〔註40〕

水　　　Loc　水窪　　　讓　所有的動物　Link　就像-遊玩-LF

（所有的動物在有水的地方玩耍）

（4）

u　tja-qayaqayam　　　　　p-in-a-timaljimalji　a　　kai-an　a

讓　Gen.1Pl.Incl-動物總稱　Caus-Perf-不同的　Link　話-Nmlz　Nom

mulitan　p-in-a-q-en-etj　　a　　kan　p-in-i-q-en-etj　　a

頭　　　Caus-Perf-PF-看　Nom　吃　Caus-Perf-PF-看　Nom

vu　a　　s-in-i-tjara　qaliqali〔註41〕　tjai　na-t-em-a'itagilj〔註42〕

腸子　Link　BF-Perf-抓　外人　　　　Obl　Perf-AF-開始

（動物的創造者啊！祈求祢讓我抓到獵物。牠們的頭跟聲音不一樣，但是牠們都一樣吃生的食物、有著相同的內臟，請求祢讓我抓到獵物吧！）

〔註38〕排灣語同 sivaw 指動物的足跡。

〔註39〕排灣語 nademel em 此指深山處。

〔註40〕paukulatan 同 pakakulakulatan：指玩耍的地方。

〔註41〕qaliqali 在此指別於自己的所有其他動物。

〔註42〕natema'itagilj 指動物的創造者。

【意譯】

動物的創造者啊！祈求祢讓我抓到獵物。那些在小水窪地洗澡玩耍的動物們在玩耍後留在地上的足跡。現在我往深山處祭拜，希望可以把動物們先前混亂的足跡撫平，重新整理，讓牠們現在的足跡更加清楚、明顯。

當獵人們用箭射動物的頭時，牠們會反擊很多次，所以你要離牠們遠一點，避免反擊時所造成的傷害。動物們的頭跟聲音不一樣，但是牠們都一樣吃生的食物、有著相同的內臟，這表示著山裡有很還有很多動物，請求祢讓我抓到獵物吧！

第五章原文：

madakai ruaqetjaw tjuljeveljev tu qemaljai reminguljeng

第五章分析：

第五章是要與神靈、祖先們分離的序曲、前奏。

madakai　　ruaqetjaw〔註43〕　tjuljeveljev〔註44〕　tu　q-em-aljai〔註45〕
神的名字　分開、拿開　　　圍　　　　　　　　　　TU　AF-尊敬

r-em-inguljeng
AF-圍起來

（現在我們要與神靈、祖先們分開了，祂們把我們圍起來，保護我們不要被 qaqetitan 侵入。）

【意譯】

祂們現在要分開了，那圍起來保護我們不要讓惡靈（qaqetitan）侵入的結界，在祂們走之後也隨之解開。

第六章原文：

ruvauvadayanga tu 'inipulavan tu 'inivusukan nia mavunavung
nu i kauljadananga

第六章分析：

第六章是神靈、祖先們已經完全離開了。

〔註43〕排灣語同 semualap：分開、拿開之意，在此指解除結界。
〔註44〕排灣語同 qeceng：指圍圓圈擋著、保護之意。
〔註45〕排灣語同 pinaqaljai：尊敬之意。

ru〔註46〕-vau-vadai-anga　　tu　　　'-in-i-pulav-an

FUT-RE-分開-Perf　　　　TU　　給予-PAS-酒醉-LRtF

tu　　　'-in-i-vusuk-an

TU　　給予-PAS-檳榔的醉-LRtF

nia　　　　mavunavung　nu　　i　　kauljadan-anga

2PL.Gen　孩童　　　　　FUT　Loc　人間-Perf

（當神靈附體時，靈媒有如酒醉般或如吃檳榔頭暈般的恍惚狀態。現在附身在靈媒身上所有的神靈都已經離開了，我們（被附身的靈媒）回到人間。）

【意譯】

當儀式進行時，靈媒因被神靈附身呈現恍惚狀態。但神靈們現在都已經離開了回到祂們的地方。隨後，靈媒就完全清醒（脫離附身時的恍惚狀態）在人間。

三、小結

在上一節祭祀經文的語言分析及其文化意涵的論述，筆者將祭祀經文作綜合性的整理歸類，見【表4-2】如下：

【表4-2】lada（祭祀經文）文化意涵總表

社群分類	祭祀經文	章數	段落	文　化　意　涵
paliljaliljaw	isazazatj	1	1	儀式準備開始，先告知神靈，請神靈一同降臨主持、見證靈媒授證儀式。
			2	儀式開始，已呈入神狀態。
		2	1	可見排灣族靈媒是由祖孫輩傳遞。
			2	渴望孫女可以將靈媒的祭祀文化完整接收、傳承。
			3	告知神靈、祖靈們部落有新的靈媒誕生。
		3	1	儀式完成，希望承接者完全學會靈媒祭祀的禮儀。
			2	將靈媒祭祀的禮儀完整的承接與傳承。

〔註46〕ru-等同於 muri 之意，表示未來句式。

	si-kavukavulj ta zaqu	1	1	呼告。
			2	靈珠預放的確切位置。
			3	祭祀儀式是很莊嚴、神聖的，不可以隨便進行。
			4	期盼妳可以慎用我贈與妳的靈珠
			5	靈珠即將來臨。
			6	再次呼告，儀式結束。
tja'uvu'uvulj	isazazatj	1	1	儀式準備開始，請神靈及已去世的靈媒們一同降臨主持、見證靈媒授證儀式。
			2	儀式開始，已呈入神狀態。
		2	1	祈求屋內的遺世可以受到家中靈龕的庇祐，希望家中所有內外事物都安好，呈現排灣族整體的概念。
			2	希望家中的農作物都可以長得很茂盛。
		3	1	請已經去世的祖先降靈。
			2	儀式重新開始，開始與已去世的祖靈合作進行靈媒授證儀式。
		4	1	太陽神已經降臨。
			2	靈媒雙手手心朝上手持苧麻，用一條條苧麻請太陽神及頭目降臨。
		5	1	與神靈、祖靈分離的序曲。
		6	1	神靈與祖靈已經離開人間。
	si-kavukavulj ta zaqu	1	1	呼告。
			2	靈珠預放的確切位置。
			3	祭祀儀式是很莊嚴、神聖的，不可以隨便進行。
			4	期盼妳能慎用我贈與妳的靈珠。
			5	靈珠即將來臨。
			6	再次呼告，儀式結束。
	qimang	1	1	呼告、請求山神指引狩獵山中獵物。
			2	仍有很多動物在山林中，請求山神幫忙、協助捕捉。

		2	1	要注意山上的危險（腳邊的陷阱）。
			2	要記住自己獵區的範圍。
		3	1	要注意山上的危險（動物的攻擊）。
			2	不要向 lukai 一樣過於貪心的獵捕動物。
			3	要注意山上的危險（上方的陷阱）。
		4	1	請山神重新整理動物們遺留的足跡，讓獵人們可以輕易辨識動物的足跡。
			2	當獵到動物時，要小心牠們數次的反擊。
			3	動物們在山中玩耍，象徵山中仍有很多動物。
			4	請動物的創造者讓我抓到獵物吧！
		5	1	與神靈、祖靈分離的序曲。
		6	1	神靈與祖靈已經離開人間。

資料來源：潘君瑜整理製表

第三節　祭祀經文用語與日常用語之區辨

　　靈物化的語言不是扮演與人溝通的工具角色，而是與神靈溝通的載體。故祭祀用語是具有神性的語言，甚至可以說除了祭祀使用外，一般日常生活並不會使用，或者是有另外的意思。可知排灣族語言有多義性的存在，並依對象、場合等外在因素做適當的詮釋。

　　祭祀經文用語的用法可分為兩個部份：第一是只出現在祭祀儀式用的專門用語；第二則是祭祀經文的轉喻用語與委婉語。以下就以三種祭祀經文用語加以分類說明。

一、祭祀儀式專門用語

　　專門在祭祀儀式中出現的語彙。在祭祀經文中的禁忌語比較多屬於專有名詞的部分，而這些專有名詞大部分只出現在舉行儀式時所使用的神祇名較多，或者是屬於傳統宗教專有的物品（法器）。

【表4-3】祭祀儀式專門用語

編號	祭祀用語	中文釋義	備　註
1	gagaduwan	獵區	
2	kadaljavan	神祇名	
3	kiyamada	神祇名	
4	kiyavangam	**靈甕**	保護家中的護身符
5	ljinaljui	太陽神的名字	
6	lukai	神祇名	指很會狩獵的人
7	natematakilj	動物創造者	
8	pidi	神祇名	許（1998：25）提 i pidi 為神界
9	pukanen	神祇名	住在天上，據說是太古時代，最初傳授粟種於人類的神，因此社民對其祈求豐收小島由道（19225（3）：11）
10	redaw naqemati	太陽神	
11	sadrekuman	神祇名	
12	sevetj / zingatjas	男子	uqaljai
13	tjaruljivak	神祇名	
14	vavaciqan	獵區	
15	veljevelj / qaljangis	女子	vavayan
16	viyaq	祭葉	祭葉的選定會因所進行儀式的不同而有區別，有用榕樹葉、番石榴葉、相思樹葉及桃樹葉，但因榕樹葉取得方便所以現在都普遍使用榕樹葉。葉子上可擺碎骨頭（未殺豬）或豬脂（殺豬）。
17	zarakican	獵物的統稱	日常用語稱 sacemecemel

資料來源：潘君瑜整理製表

二、祭祀經文的轉喻用語與委婉語

　　人類的思維過程（thought processes）多半屬譬喻性，亦即「人類概念系統的建構與定義都屬譬喻性」之意涵，指的是從語言的表達方式中可看出思考模式的概念，藉由以一類事物去理解並體驗另一類事物的實質方式。〔註47〕

〔註47〕雷可夫、詹森著；周世箴譯注，2006，〈我們賴以生存的譬喻〉，台北市：聯經，頁 12～13。

委婉語的產生是與外在事物經驗結合的想像力，依經驗主義的觀點來理解譬喻（metaphor）使用的思維。

祭祀用委婉語也是站在經驗主義上成形。以排灣族傳統宗教文化爲基礎，將文化宗教所使用的禁忌用語用轉喻（metonymy）特例解釋，如南排灣信奉 qadaw naqemati（太陽神），這時 qadaw（太陽）就代表神的轉喻。以下就以表格來整理、說明祭祀儀式轉喻用語與委婉語。

【表 4-4】祭祀儀式轉喻用語與委婉語

編號	祭祀用語	中文釋義	日常用語	中文釋義	備　　註
1	cinekeljan	房子	tapau	房子	
2	cukes	箭	cekes	箭	
3	dalan	傳承	djalan	路	
4	dremadisi	用手沾酒做祭拜動作	vadisan	用手沾酒做祭拜動作	
5	drengdrengan	動物的巢穴	livu	動物的巢穴	
6	isazazatj	儀式開始	patagilj	開始	
7	kai	聲音	ljingaw	聲音	
8	kauljadan	人間	kacauwan	人間	
9	lalangan	製作	malalangan	製作	
10	lipatenga	動物的足跡	sivau	痕跡	
11	ljadan	人間	kauljadan	人間	
12	ljavaran	話	kai	話	
13	ljeqaqecev	附身	iqeces	附身	
14	luljadan	累	mazeli／maluljai	累	
15	madakesen	太陽造物神的居住地	tjagaraus	天或是只神的居住地	
16	matjalja	意猶未盡	matjamalja	意猶未盡	
17	mulitan	頭	qulu	頭	
18	mulitan	靈珠	zaqu	靈珠	
19	nademelem	深山	vukid	深山	
20	paljing	房子	tapau	房子	

21	puvunavunan	生孩子的地方	pini'aljakan	生孩子的地方	
22	qadaw	太陽神	qadaw	太陽	
23	qaljuv qaususu	原意指一堆枯黃的落葉，祭祀時指蛇	qatjuvi	蛇	「一堆枯黃的落葉」，其形狀很像蛇蜷曲的模樣，故比喻成蛇。
24	qayaqayam	動物總稱	qemuziquzip	動物總稱	
25	qemalev	祭祀儀式	palisi	祭祀儀式	
26	ruaqetjaw	分開、拿開	semualap	拿開	
27	saseketjan	休息處	sasekezan	休息處	
28	tagaw	大海	ljaveq	大海	指如大海浩瀚無邊，看不到的地方
29	tarang	巫術箱的護身符	calag	脊椎骨	
30	tinungedan	全部	penuljat	全部	
31	tjiyatjimu	所有事物	kakemudain	所有事物	不論好、壞事
32	uzauzaiyanga	即將來臨	mantjetjengzanga	即將來臨	
33	vautj	原意指繩子，祭祀時指蛇	qatjuvi	蛇	na-masan-vautj 被繩子用的（委婉語）
34	vunavung	原意是新芽，人在神面前謙稱自己為孩童	kakedriyan	孩童	委婉語

資料來源：潘君瑜整理製表

第四節　小　結

　　從研究區域豐富的祭祀經文中，不難發現排灣族繁複諸多的祭祀儀式，族人會因溝通對象的不同而影響溝通的態度，對祖先與神明多用祈求的態度；反之，對鬼與靈則用利誘與威脅的態度。從上述的分析及論述可明顯的看出艱澀難懂的祭祀經文可以用語言學的分析方法做處理，將其語氣、時態、句法結構作拆解，將祭祀經文做更細緻、更細膩的方式，找出其深層之文化意涵。

第伍章　結　論

　　本研究從排灣族傳統宗教的大範圍逐漸聚焦至分析祭祀經文語言結構與內部深層文化意涵。主要將祭祀經文用語言學客觀且科學的方法分析解構經文，將艱澀難懂的文本，從文章變成句子，再從句子變成詞幹（stem）、詞根（root）與詞綴（affix）的各個成份來解構文本，以句法結構的成句方式為經，套入文化內在意涵的緯線，傾盡己力編織還原出完整的祭祀經文。希冀從祭祀經文中可以找出排灣族宗教信仰及社會制度的文化軌跡。

研究發現

　　經由語言學句法分析排灣族靈媒祭祀經文後，筆者有以下有幾四點發現：

　　第一、經文中所使用的語言通常是依附在排灣文化內涵中的語詞，語詞中所詮釋的意義基本上都含有總體性意義的存在，祭祀語言與祭祀儀式不會只侷限在單一小框架裡，它通常是以全體、全部的整體概念，可見排灣族分享、分憂、分勞的文化。

　　第二、經文使用的語詞是包含神靈與人間三度空間的對話。從祭祀經文當中不難看出靈媒是人與神溝通的橋樑。同時代表人與神的兩種角色，且隨著說話者角色的置換，說話的空間也瞬間轉變。

　　第三、要完整詮釋排灣族祭祀經文，除需要以整體觀檢視之外，更要依說話者角色的不同而做詮釋意義的調整。而這些都可從靈媒進行儀式的動作、手勢、表情及聲音看出說話者的角色並找出其適當的詮釋。雖然排灣族一字多義的詞彙相當多，但藉著儀式的觀察，可以更加深刻了解語言與文化

相互承載的緊密關係。

最後，人類的思維過程（thought processes）多半屬譬喻性，亦即「人類概念系統的建構與定義都屬譬喻性」之意涵，指的是從語言的表達方式中可看出思考模式的概念，藉由以一類事物去理解並體驗另一類事物的實質方式。委婉語的產生是與外在事物經驗結合的想像力，依經驗主義的觀點來理解譬喻（metaphor）使用的思維。這個觀點可從祭祀經文中含有大量需以經驗主義的譬喻方式解開層層的語言密碼中驗證。

研究建議

排灣族繁瑣卻精緻的祭祀文化與深奧難懂的語言，讓筆者在研究上著實吃了不少苦頭，除了要瞭解文化的內在意涵，更要實地的參與多次的祭祀活動，如此，才可能對宗教儀式有相當程度的了解，對祭祀經文才會有較深入的解釋與見解。

排灣族傳統祭祀儀式多樣，祭祀經文只是占一小部分而已，希望後續可以進一步以語言學、宗教學、文化人類學及影像人類學做各項儀式的祭祀禱詞與咒語的語言及影像分析。將排灣族的傳統祭祀儀式做更精細、詳盡的保存，最重要是建構出排灣族完整的宗教的理論基礎。

研究心得

這本論文的誕生可以說是相當不容易，在這麼短的時間要完成這麼困難的研究亦可說是一項奇蹟。在這段田野調查的期間，內心感觸良多，一部分是讚嘆祭祀儀式仍在我的家鄉進行；另一部分則是對傳承的憂心。在訪問 pulingaw 們時，常會她們說現在的人都不認真學習，導致我們這麼老了還在幫忙別人，真的是很辛苦。想到以前是多麼認真的學習祭祀儀式，又再嘆了一口氣。

殷切期盼這本拙作可以為牡丹鄉的靈媒養成與祭祀儀式可以繼流傳下去外，更能使其他人可以看見我家鄉的排灣之美，而不是別人口中的文化沙漠。

參考書目

一、中文部分

（一）專書

1. Bourdieu, Pierre.褚思真、劉暉譯，2005，《言語意味著什麼》，北京：商務印書館。

2. 小島由道，1920，《番族慣習調查報告書・第五卷之一，排灣族》，臺灣總督府臨時臺灣舊慣調查會原著；台北：中央研究院民族學研究所編譯。

3. 小島由道，1920，《番族慣習調查報告書・第五卷之三，排灣族》，臺灣總督府臨時臺灣舊慣調查會原著；台北：中央研究院民族學研究所編譯。

4. 中國大百科全書出版社編輯，1992，《中國大百科全書，第五冊：宗教》，台北市：錦繡。

5. 王嵩山，2001，《台灣原住民的社會與文化》，台北市：聯經。

6. 北京語言文化大學文化學院編，2000，《語言與文化論叢》，北京市：華語教學巨流／高雄，麗文。

7. 古野清人著；葉婉奇譯，2000，《台灣原住民的祭儀生活》，台北市：原民文化。

8. 石磊主持；行政院原住民族委員會編，1999，《族群接觸與族群關係：大梅、旭海、牡丹三個聚落的比較研究》，台北市：行政院原住民族委員會。

9. 弗雷澤（J. G. Frazer）著；汪培基譯，1991，《金枝：巫術與宗教之研究》（上、下），台北市：久大：桂冠。

10. 宋兆麟，1989，《巫與巫術》，四川；四川民族。

11. 李緒鑒，1989，《民間禁忌與惰性心理》，北京：科學出版。

12. 林美容主編，2003，《信仰、儀式與社會》，台北：中央研究院民族學研究所。

13. 施密特（W. Schmidt）著；蕭師毅、陳祥春譯，1987，《原始宗教與神話》，上海市：上海文藝。

14. 施翠峰，1990，《臺灣原始宗教與神話》，台北市：國立歷史博物館。

15. 恩斯特‧卡西勒（Ernst Cassirer）著；于曉譯，1990，《語言與神話》，台北市：桂冠。

16. 眞田信治著；胡士云等譯，1996，《日本社會語言學》，北京：中國書籍出版社。

17. 眞田信治等著，王素梅等譯，2000，《社會語言學概論》，上海：上海世紀。

18. 祝畹瑾，1992，《社會語言學概論》，湖南：湖南教育出版。

19. 馬凌諾斯基（B. Malinowski）著；朱岑樓譯，1978，《巫術、科學與宗教》，台北市：協志工業叢書。

20. 馬累德（R.R. Marett）著；曾召銘（審）譯，1990，《心理學與民俗學》，台北市：結構群文化。

21. 馬塞爾‧莫斯等著；楊渝東等譯，2007，《巫術的一般理論獻祭的性質與功能》，桂林：廣西師範。

22. 高正雄主持人；排灣族語編輯小組，1990，《「原住民族語言之語料與詞彙彙編」排灣族語言》，台北市：行政院原住民族委員會。

23. 高加馨、黃琼如，2006，《靠近部落寄寓者文史採集巫師篇》，屏東縣牡丹鄉公所。

24. 高雅寧，2002，《廣西靖西縣壯人農村社會中 me214 mo:t31（魔婆）的養成過程與儀式表演》，台北：唐山。

25. 基辛（R. Keesing）著；張恭敬、于嘉雲譯，1989，《文化人類學》，台北市：巨流。

26. 許功明、柯惠譯合著，1998，《排灣族古樓村的祭儀與文化》，台北：稻鄉。

27. 張秀絹，2000，《排灣語參考語法》，台北市：遠流。

28. 陳生，1994，《中國禁忌》，廣西：廣西出版。

29. 陳克，1993，《中國語言民俗》，天津：新華發行。

30. 陳原，2001，《在語詞的密林裡-應用社會語言學》，台北：台灣商務。

31. 陳原，2001，《語言與社會生活-社會語言學》，台北：台灣商務。

32. 陳原，2001，《語言與語言學論叢》，台北：台灣商務。

33. 陳原，2003，《語言和人》，北京：商務印書館。

34. 傅雷哲（James Frazer）著；阮昌銳編譯，1982，《神秘世界的導遊——傅雷哲》，台北市：允晨文化。

35. 彭兆榮，2004，《文學與儀式：文學人類學的一個文化視野——酒神及其祭祀儀式的發生學原理》，北京：北京大學。

36. 童春發，2001，《台灣原住民史——排灣族史篇》，台灣省文獻委員會。

37. 黃宣範，1995，《語言・社會與族群意識：台灣語言社會學的研究》，台北：文鶴。

38. 鈴木質著；吳瑞琴編校，1992，《台灣原住民風俗誌》，台北市：臺原出版：吳氏總經銷。

39. 塔里古・菩迦儒仰（華愛），2000，《排灣語入門》，台北市：作者自印。

40. 楊士毅，1991，《語言・演繹邏輯・哲學》，台北市：書林。

41. 楊永林，2004，《社會語言學研究：文化・色彩・思維篇》，北京：高等教育。

42. 楊德峰，1999，《漢語與文化交際》，北京：新華書店。

43. 董芳苑，1991，《原始宗教》，台北市：久大文化。

44. 董芳苑，2008，《台灣宗教大觀》，台北市：前衛。

45. 蔡佩如，2001，《穿梭天人之際的女人：女童乩的性別特質與身體意涵》，台北：唐山。

46. 韓乾，2008，《研究方法原理》，台北：五南。

47. 譚昌國，2007，《排灣族》，台北市：三民。

48. 達西烏拉彎・畢馬（田哲益）著，2002，《台灣的原住民：排灣族》，臺北市：臺原。

49. 雷可夫（George Lakaff）、詹森（Mark Johnson）著；周世箴譯注，2006，《我們賴以生存的譬喻》，台北：聯經。

50. 劉其偉編譯，1991，《文化人類學》，台北市：藝術家。

51. 衛惠林，1965，《台灣省通志稿》，〈同胄志〉，南投：台灣省文獻會。

52. 鄭志明，2006，《宗教神話與巫術儀式》，台北市：大元書局。

53. 瞿海源，1997，《台灣宗教變遷的社會政治分析》，台北市：桂冠。

54. 羅常培，1989，《語言與文化》，北京市：語文。

55. 蘇以文，2005，《隱喻與認知》，台北市：臺大出版中心。

（二）期刊論文

1. 王昭，2002，〈禁忌語和委婉語文化蘊涵透析〉，《哈爾濱學院學報》卷23：5，頁106～108。

2. 王銀泉，1996，〈禁忌語與委婉語關係之初探〉，《四川外語學院學報》第2期，頁60～65。

3. 丘其謙，1964，〈布農族卡社群的巫術〉，《中央研究院民族學研究所集刊》第17期，頁73～94。

4. 吳燕和，1965，〈排灣族東排灣群的巫醫與巫術〉，《中央研究院民族學研究所集刊》第20期，頁105～154。

5. 李卉，1958，〈屏東縣來義村巫術資料〉，《中央研究院民族學研究所集刊》第6期，頁107～130。

6. 李壬癸，1975，〈臺灣土著語言的研究資料與問題〉，《中央研究院民族學研究所集刊》第40期，頁51～84。

7. 李亦園，1983，〈社會變遷與宗教皈依：一個象徵人類學理論模型的建立〉，《中央研究院民族學研究所集刊》第56期，頁1～28。

8. 周淑清，1996，〈禁忌語和委婉語〉，《佛山科學技術學院學報（社會科學版）》卷14：1，頁72～76。

9. 邱新雲，2008，〈東排灣族巫師養成研究：以土坂村爲例〉，發表於「當代情境中的巫師與儀式展現」。中央研究院民族學研究所主辦，台北南港，12月5～6日。

10. 胡台麗，1999a，〈儀式與影像研究的新面向：排灣古樓祭儀活化文本的啓示〉，《中央研究院民族學研究所集刊》第86期，頁1～28。

11. 胡台麗，1999b，〈排灣古樓五年祭的「文本」與詮釋〉，《人類學在台灣的發展：經驗研究篇》徐正光、林美容主編，中央研究院民族學研究所，頁183～222。

12. 胡台麗，2007，〈排灣古樓祭儀的元老經語與傳說〉，《中央研究院民族學研究所資料彙編》第20期，頁39～63。

13. 胡台麗，2008，〈排灣古樓女巫師唱經的當代展演〉，發表於「當代情境中的巫師與儀式展現」。中央研究院民族學研究所主辦，台北南港，12月5～6日。

14. 徐人仁，1962，〈排灣族的巫師箱〉，《中央研究院民族學研究所集刊》第14期，頁173～192。

15. 張金生，2003，〈探討排灣族社會部落權力結構的演變〉，《原住民教育季刊》卷32，頁63～98。

16. 郭東雄，2001，〈灰色的冠羽——屏東排灣族七佳部落傳統階級制度〉，《原住民教育季刊》卷24，頁11～29。

17. 童春發，2008，〈當代情境中的巫師與儀式展現：排灣族爲例〉，發表於「當代情境中的巫師與儀式展現」。中央研究院民族學研究所主辦，台北南港，12月5～6日。

18. 臧永紅，2006，〈禁忌語的表現形式及其社會心理基礎〉，《湖南城市學院學報》卷 27：4，頁 95～97。

19. 鄭惠珠，1992，〈排灣族的巫醫──生命危機與社會規範的控制者〉，《高縣文獻》，卷 7，頁 53～64。

20. 賴文英，2004，〈客方言中的委婉語──以新屋鄉豐順客話為例〉，《語文與國際研究》第 1 期，頁 87～96。

21. 謝宗先，1994，〈淺析委婉語──兼談禁忌語〉，《廣西大學學報（哲學社會科學版）》第 3 期，頁 87～91。

二、英文部分

（一）專書

1. Andrew Radford. 2004. *Minimalist Syntax*. Cambridge, UK.

2. Josiane Cauquelin. 2008. *Ritual Tests of Last Traditional Practitioners of Nanwang Puyuma*. Institute of Linguisitic, Academia Sinica, Taipei, Taiwan.

3. Raliegh, Ferrell. 1969. *Taiwan Aboriginal Groups: Problems in Cultural and Linguistic Classification*. Institute of Ethnology, Academia Sinica, Taipei, Taiwan.

4. Raliegh, Ferrell. 1982. *Paiwan Dictionary*. The Australian National University, Australia.

（二）期刊論文

1. Chih-Cheh Jane Tang. 2002 "On Nominalizations in Paiwan." *Language and Linguistics* 3（2），283-333. Institute of Linguistics, Academia Sinica, Taipei, Taiwan.

2. Hua, Jia-jing and Elizabeth Zeitoun. 2005 "A Note on Paiwan tj,dj,and lj." *Language and Linguistics* 6（3），499-504. Institute of Linguistics, Academia Sinica, Taipei, Taiwan.

3. Lillian M. Huang, Elizabeth Zeitoun, Marie M. Yeh, Anna H. Chang and Joy J. Wu 1999 "Interrogative constructions in some Formosan languages." *Chinese Languages and Linguistics*, V: Interactions in Language, 639-680, Institute of Linguistics, Academia Sinica, Taipei, Taiwan.

三、學術論文

1. 朱清義，2003，《阿美語詞彙結構》，國立東華大學族群關係與文化研究所。

2. 林二郎，2005，《以大巴六九部落的實踐經驗芻建卑南族巫術的理論》，國立台南大學台灣文化研究所。

3. 林佩欣，2003，《日誌前期台灣總督府對就慣宗教之調查與理解（1895

　～1919)》，國立政治大學史學研究所。

4. 高加馨，1991，《牡丹社群的歷史與文化軌跡──從排灣族人的視點》，國立台南師範學院鄉土文化研究所。

5. 張秀絹，1992，《排灣語使動結構研究》，國立清華大學語言研究所。

6. 張彥珊，1998，《現代委婉語研究》，國立高雄師範大學國文系碩士論文。

7. 曾士芬，2003，《排灣語之重疊現象亦為加綴現象》，國立中正大學語言學研究所。

8. 黃天來，2006，《阿美語詞綴與疑問詞研究》，國立高雄師範大學台灣文化及語言研究所。

9. 詹碧珠，1998，《尪姨與其儀式表演：當代台灣女性靈媒的民族誌調查》，國立清華大學社會人類學研究所。

10. 楊江瑛，2003，《Mukiangai：建和卑南族巫師（temaramaw）的儀式實踐》，國立清華大學人類學研究所。

11. 蔡佩如，1999，《穿梭天人之際的女人：女童乩的星別特質與身體意涵》，國立清華大學人類學研究所。

附錄一：pulingaw 報導人圖表

族　　名	漢名	年齡	家系系統	年　齡 學習	年　齡 辦事	師　　事	主持授證儀式	靈媒類型
kivi・pasavuta	朱玉枝	74	tjaljunay puiku	5	50	qadaw naqemati drenger・calamqut	drenger・calamqut	ligu
vais・ljivaljiv	張玉葉	72	tja'uvu'uvulj tjuleng	37	48	tjuku・taupili／kivi・pasavuda	kivi pasavuda	pucemas
sauljaljui・cikem	劉天妹	68	tja'uvu'uvulj tjuleng	56	62	kivi・pasavuda／vais・ljivaljiv	vais・ljivaljiv	pucemas
sauljaljui	曹錦霞	57	tja'uvu'uvulj tjuleng	52	55	kivi・pasavuda／vais・ljivaljiv	vais・ljivaljiv	pucemas
saljeljeng・maligilig	曹美惠	70	tja'uvu'uvulj tjuleng	46	48	umi・paciqelje	umi・paciqelje	pucemas

靈媒報導人相片

kivi・pasavuta
朱玉枝

vais・ljivaljiv
張玉葉

sauljaljui・cikem
劉天妹

sauljaljui
曹錦霞

saljeljeng・malikilik
曹美惠

附錄二：參與觀察現場祭祀儀式表

編號	時　間	地　點	儀式項目	主祭靈媒	備　註
1	2008.10.12	牡丹村中牡丹	Paqivadaq〔註1〕	kivi pasavuta	問太陽神事情
2	2008.11.02	石門村大梅部落	'ipatjaracekelj〔註2〕	vais ljivaljiv	去世七年
3	2008.11.27	牡丹村鐵線橋	'ipatjaracekelj	vais ljivaljiv	重整家運
4	2008.12.13	石門村石門部落	'ipatjaracekelj	vais ljivaljiv	去世兩年
5	2008.12.14	牡丹村下牡丹	'ipatjaracekelj	kivi pasavuta	去世一年
6	2008.12.15	石門村石門部落	'ipatjaracekelj	kivi pasavuta	去世一年
7	2008.12.20	石門村石門部落	'inasikuyan〔註3〕	vais ljivaljiv	semudjalan（斷根儀式）
8	2008.12.22	石門村中間路	'ipatjaracekelj	vais ljivaljiv	去世一年
9	2009.01.03	石門村大梅部落	'ipatjaracekelj	vais ljivaljiv	同2之家庭
10	2009.03.29	東源村東源部落	'ipatjaracekelj	kivi pasavuta	小孩不會講話
11	2009.05.04	石門村大梅部落	Pinaiskiyazaw〔註4〕	kivi pasavuta	部落祖靈屋落成

〔註1〕 pa'ivadaq：亦可稱 pa'ivadaq ta kamalaw 求神降靈問因果、業障或解決各種疑難雜症之意。

〔註2〕 ipatjaracekelj：指家庭儀式，去除家中霉運，重新整合家運。

〔註3〕 inasikuyan：指意外治喪儀式。這種儀式從出殯當天的一年間總共要舉行五次，分別爲 tjemautjasaw（祓契儀式）、qemizin（驅禳儀式）、semudjalan（斷根儀式）、paitjalu（融合儀式）、sirusutjan（整合儀式）。

〔註4〕 pinakisiyazaw：祭拜祖靈屋儀式。

12	2009.05.12	石門村石門部落	'ipatjaracekelj	vais ljivaljiv	去世一年
13	2009.05.23	牡丹村中牡丹	paqivadaq	kivi pasavuta	問太陽神事情
14	2009.05.27	牡丹村中牡丹	paqivadaq	kivi pasavuta	問太陽神事情
15	2009.06.27	石門村石門部落	'inasikuyan	vais ljivaljiv	paitjalu（融合儀式）同 7 之家庭

附錄三：祭祀經文訪問表

編號	時 間	地 點	受 訪 者
1	97.10.09	屏東市	華阿財
2	97.10.12	牡丹村中牡丹	朱玉枝
3	97.10.12	高士村	張順枝
4	97.10.22	屏東市	華阿財
5	97.10.26	石門村茄芝路部落	陳樹林
6	97.10.26	石門村大梅部落	曹美惠
7	97.11.01	石門村大梅部落	劉天妹
8	97.11.02	牡丹村中牡丹	朱玉枝
9	97.11.03	石門村大梅部落	張玉葉
10	97.11.03	牡丹村中牡丹	朱玉枝
11	97.11.09	石門村茄芝路部落	陳樹林
12	97.11.09	石門村大梅部落	曹美惠
13	98.04.04	石門村大梅部落	劉天妹
14	98.04.29	石門村大梅部落	劉天妹
15	98.05.20	屏東市	華阿財
16	98.05.26	屏東市	華阿財、華加靖
17	98.06.06	屏東市	華加靖
18	98.06.09	牡丹村鐵線橋部落	張玉葉

19	98.06.09	牡丹村中牡丹	朱玉枝
20	98.06.09	牡丹村下牡丹	高初代、高明
21	98.06.10	牡丹村鐵線橋部落	張玉葉
22	98.06.11	牡丹村中牡丹	朱玉枝
23	98.06.12	牡丹村上牡丹	劉昭山、尤秀宜
24	98.06.20	牡丹村鐵線橋部落	張玉葉
25	98.06.22	屏東市	華阿財
26	98.06.26	屏東市	華阿財、華加靖
27	98.06.29	來義鄉古樓部落	卓白倚、高菊梅、蔣義盛、鄧玉雪、卓秀花
28	98.07.04	泰武鄉平和部落	鄭尾葉、鄭清安、林貴鳳、孔秀華、鄭美蘭、謝水能、孔愛花
29	98.07.05	泰武鄉平和部落	鄭尾葉、鄭清安、林貴鳳、孔秀華、鄭美蘭、謝水能、孔愛花
30	98.07.06	牡丹村鐵線橋部落	張玉葉
31	98.07.07	泰武鄉平和部落	鄭尾葉、鄭清安、林貴鳳、孔秀華、鄭美蘭、謝水能、孔愛花
32	98.07.15	牡丹村鐵線橋部落	張玉葉

附錄四：靈媒認證資格位置圖示

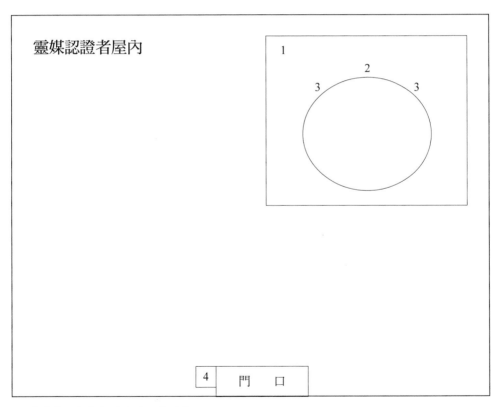

靈媒認證者屋內

1

2

3　　3

4　　門　口

1. 靈媒受證者家中隱避的小房間內。
2. 受證者。
3. 其他靈媒們圍坐一圈，保護、幫忙受證者一起完成授證儀式
4. 保護物：豬下巴骨、刀，保護屋內的所有參與儀式的人，避免其他惡靈干擾。

附錄五：排灣語索引

排灣語	中文釋意
'aljak	小孩
'iljaungi	遮蔭
'iljuljevi	吹著微風
'inasikuyan	意外治喪儀式
'inipaljecunan	看
'inipatjisiazavan	放在心上
'ipatjaracekelj	家庭儀式
'isikiljivak	要注意、要小心
'isiqalev	切煙燻豬脂
'iyavangan	神龕
'izemezem	茂盛之意
'siljingas	藉著光線
a	主格
akumaya（aku）	爲什麼
alaingan	長嗣
alju	糖果
alu	八
anema	什麼
arinaga	有很多獵具
aringudai	抓到很多獵物

asanlimalj	第五次，同 si'asan limalj
asanvalulj	第八次，同 si'asan valulj
banal	禿頭
benulu	打球
bubung	泡沫
bulai	漂亮
burung	洞
calag	脊椎骨
calinga	耳朵
camak	男子名
carakican	獵物的總稱，如山羌、山豬、山鹿等。
casaw	外面
caucau	人
cavilj	歲、年
cemacugan	祭司；同 parakaljai
cemalivatj	經過
cemapa	燒烤
cemas	神靈
cemavu	包紮
cempu	編織
cevungi	會面
cinekeljan	家
cisavan	石門村茄芝路部落後段
cukes	箭
cungal	膝蓋
dalan	道路；使命之意，同 djalan 一詞
daliyan	家中內外大大小小的事情
dangas	懸崖
demeljeng	茂盛
djalan	道路；使命之意
djamuq	血

djaraljap	榕樹
djilaq	口水
djulis	紅藜
drava	女生的女生朋友
dremadisi	醮奠
dremadrarian	隨便祭祀
dremaqesau	口渴
drengedrengan	動物的巢穴；同排灣語 livu 之意
dresengi	一起合作
dridri	豬
drinepuwan	將成為靈媒
drusa	二
esau	去煮菜
gacalju	起身
gacel	癢
gadu	山上
gagaduan	山上
gaugav	承接
gemalju	慢
gemgem	握拳頭
gusam	種子
icu	這
iljavuluvulunginanga	已經什麼都不知道了
imaza	在這裡
ini	沒；不之意，同 inika
inika	沒；不之意，同 ini
inu	哪裡那一個
isazazatj	儀式開始
itung	衣服
iza	表存在
izuwa	有

kadaljavan	神祇名
kaian	話
kakanen	吃的東西
kakedriyan	孩童
kakesan	廚房
kakituluwan	學習的地方
kama	爸爸
kamalaw	業障、因果之意
kaniputj	法術袋／箱
kapaz	樹根
kapi	男子名
kaseraringan	地位最高之女靈媒
kasiw	樹
kasusu	親戚
kataqetan	睡覺的地方
kauljadan	人間
kauljadan	人間，同 kacauwan 之意
kavulungan	大武山
Kawac	家名
keljan	知道
keljan	知道
kemac	咬
keman	吃
kemubing	掩蔽
kemuda	如何
kidjadjalan	同行
kiluvad	減少
kina	媽媽
kinasengacan	討厭的
kiqulu	馘首祭
kitulu	學習

kivalit	換
kiyamada	神祇名
kudral	大
kudran	揹著
kulakulan	豬蹄
kuzulj	數詞，千
lada	唱經
ladjuwan	指用樹枝作成的彈簧陷阱，同 vutjuljadan
lalangan	製作，同 malang
lava	飛鼠
lekelek	苧麻
levelevan	茫然
ligu	先知者
lima	手
liniveng	水窪
lipatengan	動物的痕跡，同 sivaw 之意
liyapen	所有的動物
ljaljimatengan	附近周圍的陷阱
ljavaran	話語
ljeme	每一
ljemilji	探望
ljeminguljen	圍起來
ljeqaqamid	雙手合十
ljeqaqecev	雙手放在雙膝上且手心朝上
ljezaya	上坡
ljinai	斗笠
ljinaljui	人名
Ljingas	光線
ljisu	桑葉
luangadan	獵人
lugai	人名

lukuc	山蘇
luljadan	累
lumamad	嬰兒
lumuway	躲避
lutjuk	兔子
maca	眼睛
macam	辣的
maciyur	結伴同行
maculja	飢餓
madakai	人名
madakesen	最高的地方，指神祇住的地方，也指 tjagaraus
madjulu	便宜
makuda	如何
ma-kuda	怎樣
malang	製作，同 lalang
malap	拿
malingalingac	石門村中間路部落
malje-tapuluq	十位（指人）
maljeveq	五年祭
manetjimuluyan	治喪祭
manu	還是
mapida	多少（屬人）
mapulaw	酒醉
maru	好像
masalut	收穫祭
masiljaviya	落成祭
masupadai	水稻收穫祭
masupadai	水稻收穫儀式
matengez	遮蔽看不見，或是指祭祀儀式不順利
matjalaw	生氣
matjalja	意猶未盡，同 matjamalja

mau	好像，同 maru
mautemaliduan	好像很熱鬧的樣子，指動物四處逃竄的情形
mavaday	分手
mavetu	吃飽
maya	不要（否定詞）
maza	這裡
mazazangiljan	部落領袖；頭目
mivanavan	假裝洗澡，指假裝洗澡之意
mulitan	原意指琉璃珠，但在祭祀經文廣義的解釋為圓形物體；狹義的可分為動物的頭、zaqu 靈珠
na	表過去式
nakuya	不要
naqemalev	切煙薰豬脂，在祭祀經文中指
naqemati	造物神
nasi	氣息
natema'itagilj	動物創造主
neka	沒有（否定詞）
ngadan	名字
ni	第二人稱屬格
nia	第一人稱（排除式）屬格
nu	如果
nua	屬格
nungida	何時（未來）
pa'atjaqadau	治喪祭
pacengelaw	祈晴祭
pacun	看
paian	給
paitilju	瓢卜
paitjalu	融合儀式
paiwan	泛稱排灣族
pakenin	指嚇人的鬼魂

palalaut	永遠
paliljaliljaw	巴利澤利敖群同指 paljizaljizaw parilarilao；現今牡丹鄉、滿洲鄉及恆春鎮，亦可說是整個恆春半島。
palisi ta malup	狩獵祭
palisi ta sunusaui	除草祭
palisi ta vaqu	小米祭
palisi tua kulavaw	除鼠祭
palisi tua qatjuvitjuvi	除蟲祭
palisi	禁忌、祭祀儀式
paljing	門
pana	河邊
papucemel	看病
papuleqem	驅禳賜福
paqaluqalu	巴卡羅群同指 paqaluqalu Paqaloqalo；現今台東縣金峰鄉、達仁鄉、大武鄉、太麻里鄉（由大武山的東部延伸至東海岸）。
paqenetj	記憶
paqivadaq	求神降靈
paqudjalj	祈雨祭
parakaljai	司祭者
paramur	過分
paravaravac	非常
parimasudj	整理收拾
patjecesuwan	引領、串聯
patjikabukabuan	播種後祭
patjiyatjimu	所有的事物，同 kakemudain
paukulatan	玩耍的地方，同 pakakulakulatan
paumaumaq	巴武馬群；現今三地門鄉南部區域、瑪家鄉、泰武鄉、來義鄉及春日鄉北部區域（南北大武山以西至力里溪以北）。

pavay	給
pazangal	困難
penangul	打
penuljat	表全部之意
pida	多少（非屬人）
pimakudakudan	要放在哪裡
pinakisiyazaw	祭拜祖靈屋儀式
pina-secacikel-anga ta qadau	流產祭
pinavayan	給
pitjainuwan	放在哪個位置、哪個方位
pitju	七
piyadr	器皿（盆）
pucevuljan	湧出
pucuvulja	煙
pukanen	神祇名，指粟神
pulavan	酒醉
pulingaw	靈媒
puluq	十
pungudan	外加芝來社，現為大梅部落
puvunavunan	生小孩的地方
qaciljai	石頭
qadaw naqemati	太陽神
qadaw	太陽
qadris	雄鷹
qalev	煙燻豬脂
qaliqali	別人
qaqetitan	惡靈
qaselu	雙手吹氣
qatjuvi	蛇
qaung	哭泣
qayaqayam	指鳥類總稱，但在祭祀經文則表示動物的總稱

qeceng	籬笆
qemadjai	綑綁
qemalev	切煙燻豬脂
qemaljai	尊敬
qemetjutj	放屁
qemizin	驅禳儀式
qemuziquzip	動物的總稱
qengljesadan	濺出水花
qimang	運氣、運勢
qipabuljadjek	播種祭
qumaqan	屋內
raruquwan	葫蘆的弧面
rasudjan	合作
ravar	拉瓦爾亞族；現屏東縣三地門鄉以北之區域。
redaw	太陽神的名字
reminguljeng	圍起來
remiumalj	重新開始
remivalit	重新換
ritjuvutjuvu	樹
riuveketjan	綁起來
ruamedi	指人的體味、氣味
ruaqetjaw	分開、拿開之意，同 semualap
rucadjau	遠離
rucaqui	會
runi	絲瓜
ruvaivaik	常去
ruvauvadayanga	已經分離了
sadrekuman	動物
saiku	會
saladj	同伴
salekuya	不好

sapui	火
saseqetjan	休息、停止之意
sauzayan	指財產
savalivali	茄芝路前段
saviki	檳榔
seljuvak	擋住
sema	去
semainagatj	需要切 qalev 的收驚儀式
semalaput	輕微的收驚儀式
semanekadjunangan	風水儀式
semaqaljai ta kadjunangan	破土祭
sematez	送
semawutaljayar	防疫祭
semenai	唱歌
semualap	拿開、拿走之意
semuasuap	正在掃地
semuciluq	滿月儀式
semudjalan	斷根儀式
semukub	敬禮
semupaljiq	被契儀式
semupuljuwan	除喪儀式
setaveluwan	下牡丹
setjaciqa	中牡丹
sevalitan	祖先
sevaralji	上牡丹
siceviq	用來切的
sikesa	用來煮的
sinaliyu	一樣
sinipatje	放置
sinipaucunuq	天然的獵區界線
sinipauqeceng	人爲做的獵區界線

siniqeceng	圍籬笆，指人為的獵區界線
sinitjara	抓
sinitjatjas	立碑
sinivaudjan	牡丹社
sipapuljialjiak	讓人知道孩子出生
siqunu	祭刀
siqunu	小刀
sirusutjan	整合儀式
sivaw	動物的足跡
su	你
suqelam	不喜歡
ta	斜格
tagaw	大海，同 ljavek 一詞
taidai	百
takec	山羌
tangic	哀悼
tangida	何時（過去）
tapau na palisi	祭屋
tapau	家屋
taqtaq	床鋪
tarang	放在法術袋／箱裡的 calag（脊椎骨）稱 tarang，是法術袋／箱與 pulingaw 的護身符。
tarev	女婿
tasauni	剛才
tautaljan	敲打
tavelak	承接
teljurasi	反擊
temekel	喝
tima	誰
timaljimalji	不一樣
tinaidai	百分之百，意指完全、全部之意

tinapuluq	十分之十，意指完全、全部之意
tinekel	喝過了
tinungedan	表全部之意，同 penuljat 一詞
tiyakeaken	我；有強調的意味，就是我的意思
tja'uvu'uvulj	查敖保爾群；現今春日鄉南部及獅子鄉的區域。
tja'uvulj	內文
tjagaravus	大武山
tjakudrakudral	牡丹中社
tjaljagaduan	大尖山
tjaljunai	女仍小社
tjaljuzanga	已經到達，但在祭祀經文則表示已經附身之意
tjaqaciljay	石門
tjaruljivak	神祇名
tjavangavangasan	山頭
tjekalius	順道接走
tjelu	三
tjemautjasaw	被契儀式
tjengelay	喜歡
tjukap	鞋子
tjuljadrep	水漥
tjuljeveljev	圍住
tjuqaculjai	頂加芝來社
tjuruvu	很多（指人）
tjuwatjakedri	鐵線橋
u	我
umaq	家屋
umi	女子名
uzauzayanga	即將來臨
vaik	走
valekevek	動靜
vali	風

valjitjuq	螺貝、計算單位（元）、錢幣
vangalj	果實
vasa	芋頭
vatjivatjan	圍住
vatu	狗
vaudjan	葛藤
vava	酒
vavaciqan	獵區
vavau	上方
vavui	山豬
vavuljavan	黃銅製的盆子
venan	山鹿
venaqesing	打噴嚏
veneli	買
vu	腸子
vuas	葫蘆
vuas	葫蘆
vuasen	田裡
vuculj	排灣族亞群
vuluq	長矛
vunavung	幼苗，指小孩 kakedriyan
vurasi	地瓜
vusukan	如檳榔後呈現頭暈的狀態
vutjuljadan	指用樹枝作成的彈簧陷阱，同 ladjuwan
vuvu	祖父母；孫子女
yisu	耶穌
zaljum	水
zaqu	無患子的種子
zua	那